# JEAN GIONO

# IMAGINAIRE ET ÉCRITURE

Actes du colloque de Talloires

(4, 5 et 6 juin 1984)

*Ouvrage publié avec le concours*
*du Centre national des Lettres*

ÉDISUD

1985

Ont participé à ce colloque :

Jean ARROUYE (Université de Provence, Aix-en-Provence)
Jacques CHABOT (Université de Provence, Aix-en-Provence)
Pierre CITRON (Université de la Sorbonne nouvelle, Paris III)
Alan J. CLAYTON (Tufts University, Medford, Massachussetts, U.S.A.)
Jean DECOTTIGNIES (Université de Lille)
Yves-Alain FAVRE (Université de Pau)
Laurent FOURCAUT (Lycée de Gonesse et Université de Paris III)
Christiane KÈGLE (Université de Toronto, Canada)
Denis LABOURET (Collège d'Etréchy)
Anne MACHU (Université de Nancy II)
Didier MACHU (Université de Nancy II)
Jean MOLINO (Université de Provence et Université Mohammed ben Abdellah, Fès, Maroc)
André-Alain MORELLO (Université de Paris IV)
Marcel NEVEUX (Lycée de Monaco)
Jean PIERROT (Université de Haute-Normandie, Rouen)
Robert RICATTE (Université de Paris VII)
Suzanne ROTH (Université de Dijon)
Mireille SACOTTE (Université de Paris III)

# AVANT-PROPOS

Les 4, 5 et 6 juin 1984 s'est tenu à Talloires (Haute-Savoie), dans la Salle du Chapitre du Prieuré, local du Centre européen de Tufts University, le deuxième colloque consacré à l'œuvre de Jean Giono. Il avait pour objectif principal de poursuivre l'interrogation collective sur cette œuvre, inaugurée par le colloque d'Aix-en-Provence en juin 1981[1]. Les intervenants furent convoqués sous le double signe de l'imaginaire et de l'écriture, catégories passablement larges et aptes par là même à permettre la plus grande latitude possible dans le choix tant des sujets que des approches. Le présent volume réunit la quasi-totalité des communications faites pendant les trois journées du colloque. Elle sont placées dans la première ou la seconde partie selon qu'elles s'attachent, *grosso modo*, à l'élucidation d'une pratique ou à l'exégèse d'un contenu ; mais ce n'est là, le plus souvent, qu'une division de convenance, et nous reconnaissons bien volontiers ce qu'un tel principe d'organisation, fondé sur l'opposition du signifiant et du signifié, peut avoir d'arbitraire et de limitatif. A l'intérieur de chaque partie, nous présentons les communications selon l'ordre chronologique de publication des œuvres qu'elles étudient, les études générales ou globales trouvant leur place à la fin de chaque catégorie.

Ces communications, nous nous abstenons de les commenter ici en guise d'introduction : fatalement, et heureusement, elles déborderaient toute tentative de résumé clair et précis. Au lecteur d'en faire l'usage qui lui convient, et de juger si l'œuvre de Giono, parvenue à l'âge des colloques, est toujours capable de stimuler un discours critique varié et fécond[2].

Alan J. CLAYTON

NOTES

1. Les actes de ce colloque ont paru en 1982 chez Édisud sous le titre : *Giono aujourd'hui*.
2. Nos plus vifs remerciements vont à Mme Mary van Bibber Harris, directrice du Centre européen, au directeur adjoint M. John Kodis et à Mlle Inès Radmilovic pour l'aide constante et gracieuse qu'ils ont bien voulu nous accorder dans l'organisation du colloque. Nous remercions également de tout cœur Mme Édith Berger de nous avoir autorisé à exposer un choix de ses tableaux et dessins au Prieuré à l'occasion de ce colloque, aussi bien que M. et Mme Michel Adam grâce à qui ont été pris les arrangements nécessaires à cette exposition.

# I
## MOBILES ET FORMES DE L'ÉCRITURE

# CELUI QUI VA PARLER

## LA PAROLE ET LE RÉCIT DANS «UN DE BAUMUGNES»

### par Jean Molino

Nous poursuivons, dans ce travail, deux buts étroitement liés. Nous voudrions, d'un côté, poursuivre l'enquête que nous avons commencée en étudiant l'organisation de *Colline*[1] et nous faisons aujourd'hui porter notre analyse sur le roman écrit par Giono immédiatement après *Colline*, soit *Un de Baumugnes*. Et nous voudrions utiliser les mêmes méthodes : celles qui consistent à mettre en évidence, à tous les niveaux du texte, des configurations récurrentes et significatives; configurations qui ressortissent de l'étude du «niveau neutre» du récit et plus généralement des objets et formes symboliques[2]. Mais ces configurations, nous esssayons en même temps de les mettre en relation avec les stratégies de composition du créateur ou «poïétique», tentant ainsi de répondre à la question : comment a été fait *Colline*, comment a été fait *Un de Baumugnes* ? Ce qui devrait nous permettre d'entrer dans l'atelier de l'artiste et de voir comment il travaille, comment aussi il apprend son métier : le passage de *Colline* à *Un de Baumugnes* nous semble caractéristique de ce qu'on pourrait appeler les années d'apprentissage de Giono.

En même temps que nous cherchons à suivre l'évolution de la création romanesque chez Giono, nous voudrions aussi apporter une contribution à un problème plus général, et qui tient depuis quelques années le devant de la scène critique, le problème de l'analyse du récit. C'est pourquoi notre étude insiste surtout sur la technique narrative de *Un de Baumugnes*, ce dernier roman marquant le passage à un nouveau type de récit, le récit à la première personne. *Un de Baumugnes* nous intéresse en lui-même, en tant que roman de Giono, mais aussi en tant que récit sur lequel on peut tester, raffiner ou modifier les modèles aujourd'hui courants d'analyse du récit.

# 1. Intrigue

La scène narratologique est envahie par l'inflation verbale. Essayons donc de ne pas perdre de vue le vieux précepte donné par la *Logique de Port-Royal* : il convient de discuter (et de se disputer) au sujet de choses et non de mots. Commençons par ce que l'on appelle fable, histoire, ou, pour revenir à un mot banal, intrigue. Il s'agit de ce qu'Aristote appelait *mythos* (*Poétique*, 1450a7) et qu'il définissait comme «ê tôn pragmatôn sustasis», c'est-à-dire l'arrangement des actions ; glosons en termes plus courants : le fil des événements dans une histoire, un roman ou une pièce de théâtre. Cette intrigue, qui est bien en général la représentation d'actions humaines et d'événements enchaînés, est découpée et organisée d'une façon particulière par le fabuliste, le dramaturge ou le romancier ; c'est ce que l'on peut appeler la construction. C'est par la construction de *Un de Baumugnes* que nous allons commencer notre étude, avant d'en venir à l'intrigue, qui nous retiendra plus longuement.

La construction de *Un de Baumugnes* est, si l'on nous permet la formule, d'une simplicité évangélique. Elle apparaît en toute clarté sur le tableau ci-dessous, dans lequel nous donnons à chaque chapitre un titre en style télégraphique qui en résume le contenu[3] :

| chapitre | pages in *O. C.* I | Contenu | Nombre de pages |
|---|---|---|---|
| I | 221-228 | Rencontre - Début du récit d'Albin. | 7 |
| II | 228-236 | Suite et fin du récit. | 8 |
| III | 236-241 | Amédée propose à Albin d'aller à la Douloire | 5 |
| IV | 241-249 | Arrivée à la Douloire - Présentation du cadre. | 8 |
| V | 249-257 | Vie à la Douloire. | 8 |
| VI | 257-263 | La tasse et les cris du bébé. | 7 |
| VII | 263-269 | Orage - Amédée voit Angèle. | 6 |
| VIII | 269-274 | Amédée va chercher Albin. | 5 |
| IX | 275-283 | Échec - Albin veut agir lui-même. | 9 |
| X | 284-292 | Albin vient jouer de l'harmonica. | 8 |
| XI | 292-304 | Récit d'Albin - La fuite. | 11 |
| XII | 304-314 | Le retour. | 10 |
| XIII | 314-319 | La séparation. | 5 |
| | | Total | 97 |

La simplicité et la cohérence apparaissent aussi bien dans la «macro-structure» que dans la «micro-structure» de l'œuvre. Envisageons d'abord la macro-structure : les 13 chapitres s'organisent en deux parties symétriques dont le centre de gravité est représenté par le chapitre VII, dans lequel Amédée voit Angèle enfermée ; l'orage forme bien le sommet de l'œuvre dont il marque le plus haut degré de tension. Les deux premiers chapitres, dans lesquels Albin fait le récit de ses aventures, correspondent au dernier chapitre, où Amédée raconte la fin de l'histoire et la séparation. Le développement est linéaire, avec peu de ruptures dans l'ordre des événements : il y a un retour en arrière, au début du chapitre XI, lorsqu'Albin raconte à Amédée comment il a pu parler à Angèle prisonnière et au chapitre XIII, lorsqu'Amédée, après avoir terminé son histoire, revient sur le moment de la séparation. Après les deux premiers chapitres d'exposition, le chapitre III commence l'action : Amédée propose à Albin d'aller à la Douloire chercher Angèle. Nous avons ensuite le récit de son arrivée à la Douloire (chapitre IV), de la vie à la Douloire (chapitre V), de la découverte des premiers indices (chapitre VI) ; Amédée voit enfin Angèle (chapitre VII), va chercher Albin (chapitre VIII), n'arrive pas à entrer en contact avec Angèle (chapitre IX), qu'Albin arrive à découvrir et à convaincre (chapitres X et XI) ; enfin viennent la fuite et le retour (chapitres XI et XII), puis l'épilogue (chapitre XIII). La même simplicité, la même clarté se retrouvent dans la micro-structure : chaque chapitre, qui constitue une unité bien délimitée, correspond à un épisode, à une scène définie. Le chapitre IV, par exemple, décrit une seule scène, l'arrivée d'Amédée à la Douloire. Et cette unité de texte répond à une unité génétique : Giono compose par chapitres comme le prouvent par exemple les esquisses du *Grand Troupeau* (I, 1088-1119). Mais, à la différence de ce qui se passera dans ce dernier roman, où l'unité du chapitre est tantôt de situation, tantôt thématique — plusieurs brèves scènes se juxtaposent pour orchestrer un thème —, dans *Un de Baumugnes*, tous les chapitres sont construits autour d'une seule situation : l'arrivée, la tasse de lait, la fuite, le retour… Nous sommes encore près de la construction de *Colline*, récit fait de strophes isolées correspondant chacune à une scène élémentaire, à un noyau narratif conçu comme un tableau immobile et vivant. Et pourtant l'esthétique du petit tableau cède en partie la place à une unité dramatique plus vaste — l'épisode — dont la continuité est assurée par la présence consistante du narrateur à la première personne. Regardons par exemple comment est organisé le chapitre IV, que nous avons intitulé «l'arrivée à la Douloire» ; il est composé de noyaux, de motifs narratifs plus petits que l'on peut facilement individualiser et séparer : le passage de la Durance, la description de la Douloire, les deux rencontres — avec le petit gardien de troupeaux, puis avec l'homme endimanché qui annonce un enterrement —, l'arrivée chez Clarius, la rencontre avec Saturnin, enfin la description de Saturnin et de son rire. Chacun de ces noyaux est à peu près indépendant des autres et rappelle les paragraphes isolés de *Colline* ; la différence, essentielle, est que la présence du narrateur unit ces motifs, qui constituent une chaîne, un épisode logiquement organisé. Et cet épisode est construit de façon dramatique : les motifs du gué, de la description, des deux rencontres se disposent en crescendo qui retarde l'arrivée et en même temps augmente l'inquiétude et la tension ; la tension culmine dans le dialogue entre Clarius et Amédée puis retombe peu à peu avec l'arrivée de Philomène et l'installation d'Amédée qui se met à travailler ; enfin le motif du rire de Saturnin vient faire un contrepoint grinçant à l'installation d'Amédée.

La construction découpe et organise une intrigue. Quelle est l'intrigue de *Un de Baumugnes* ? Comme le dit fort justement R. Ricatte, «ce ressort, c'est, *stricto sensu*, l'histoire d'une séquestrée» (I, 964). On peut sans doute compléter l'indication en reconnaissant la présence de trois motifs narratifs : 1) le motif de la folle séduite qui devient prostituée ; 2) le motif de la séquestration ; 3) le motif du rachat de la prostituée par l'amour. Or il vaut la peine de s'interroger sur la signification et la valeur de ces motifs. Trop souvent en effet l'analyse littéraire, sous l'influence conjointe des deux directions d'analyse que représentent les études de genèse et les études de thèmes et de structures, néglige presque totalement l'étude des intrigues, des motifs narratifs en eux-mêmes. Or nous croyons que les motifs et les intrigues constituent une réalité essentielle du roman et du récit sous toutes ses formes : si on aime à lire — et sans doute à écrire — des romans, c'est parce qu'il s'y passe des choses et que ces choses ont un sens, correspondent en nous à des attentes, à des intérêts, à des émotions privilégiées et recherchées. Les trois motifs de l'intrigue de *Un de Baumugnes* dessinent une intrigue de mélodrame ou, si l'on veut, de roman de gare. C'est sans doute par fausse honte que les critiques ont toute peine à reconnaître cette donnée fondamentale et indiscutable : *Un de Baumugnes*, c'est de la littérature mais de la littérature faite sur une intrigue de roman populaire à couverture bariolée et suggestive. Une seule indication pour nous en convaincre, parmi bien d'autres. Il y a une scène qui n'a guère attiré l'attention des commentateurs et qui pourtant mérite de nous retenir ; c'est lorsque Angèle avoue à Albin qu'elle a été prostituée et qu'elle a un petit : «J'ai un petit ; je ne sais pas qui c'est son père ; j'ai été la femme de tout le monde, je me fais honte dans mon corps. [...] Je ne peux pas embrasser ma mère en me souvenant de ce que j'ai fait avec ma bouche. Je suis la dernière de toutes...» (I, 298). Si l'on nous permet l'expression, on peut dire que le lecteur en a pour son argent : nous sommes en plein «mauvais goût», tel que l'aime le roman populaire et bien loin du «grand» roman. On pourrait, dans la même veine, citer les lignes dans lesquelles Albin s'extasie sur la virginité d'Angèle lorsqu'elle est séduite par Louis (I, 233) aussi bien que le motif de l'enfant sans père qu'Albin accepte sans hésiter. C'est, je crois, déformer et méconnaître l'originalité de Giono que de vouloir ignorer cette dimension de son art poétique : les intrigues de Giono sont des intrigues de mélodrame et de roman populaire.

Les personnages appartiennent au même registre populaire. Albin, c'est un géant : «Un bel homme ! Jeunet, sain, large et qui dépassait la longueur des autres de deux bons pans. Il dormait sans qu'on l'entende respirer, couché à plat sur le dos comme les beaux dormeurs.» (I, 238.) Le mot «pan» est sans doute une forme d'empan, ce qui donne à Albin une taille exceptionnelle, et c'est sa taille qu'Amédée souligne lorsqu'il le présente pour la première fois : «J'en avais visé un, grand...» (I, 222.) Il est inutile d'insister sur les autres traits qui font d'Albin un personnage hors du commun : gigantesque, puissant, transparent et pur, venu du pays où l'on joue de la musique au lieu de parler. Angèle, de son côté, est un type de mélodrame : la prostituée au grand cœur, séduite par l'esprit du mal et transfigurée par l'amour. Et à chacune de ses apparitions elle prend une figure qui la grandit et la situe quelque part entre le mythe et l'image d'Épinal. La première apparition (p. 225) fait d'Angèle une sorte de dompteuse de chevaux et de Sainte Vierge ; la deuxième (I, 232) la présente comme une Vénus paysanne; la troisième est une vision à mi-chemin du rêve et de la réalité; enfin la quatrième (I, 268-269), lorsqu'Amédée la voit «dans une raie d'or», en fait l'incarnation de la Vierge à l'Enfant dans le paysage nocturne de l'orage. Quant à Louis, c'est bien le type convenu, presque caricatural, du maquereau marseillais : «crevé», avec un tatouage sur la main, et irrésistible avec les femmes «parce qu'il se coiffait avec des accroche-cœur en trempant ses cheveux dans la fontaine et qu'il se foutait du parfum sur la gueule comme une femme de peu» (I, 223). Aucun raffinement, et même aucune vraisemblance psychologique dans l'analyse des actions des personnages : pour expliquer la conquête de Louis il nous suffit de savoir «qu'il l'avait guettée, le soir, dans le chemin du gué, qu'il l'avait eue, brusquement, avec une bonne gifle, et les mots qu'il faut pour parler aux bêtes, et qu'il l'avait maintenant, quand il voulait, tous les soirs, à sa fantaisie, et docile.» (I, 232-233) Pourquoi Angèle s'était-elle laissée faire? «Il avait su parler à la bête [...] Et c'est à la bête qu'il avait parlé, et c'est avec la bête qu'il avait fait son marché : tope et ça y est.» (I, 233) Ici apparaît clairement la conception simpliste et manichéenne qui organise le roman : d'un côté les bons, purs et naïfs, de l'autre les mauvais, pourris et pervers. La même dualité se retrouve dans Angèle, composée de deux êtres qui s'opposent : la bête d'un côté, l'ange de l'autre.

A l'intrigue de mélodrame s'articule une intrigue d'origine policière, et l'intrigue policière est un autre grand schéma de roman populaire (n'oublions pas que Giono était un grand lecteur de romans policiers). Tout le pathos du récit repose sur la question : où est Angèle? ou, si l'on veut, cherchez Angèle! Amédée propose d'aller voir ce qu'il en est à la Douloire et les chapitres IV-V-VI sont construits autour de la recherche d'Angèle : la maison apparaît dès l'abord comme une prison bien barricadée, sinistre, et nous voyons peu à peu Amédée découvrir des indices pour arriver enfin à résoudre l'énigme; il découvre Angèle au milieu des grandes orgues de l'orage et de la nature déchaînée. On retrouve à plusieurs reprises une intrigue policière dans l'œuvre de Giono, de *Colline* à *Un roi sans divertissement*. Soulignons seulement la présence de l'énigme dans les trois romans du cycle de Pan : *Colline* est bâtie sur une énigme policière — qui a jeté un sort sur la fontaine? ; *Un de Baumugnes* repose sur l'enquête d'Amédée qui veut trouver Angèle; enfin, *Regain* a comme ressort dramatique l'arrivée mystérieuse et providentielle d'Arsule sur le plateau, dont nous saurons ensuite qu'elle a été provoquée par la Mamèche (I, 398). Mais ces intrigues policières sont simples et élémentaires; dans *Un de Baumugnes*, Amédée sent d'abord qu'il y a un secret et un secret que Saturnin ne veut pas dire (chapitre V), puis il découvre successivement l'indice de la tasse et les cris du bébé (chapitre VI); enfin il voit Angèle (chapitre VII). C'est le commentaire d'Amédée qui produit le pathos et la tension de la recherche : les petits incidents sont transfigurés par le narrateur.

Construction simple et linéaire, intrigue de mélodrame et de roman policier, personnages élémentaires du roman populaire : telle est la matière romanesque de *Un de Baumugnes*. Nous voudrions d'abord souligner l'incongruité de ce matériau narratif dans le monde littéraire de 1930 : on finit de publier Proust, Gide a donné les *Faux-Monnayeurs* en 1925, Bernanos publie *La Joie* en 1929, Mauriac publie *Thérèse Desqueyroux* (1927) et le *Nœud de vipères* (1932), R. Martin du Gard poursuit la rédaction des *Thibault* (1922-1940) et J. Romains va commencer les *Hommes de bonne volonté* (1932-1947). Si nous rappelons ces quelques œuvres, c'est parce qu'on ne peut comprendre une création littéraire qu'en la situant dans le cadre des œuvres de son époque : application, si l'on veut, d'un principe structural selon lequel un objet symbolique ne peut se définir qu'en relation avec les autres objets qui relèvent du même système. On constate alors que, dans le champ de la production romanesque des années 1930, Giono est un outsider, et ce non pas tellement parce qu'il parle de paysans, mais parce que son matériau romanesque est franchement en dehors du matériau romanesque qui caractérise la «grande littérature» par opposition aux littératures inférieures ou marginales. On pourrait même dire, si l'on essayait de préciser les conditions de la réception et du succès de Giono dans le cadre d'une esthétique de la réception, que le côté paysan de Giono est ce qui a permis de faire passer, de rendre acceptable aux yeux du public lettré son romanesque. Romanesque qui, comme nous avons tenté de le montrer, est le romanesque du roman populaire et du mélodrame où Margot a pleuré.

Pour mieux comprendre l'œuvre de Giono dans sa singularité, il faut insister sur l'existence de deux grands types de romans dans la tradition narrative occidentale : un roman psychologique et un roman que nous appellerons épico-mythique. D'un côté la tradition du roman d'analyse, de Marguerite de Navarre et Madame de Lafayette à Chateaubriand, Sénancour, Constant et Fromentin ; de l'autre la tradition de l'épopée médiévale, du roman baroque de la littérature de colportage, du roman noir et du roman mythique de l'époque romantique[4]. Et l'on continue le plus souvent à penser que «la littérature voit son objet essentiel dans la psychologie et non dans la mythologie. Elle s'intéresse aux hommes, non aux dieux. Fantômas et Judex sont des dieux et Vautrin aussi dans une certaine mesure.»[5] Or le roman de Giono se situe, non dans la voie royale du roman psychologique, mais dans la tradition du roman mythique, dont le roman populaire, depuis *Les Mystères de Paris*, n'est qu'une forme particulière, au même titre que le roman policier. Et l'on retrouverait facilement dans *Un de Baumugnes* les lois du récit épique et mythique, telles que les a dégagées jadis Axel Olrik[6]. *Loi du début et loi de la fin*, selon lesquelles un récit ne doit pas commencer et ne doit pas finir de manière abrupte, par une action soudaine ; le récit commence par un mouvement qui mène du calme à l'agitation et se termine par un mouvement symétrique qui conduit du mouvement au calme : tel est en particulier le rôle du dernier chapitre de *Un de Baumugnes*, lente description de la séparation des deux amis. On peut généraliser cette loi d'Olrik en en faisant une loi du retard et de l'attente : une action ne doit pas intervenir brutalement, elle doit être préparée et comme orchestrée par des procédés qui l'annoncent ; tel est le cas des deux premiers paragraphes du récit qui nous laissent et font attendre la parole qui va venir («Je sentais que ça allait venir», I, 221). *Loi de l'unité épique*, qui regroupe tous les personnages, tous les

14

fils de l'intrigue autour d'une action centrale. Le roman mythique et le roman populaire sont donc aux antipodes du roman unanimiste, du roman ouvert, du roman éclaté, résultat privilégié de l'écriture ; même dans ses récits les plus complexes, Giono respecte le mouvement unique de l'intrigue principale. A cette loi de l'unité se rattache la loi de *concentration sur un personnage* : il n'y a qu'un héros, toujours placé sur le devant de la scène, Albin, ou, plus exactement, deux héros mais l'un vu à travers l'autre. Loi de l'*organisation plastique des scènes principales*, selon laquelle les grands moments de l'action se réalisent sous forme de tableaux presque immobiles à valeur symbolique : les apparitions d'Angèle, l'arrivée à la Douloire, Albin jouant de l'harmonica, la fuite et le retour. Dans chacune de ces scènes, le temps se ralentit et la nature est évoquée pour servir de cadre grandiose à la scène humaine qui s'y déroule : l'orage, qui est ici au centre du roman et encadre l'apparition d'Angèle, est un ingrédient classique du roman et du film populaires (pensons par exemple à l'évasion d'Edmond Dantès ou à l'exécution de Milady dans l'œuvre d'A. Dumas). *Loi du contraste*, qui organise le récit en polarités fortement marquées, et qui se retrouve à tous les niveaux du roman, depuis les grands mouvements de l'intrigue jusqu'au détail des paragraphes et des phrases : les bons et les méchants, l'ombre et la lumière (la lune qui éclaire Angèle «en plein dessus» lors de sa première apparition), le grand et le petit (Albin et Louis), le haut et le bas (le pays des montagnes et la plaine), la tristesse et la gaieté (Albin a «un rire comme de la neige» et «une ombre» dans les yeux ; la Douloire est sinistre et Saturnin rit tout le temps…), etc. On pourrait facilement multiplier la liste de ces couples à signification opposée qui rythment et organisent le récit : comme Hugo ou E. Sue, Giono est homme de l'antithèse. *Loi de la logique spécifique du récit mythique*, doté d'une logique propre qui ne correspond ni au vrai du réalisme ni au vraisemblable de la tradition classique. Le haut pays de Baumugnes, avec sa population de joueurs d'harmonica, n'a qu'une existence mythique : on en parle, mais on ne le voit jamais ; et le rêve réel d'un Albin qui va au-devant d'Angèle séduite nous montre bien que nous sommes tout à fait en dehors du monde réel. Le décor paysan est le cadre épuré d'une histoire mythique de violence et d'amour. Si nous insistons sur ce point, c'est parce que la critique du roman, les yeux fixés sur les thèmes et les formes, oublie trop souvent les fondements anthropologiques du récit, cette exigence d'action, de sentiments élémentaires et de suspense qu'ont toujours remplie le conte, le mythe, le récit populaire, le mélodrame ou le western. C'est là qu'il convient de situer Giono, dans une bonne compagnie qu'il n'aurait sans doute pas reniée.

## 2. Narration

Giono est ainsi en deçà et au-delà de la production romanesque des années 1930 — et même de notre temps. En deçà parce qu'il ne participe aucunement aux recherches qui caractérisent le roman de cette époque, et qu'il appartient à la tradition du roman mythique et populaire. Mais aussi au-delà, parce que la matière romanesque est prise dans la forme du récit oral. Et bien sûr, il y a un lien étroit entre ces deux dimensions de l'œuvre de Giono : c'est parce qu'il est conteur que Giono reprend les intrigues du roman populaire, mais c'est aussi parce qu'il vit dans l'imaginaire du roman mythique qu'il possède la faconde, la verve fabulatrice du conteur. *Un de Baumugnes* marque pour Giono la conquête de la narration libre et souveraine du conteur ; tel est le point que nous voudrions développer maintenant.

Quelles sont d'abord les formes de la narration dans *Colline* ? C'est un récit à la 3e personne et qui correspond à ce que l'on appelle la perspective du narrateur omniscient : le récit nous fait passer d'un lieu à un autre, d'un personnage à un autre, de l'intérieur à l'extérieur sans rupture ni mauvaise conscience. Deux caractéristiques viennent cependant modifier cette narration de forme classique : la scène-tableau et l'emploi de «on». Nous avons tenté de montrer, dans un travail antérieur, que *Colline* était composée de paragraphes correspondant à des scènes présentées sous forme de tableaux immobiles dans un présent toujours renouvelé. Nous voyons ainsi apparaître une dimension du «point de vue» qui n'est à peu près jamais prise en compte par les spécialistes de narratologie et qui nous semble cependant essentielle. Il ne faut pas en effet s'intéresser seulement, par péché d'anthropomorphisme, à l'être humain fantomatique dans lequel s'incarnerait le narrateur absent, mais — au sens propre du mot — au point où il se place pour voir les choses. Giono — comme d'autres romanciers — ne se place pas derrière un personnage (vision derrière de J. Pouillon) mais dans un lieu tel qu'il voit lieux et personnages formant tableau. Il sera donc tantôt à côté ou dans, à la place de, ses personnages (I, 169 : «Tout d'un coup, comme ils sont au sommet de la rue montante, ils voient. C'est une place.»), tantôt en un lieu privilégié qui lui permet de les avoir tous dans le champ de sa caméra (I, 127 : description du village ; I, 150 : «Ils n'ont rien vu…»). Chaque romancier a ainsi, croyons-nous, des perspectives privilégiées qui reviennent sans cesse dans son œuvre et qui définissent beaucoup plus précisément sa narration que la classification globale et générique sous la rubrique de «perspective omnisciente» ou «à focalisation zéro».

La deuxième originalité du récit dans *Colline* est l'emploi de «on», sur lequel les narratologistes n'ont guère insisté (sans doute parce qu'en anglais il n'y a pas de signe linguistique qui corresponde exactement au «on» français et que l'on traduira selon le cas par «they», «we», «one», etc.). Il y a ici un exemple magnifique de ce que l'on pourrait appeler les contraintes et les possibilités ouvertes par le système linguistique lui-même, indépendamment de la narration : c'est le système du français qui offre la possibilité d'utiliser dans la narration un indéfini de 3e personne qui n'existe que dans un nombre très réduit de langues[7]. Renvoyant exclusivement à des êtres humains, puisqu'il vient du nom homme au cas sujet en ancien français, il est totalement intégré au système pronominal du français par son accord à la 3e personne à laquelle il peut se substituer. Mais sa richesse sémantique et son ambiguïté viennent de ce qu'il désigne un actuel indéfini ; c'est-à-dire qu'il peut englober le «je», le «tu», le «nous», le «vous», et les pronoms de 3e personne «il», «elle», «ils» ou «elles». «On», ce n'est pas seulement celui dont on parle (fonction de 3e personne), c'est aussi et selon le contexte celui à qui l'on parle (fonction de 2e personne, souvent à valeur de politesse : qu'on mange et qu'on se taise !), celui qui parle (fonction de 1re personne : on vous l'a dit et répété) et tous les mélanges possibles de personnes. En particulier, lorsque le pronom renvoie à un groupe, ce groupe peut, selon le cas, inclure («nous») ou exclure le locuteur («eux»). Sa valeur sémantique la plus générale semble être celle d'un groupe d'êtres humains défini de façon floue, avec une espèce de participation virtuelle, on pourrait dire presque ludique, de celui qui parle, même lorsqu'il est explicitement exclu par le contexte : «Alors, on s'amuse ?» signifie que, malgré l'exclusion de celui qui parle, il joue à participer, à s'inclure par politesse dans le groupe auquel il s'adresse. On comprend ainsi le succès de «on» dans la langue courante (accord plus simple en 3e personne) et la richesse sémantique de son emploi dans la narration. Dans *Colline*, «on» est employé comme pronom unanimiste : il renvoie à la collectivité villageoise, au groupe que constituent les paysans réunis par la crise. C'est pourquoi son emploi est beaucoup plus large et plus fréquent que dans la narration classique de la 2e moitié du XIXe siècle, chez Flaubert, Zola ou Maupassant. Chez ces derniers, le «on» apparaît lorsque le romancier veut produire un effet de groupe par opposition à la narration centrée sur un ou deux personnages ; que l'on voie par exemple la scène du bal dans *Madame Bovary* : «Emma écoutait de son autre oreille une conversation pleine de mots qu'elle ne comprenait pas. On entourait un tout jeune homme…». Dans certains cas le «on» peut inclure, par participation, le ou les personnages centraux qui se fondent ainsi dans le groupe. Mais ces emplois sont limités et presque codifiés. En revanche dans *Colline* le «on» souligne la cohérence du groupe dont il exprime la conscience collective ; le «on» a valeur épique : «on s'est battu, on a gagné…» (I, 204-205).

Or, dès que l'on passe de *Colline* à *Un de Baumugnes*, on est bien sûr aussitôt frappé par la différence des modes de narration : après le récit en 3e personne, le récit en 1re personne. Nous voudrions d'abord montrer que le passage est à la fois progressif et naturel dans l'évolution de Giono. D'abord, il y a dans *Colline* une esquisse du glissement progressif de la 3e à la 1re personne : le long discours de Jaume à la fin est une reprise de l'action intégrée dans la parole et le commentaire d'un narrateur en première personne. Du discours qui lui a servi de modèle, le poème en prose centré autour d'un moment privilégié, Giono passe au récit en première personne qui, nous le verrons, lui permet de conquérir sa liberté de conteur. Nous avons une preuve de la présence de cette nouvelle forme qui le hante dans l'ébauche d'*Angiolina*, qui a été rédigée entre *Colline* et *Un de Baumugnes*. Un motif central de l'œuvre de Giono apparaît ici, c'est celui du café et du récit ou, si l'on veut, comme l'on parle du café-théâtre, du café-récit. Le café où l'on se rencontre et où l'on se raconte est, bien sûr, une réalité du monde méditerranéen, mais c'est aussi un lieu narratif du roman baroque, comme l'illustre — exemple parmi bien d'autres — le rôle de l'auberge dans le *Don Quichotte*. Dans *Angiolina*, où le café est le lieu central du récit, on dirait que le récit en première personne fait éclater partout la narration en 3e personne dont il ne reste plus que quelques lambeaux, tout juste bons à assurer la transition entre les récits des personnages. Avec *Un de Baumugnes* la rupture est consommée ; nous sommes toujours au café, mais c'est un personnage qui parle à la première personne et ne s'arrêtera pas de parler jusqu'à la fin du roman : «Je sentais que ça allait venir.» (I, 221)

*Un de Baumugnes* est donc un récit en première personne. Faut-il, avec la récente narratologie, parler de narration «homodiégétique»? Nous ne le croyons pas. G. Genette avait défini la narration homodiégétique comme une narration dans laquelle il y a un «narrateur présent comme personnage dans l'histoire qu'il raconte» et avait rigoureusement distingué la personne et la voix[8]. Mais on peut se demander si la distinction est bien claire, puisque Genette reconnaît dans le *Nouveau Discours du récit* : «Je ne prétends pas pour autant que le choix de personne (grammaticale) soit complètement indépendant de la situation diégétique du narrateur. Il me semble bien au contraire que l'adoption d'un *je* pour désigner l'un des personnages impose mécaniquement et sans aucune échappatoire la relation homodiégétique, c'est-à-dire la certitude que ce personnage *est* le narrateur ; et inversement, mais tout aussi rigoureusement, l'adoption d'un *il* implique que le narrateur n'est pas ce personnage.»[9] Il est clair qu'on ne voit pas bien alors à quoi sert le néologisme et il vaut mieux en rester à la caractérisation traditionnelle : *Un de Baumugnes* est un récit dans lequel un personnage parle à la première personne. Notre refus tient à une raison de fond, que nous voudrions illustrer par l'analyse de *Un de Baumugnes*. C'est qu'il convient, croyons-nous, de fonder la narratologie, non sur la combinatoire élémentaire de quelques oppositions linéaires jugées comme fondamentales, mais sur l'analyse de «situations narratives» ou de «types narratifs» ayant chacun une logique propre. Nous reviendrons ailleurs sur ce problème d'ordre général et nous nous contenterons ici de définir le type narratif : «personnage qui raconte à la première personne». Il est clair que, pour ce type narratif, il n'y a aucun sens et donc aucun intérêt à distinguer «focalisation», «voix» et «personne», qui ne peuvent pas être séparées : le je-personnage parle (ou écrit), voit et pense[10]. On ne peut pas en effet faire l'économie de ce que nous appellerons l'ontologie de la narration. Le langage existe comme ensemble de marques et de traces — orales ou écrites — mais il renvoie à un monde d'objets, d'actes, d'êtres et d'événements. La trace du *je* sur le papier fait immanquablement surgir un fantôme, un fantôme de narrateur auquel nous attribuons nécessairement toutes les propriétés d'un être humain : il compose un *alter ego* qui devient centre et point de départ de la narration. Et c'est pourquoi le récit en première personne est qualitativement différent du récit en 3e personne : la 3e personne, écrite plus encore qu'orale, apparaît naturellement comme posée à part de celui qui l'a prononcée ou écrite. Et c'est en cela qu'il y a un récit, non pas sans narrateur, mais un récit neutre, qui est précisément le récit en 3e personne. C'est toute la richesse de la langue que de connaître les 3es personnes : les pronoms de 3e personne, dans beaucoup de langues, n'appartiennent pas morphologiquement à la série des autres personnes, mais sont des anaphoriques ou des déictiques ; ce sont, comme on l'a dit, des pronoms de non-personne, si l'on veut dire par là qu'ils nomment sans référer explicitement à un locuteur ou à un auditeur. Ce qui caractérise donc le récit en 3e personne, c'est qu'il n'a pas nécessairement de narrateur explicite. Et c'est par opposition à ce mode de narration que se distingue le récit de personnage en 1re personne : celui-ci construit nécessairement le fantôme d'une personne qui existe et qui raconte. C'est pourquoi ce type de narration, dans sa forme canonique, implique une dialectique entre deux «je», le «je» qui conte les événements et le «je» perdu dans les événements. Cette distinction n'a rien à voir, malgré J. Lintvelt, entre un type «auctoriel» et un type «actoriel»; il s'agit là d'une fausse fenêtre pour la symétrie, qui permet, par l'utilisation de traits mal définis, de poser une combinatoire simpliste[11]. Il est clair que la relation qui unit les deux «je» du récit en première personne n'a rien à voir avec ce qui permet de distinguer le récit «hétérodiégétique auctoriel» (centre d'orientation dans le narrateur) et le récit «hétérodiégétique actoriel» (centre d'orientation dans un acteur). La dialectique entre les deux «je» est un élément constitutif du récit en première personne : *Un de Baumugnes* ne fait que donner un exemple de plus de cette relation nécessaire. Amédée, le narrateur, nous raconte ce qui lui est arrivé en remontant dans le passé mais en conservant toujours son identité double : le narrateur vieilli apparaît dans le dernier chapitre en toute clarté et l'acteur plus jeune qui suit à mesure le déroulement de son aventure. Le présent de la fin («Moi, voyez-vous, si je suis ici, dans cette saison, c'est que j'ai baissé en grade [...] Maintenant, je fais les haricots, les lentilles.» I, 315) est un présent «large», qui ne précise pas le moment exact où Amédée raconte son aventure, mais la situe à un moment où les deux «je» se rejoignent : le «je» acteur et le «je» narrateur coïncident, comme le montre la méditation finale sur le regard des amis qui se séparent, qui répond exactement au début de l'aventure, lorsqu'Amédée choisit Albin à cause de son regard («Ce qui m'avait attiré, je ne vous cache pas, c'est que, dans ses yeux, y avait quelque chose d'amer...» I, 222). C'est le regard qui attire et c'est le regard — la ficelle de l'amitié — qui se tend, casse et disparaît. C'est le souvenir qui unit les deux «je» et fait du récit autre chose qu'un récit pur et simple : le récit est vécu par une personne.

D'où l'importance, dans le récit en première personne et dans *Un de Baumugnes* en particulier, de ce qu'on appellera la construction du narrateur comme personnage. Dès le début du roman, le narrateur prend progressivement figure à nos yeux et, selon la logique même du récit en première personne, il ne peut faire autrement que se présenter, avec ce mélange de naïveté et de rouerie, de modestie et de sincérité plus ou moins jouée qui est inséparable de l'autobiographie et de la pseudo-autobiographie : «Nous autres, il y a rien de plus bohémien que nous...» (I, 221). Nous apprendrons ensuite le nom du narrateur (I, 239), mais surtout peu à peu se construit une figure morale : le narrateur, c'est quelqu'un qui cherche un ami grand, massif, transparent mais qui est attiré par l'autre d'un regard pur, par la faille qui révèle le mystère et la tragédie. C'est un accoucheur aussi (I, 222) et c'est quelqu'un qui sait parler «avec [les] mots durs, doux, qui savent où est le cœur.» (I, 227). C'est enfin un homme atteint d'une étrange maladie, le «mal d'aimer» (I, 250-251). Étrange figure, si l'on y réfléchit, que celle d'Amédée : si Albin est blancheur, si Angèle est angélique, Amédée n'est pas loin de Dieu. Je verrais volontiers en lui une préfiguration du romancier comme personnage : Giono joue à se faire vagabond, mais le vagabond a quelque chose du romancier-démiurge qui est, comme Balzac au début de *Facino Cane*, fasciné par le mystère qu'il rencontre sur sa route.

Ce qui nous conduit maintenant à analyser avec plus de précision les liens du narrateur et d'Albin, liens qui seuls nous permettent de décrire le «point de vue» d'Amédée : comment le narrateur voit-il le héros ? Je verrai trois composantes dans l'attitude du narrateur : la fascination du géant, la sagesse curieuse de celui qui a beaucoup vécu, enfin l'amitié-paternité. Albin, nous l'avons dit tout à l'heure, est une incarnation du géant, vieille figure mythique et populaire que l'on retrouve, bien sûr, dans les Superman d'aujourd'hui. Et Amédée est littéralement fasciné par le géant, par sa dureté, par sa puissance, par sa surréalité transparente. Nous nous garderons bien d'interpréter la signification de cette figure du géant, récurrente chez Giono — pensons à la lente maturation des *Deux Cavaliers de l'orage* —, pour en rester à la description de cette cristallisation de l'imaginaire. Nous croyons seulement que Giono, comme Amédée, est toujours fasciné par ses héros masculins : comme Stendhal, il ne peut se lasser de les admirer, perpétuellement étonné par leur perfection mystérieuse qui garde toujours son secret, qu'il s'agisse d'Albin, de Panturle ou de Langlois. Aussi, en face du héros, le narrateur prend toutes les figures de celui qui est autour, de celui qui regarde, de celui qui fait parler : le vieux qui a tout vu, l'accoucheur, le sage, mais aussi le conteur. Comment alors donner un nom à ces relations, à ces sentiments complexes qui unissent Amédée-narrateur à Albin-héros ? Le point de départ est la «sympathie», et ce n'est qu'à la fin du roman que le narrateur parlera avec plus de précision d'amitié et de paternité : «Non, je peux bien vous le dire, maintenant : ce garçon, cet Albin, il me tenait au fond des entrailles comme s'il avait été mien.» (I, 317). Albin, c'est donc le fils qu'il aurait aimé avoir, mais c'est aussi un «copain». Et les lignes qui suivent méritent notre attention : «Mais plus copains ! C'est-à-dire, au contraire, qu'il l'était trop pour moi et qu'il a fallu que, peu à peu, je le tue en moi jusqu'au moment où il est devenu ce qu'il est maintenant, un dont je ne sais presque plus le nom : un de Baumugnes.» (I, 317). Ce qui apparaît ici, c'est la représentation de la création littéraire : la vieillesse d'Amédée qui se sépare d'Albin qu'il tue en lui, ce ne peut être que la fatigue, l'épuisement de la création pour le démiurge contraint de tuer le héros qui l'a fasciné.

Mais, dans *Un de Baumugnes*, le narrateur participe à l'action qu'il décrit. Nous rencontrons alors un nouveau problème, c'est celui que pose la présence du narrateur en tant qu'acteur de l'histoire qu'il raconte. Selon la vulgate de la narratologie actuelle, il n'y a de choix qu'entre deux possibilités : «Tout se passe comme si le narrateur ne pouvait être dans son récit un comparse ordinaire : il ne peut être que vedette, ou simple spectateur.» [12] Et G. Genette reprend la même affirmation avec encore plus de force dans son *Nouveau Discours du récit* : «La distinction secondaire entre l'homodiégétique à narrateur-protagoniste (''héros'') et à narrateur-témoin est ancienne, puisqu'on la trouve déjà en 1955 dans l'article de Friedman. Je n'y ai ajouté que le terme d'*autodiégétique* pour désigner le premier cas, et l'idée, un peu rapide, que le narrateur n'a le choix qu'entre ces deux rôles extrêmes. Je reconnais que cette hypothèse n'a aucun fondement théo-

rique, et qu'*a priori* rien n'interdirait qu'un récit fût assumé par un personnage secondaire, mais actif, de l'histoire. Je constate seulement que je n'en connais pas d'exemple, ou plus exactement que la question ne se pose pas en ces termes : après tout, Watson, Carraway ou Zeitblom sont bien des espèces de deutéragonistes, ou tritagonistes, dans l'histoire qu'ils racontent et où ils ne passent pas tout leur temps derrière un trou de serrure. Mais tout se passe comme si leur rôle de narrataire, et leur fonction, *comme narrateurs*, de mise en relief du héros, contribuait à effacer leur propre conduite, ou plus exactement à la rendre transparente, et avec elle leur personnage : si important que puisse être leur rôle à tel ou tel moment de l'histoire, leur fonction narrative oblitère leur fonction diégétique. »[13]
Si nous avons cité intégralement ces lignes de G. Genette, c'est pour mieux faire apparaître le contre-exemple flagrant que fournit *Un de Baumugnes*, dont Giono a parfaitement reconnu lui-même le lien original qui unit *les deux héros* de l'histoire : «Nous le trouverons presque partout chez moi, le confident, le bon copain, un peu au-dessous du héros, l'ombre du héros, mais déjà presque le héros» (I, 970). Du strict point de vue de l'histoire, il n'y aurait pas de roman si Amédée ne se faisait pas «accoucheur» d'Albin (I, 222), si Amédée ne lui proposait pas d'aller enquêter à la Douloire, ne découvrait pas Angèle et s'il ne lui demandait pas, à la fin, de revenir en pleine clarté à la Douloire. Certes, Albin est héros de l'histoire, mais comment dire mieux que Giono qu'Amédée en est le presque héros ? Le dernier chapitre est, à cet égard, essentiel : lorsque Amédée nous conte la séparation, c'est sur lui que se concentre l'attention et non sur Albin ; nous voyons partir Albin mais c'est la figure du vieil Amédée — qui «trie les pommes d'amour chez un revendeur espagnol», qui donne l'argent du voyage à Albin —, qui reste présente à nos yeux. A mesure qu'Albin s'efface, Amédée grandit et cela, dans l'héroïsme de son renoncement, dans sa volonté de disparition aux yeux mêmes de celui qu'il a sauvé.

*Un de Baumugnes* n'est pas seulement un récit à la première personne, c'est aussi un récit oral ou plus exactement la représentation écrite d'un récit oral. Intervient ici une distinction fondamentale et que la narratologie ne prend jamais en compte : la distinction entre récit oral et récit écrit, qui est un des aspects de cette grande coupure qui oppose littératures orales et littératures écrites. Un récit oral impose un narrateur sous la forme d'une personne vivante. En revanche, dans le récit écrit, la présence du narrateur est fantomatique, ce qui ouvre toutes les possibilités de jeux, de renvois, d'allusions et de tromperies : le narrateur dans le récit écrit n'est jamais qu'un mirage, ou, si l'on veut, une illusion inévitable. C'est pourquoi il faut faire intervenir dans le récit écrit une nouvelle dimension d'analyse : appelons-la représentation de la narration. L'exemple le plus clair nous sera fourni par le roman par lettres qui, au XVIIIe siècle, était encore considéré comme une des trois formes canoniques du récit, à côté du récit en première personne et du récit en troisième personne[14]. Dans le roman par lettres, le récit représente la forme matérielle de la lettre avec ses différentes marques externes. Et, de la même façon, le roman en première ou en troisième personne peut mettre en scène diverses situations narratives qu'il représente avec plus ou moins de détails. Pour en rester au récit en première personne, nous aurons par exemple le manuscrit trouvé dans une malle, le texte envoyé à un ami qui le demande ; c'est le cas du *Rob-Roy* de W. Scott : « Vous m'avez engagé, mon cher ami, à profiter du loisir que la Providence a daigné m'accorder au déclin de mes jours, pour tracer le tableau des vicissitudes qui en ont marqué le commencement. » Il est assez rare que le récit en première personne se présente « dans le texte » comme un récit oral et c'est ce que semble regretter le narrateur de *Rob-Roy* lorsqu'il écrit : « Vous devez néanmoins vous rappeler que le récit fait par un ami à son ami perd la moitié de ses charmes quand il est confié au papier, et que les événements que vous avez écoutés avec intérêt, parce qu'ils étaient racontés par celui qui y jouait un rôle, vous paraîtront peu dignes d'attention dans la retraite du cabinet. » Autant il est fréquent de voir représentée la narration orale d'un personnage présent dans le roman, autant il est rare de voir représentée comme narration orale la narration autobiographique d'un héros de première personne. C'est précisément le cas de *Un de Baumugnes*, où Amédée nous raconte oralement ce qui lui est arrivé : « Moi qui vous raconte ce que ce gars-là me disait pour se dégonfler et qui vous raconterai tout à la file la suite de l'histoire… » (I, 226). Et, comme tout bon conteur, Amédée referme à la fin du roman la parenthèse de l'histoire qu'il a contée : « Voilà l'histoire. » (I, 314). Ainsi les formules qui rythment le texte renvoient à une situation d'oral (« Voilà : je vous ai *raconté* tout ce qu'Albin avait *dit*, ce soir-là… » (I, 236) et les appels au lecteur se présentent sous la forme d'un appel à un auditeur virtuel. Giono arrive à créer ainsi le « pathos » d'une narration orale vivante et il aurait pu, renversant la signification du titre de Diderot, écrire : « Ceci *est* un conte. »

Mais le conte selon Giono n'est pas seulement narration orale, il est aussi *commentaire*, ou, comme on le disait dans les vieilles éditions des classiques, commentaire perpétuel. Quelle est l'intrigue du roman ? On peut la résumer en quelques lignes : les actions, les événements sont réduits, maigres et peu nombreux, à peine un fait-divers. Et le fait-divers ne prend pas les proportions d'un roman par l'appel aux descriptions à la Balzac ou aux développements psychologiques complexes du roman d'analyse : il se fait roman grâce au commentaire du personnage-narrateur. Ni description, ni analyse, ni pur récit, qu'est-ce que le commentaire ? C'est la mise en scène de l'événement, pris dans un réseau de rappels, d'annonces, de réflexions, de digressions… Prenons l'exemple du chapitre VI, lorsque Amédée découvre sur la table de la cuisine une petite tasse de porcelaine bleue. Ce n'est rien, « une petite chose de rien du tout » (I, 258), un incident que l'on pourrait raconter en une phrase ; Amédée a besoin de quatre ou cinq pages pour le raconter. Selon Giono, le récit d'Amédée est au passé (« Là j'avais besoin du passé » I, 971) ; ce n'est pas tout à fait exact. Il y a du passé, mais c'est le récit rapide d'événements sans importance. En fait, dès qu'il y a quelque chose d'important, le récit se fait au présent : « Vous voyez, ça n'*était* pas réjouissant. Et alors, c'est à ce moment-là qu'il *arrive* une petite chose de rien du tout […] Voilà : un matin, j'*entre* dans la cuisine pour prendre le café. » (I, 258). Et le narrateur s'étale, prend son temps, discute, disserte : « Ici, il faut d'abord que je vous explique… » Il prend son auditeur à témoin : « Je vous dis, la tête me tourne, sans comprendre ; le gros des réflexions, c'est venu après, mais, sur le moment, ça a fait comme une porte qui s'ouvre devant moi, une porte qui s'ouvrait sur quelque chose de foutrement large.» Disons-le, c'est du bavardage — sans donner au mot un sens péjoratif : Amédée bavarde, car il aime parler, il tourne autour du pot, va, vient et revient. C'est qu'il veut revoir et nous faire voir, donner à voir : «Je reste là à regarder la tasse et elle s'imprime bien dans mes yeux. Ah! oui, ça, je peux le dire, je la *vois* encore, maintenant, telle qu'elle *était*. // Elle *est* là, toute seule, au coin de la table, comme une fleur. La table toute vide, unie, avec, cependant, je me *souviens*, dans l'autre coin, une queue de poireau. Vous *voyez*.» (I, 259). On aura noté le changement de temps (était - est), mais on s'aperçoit qu'ici il ne s'agit pas du présent de narration. On aurait pu penser en effet que le présent du récit était un présent de narration. Il est bien plus que cela : il est présent du souvenir évoqué et cristallisé, incarné devant Amédée sous la forme d'un objet qui se solidifie peu à peu à ses yeux. Mais il est aussi le présent de la création littéraire et de l'hallucination qui s'empare de Giono-Amédée et que l'on retrouvera au début de *Noé*. Le commentaire, c'est quelque chose comme l'incantation du sorcier avant la *nékuia*. Il faut parler, parler, répéter pour rendre les choses présentes. Le conteur ne croit pas à ce qu'il dit avant de se monter la tête, avant de s'en persuader soi-même en même temps qu'il veut en persuader les autres. Giono fait partie de cette famille des romanciers-fabulateurs qui ont besoin de la parole pour orchestrer et provoquer l'évocation des fantômes. Avec *Un de Baumugnes*, il a trouvé sa voix et conquis sa liberté.

Cette liberté conquise de la narration, nous voudrions, pour terminer, en voir la trace et la preuve dans *Regain*. Ce roman revient, semble-t-il, à la narration en troisième personne et au narrateur omniscient de *Colline*. Mais, en réalité, l'expérience de *Un de Baumugnes* a porté ses fruits et le mode de narration de *Regain* est bien loin de celui qu'utilisait Giono dans son premier roman. Nous nous bornerons à illustrer cette nouveauté par un trait caractéristique, l'usage que fait maintenant Giono du «on» dans la narration. Le «on» de *Colline* est un «on» par lequel s'exprime, nous l'avons dit, la conscience collective d'une communauté épique. Le «on» de *Regain* est le «on» d'un narrateur-participant qui inclut et prend en même temps à témoin le lecteur virtuel auquel il s'adresse. Au début du roman, le «on» — qui apparaît tout de suite — est encore un «on» de voix collective, de communauté qui s'exprime en bloc : «On a beau partir plus tard de Manosque les jours où les pratiques font passer l'heure, quand on arrive à Vachères, c'est toujours midi.» (I, 323). Mais, comme en même temps apparaît le «vous» adressé au lecteur-auditeur, le «on» devient la marque d'une double participation, participation du narrateur à ce qu'il raconte et implication du lecteur — comme s'il y était, comme si «on» voulait le «mouiller» dans l'histoire : «Alors, que voulez-vous, on tire les paniers de dessous la banquette et on mange.» (I, 323). L'avantage du «on», c'est qu'il n'exclut personne, c'est qu'il met tout le monde dedans, le «je», le «tu», le «il», le «nous», le «vous» et le «ils». Si dans les premières pages reste une référence possible à la collectivité, celle-ci disparaît ensuite fréquemment : «On est peu à peu arrivé à ce temps où l'hiver s'amollit comme un fruit malade.» (I, 344). Qui parle ici, qui voit (puisque les deux questions ne peuvent, croyons-nous, se séparer)? Il n'y a pas de conscience du village ici, mais un narrateur vague et protéiforme : «Il est allé guetter le renard. Ça se fait avec beaucoup de silence et peu de gestes. On se cache en colline et on écoute.» I, 364). Le narrateur sait ce qu'est la chasse au renard : il y est allé plusieurs fois et il dit comment «on» fait. Mieux encore, il *vous* dit, il *nous* dit comment «on» fait : «Si on sait lire dans les bruits de l'air on apprend qu'il couche là, qu'il va de là à là, qu'il cherche les cailles, qu'il suit les perdreaux. Après, caler le piège, c'est un jeu.» (I, 364). Vous voulez que je vous apprenne ? Tantôt le «on» prolonge les réflexions d'un personnage et se fait style indirect et vague («Il faudra voir. On ne peut pas toujours vivre d'emprunt» I, 427), tantôt conscience plus large que celle du personnage, qui l'intègre et la dépasse («Quand on se penche sur le creux, on sent une odeur de champignon et de bois en train de pourrir» I, 386), tantôt implication du lecteur virtuel : «On mangeait déjà des légumes dans cet air-là» (I, 421). Ça y est, «on» ne peut pas échapper, c'est comme si «on» y était. Giono-le-conteur, Giono-le-fabulateur ne se gêne plus : «on» est refait...

## NOTES

1. Cf. J. Molino, «Décrire, écrire, conter. A propos de *Colline*», in *Giono aujourd'hui*, Aix-en-Provence, Édisud, 1982, pp. 61-80.

2. Cf. J. Molino, «Fait musical et sémiologie de la musique», *Musique en jeu*, 17, 1975, pp. 37-62.

3. Toutes nos références renvoient au tome I des *Œuvres romanesques complètes* de Giono, Gallimard, Bibliothèque de la Pléiade, 1971 ; nous abrégeons les références en indiquant I puis la page concernée.

4. Cf. J. Molino, «Alexandre Dumas et le roman mythique», *L'Arc*, 1978, n° 71, pp. 56-69.

5. F. Marceau, *Les personnages dans la Comédie Humaine*, Gallimard, p. 286.

6. A. Olrik, «Epische Gesetze der Volksdichtung», *Zeitschrift für Deutsches Altertum*, 1909, vol. 51, pp. 1-12.

7. 12 % selon Cl. Hagège, *La structure des langues*, P.U.F., 1982, p. 96.

8. G. Genette, *Figures III*, Le Seuil, pp. 251-252.

9. G. Genette, *Nouveau Discours du récit*, Le Seuil, pp. 71-72.

10. Un problème intéressant est posé par le passage que me signale Philippe Arnaud ; au chapitre III, Amédée raconte qu'il s'endort et continue : «Je me suis mis à dormir en éperdu, en claironnant de la narine» (I, 238). Il est clair que le narrateur ne peut avoir été le témoin de ces ronflements. Peut-on dire alors qu'il y a changement de «focalisation», de «point de vue» ou de «voix» ? Il nous semble préférable de voir ici un raté de la vraisemblance : car, à strictement suivre les indications du texte, rien n'a changé, sinon que notre connaissance du réel nous conduit à juger que Amédée ne peut être témoin de son sommeil. Ce qui montre, au passage, la complexité des mécanismes qui gouvernent ce qu'on appelait naguère le point de vue.

11. J. Lintvelt, *Essai de typologie narrative*, Corti, 1981.

12. G. Genette, *Figures III*, p. 253.

13. G. Genette, *Nouveau Discours du récit*, p. 69.

14. Cf. par exemple la formulation classique de Anna Laetitia Barbauld, «A Biographical Account of Samuel Richardson», in *The Correspondance of Samuel Richardson*, 1804, t. I.

# PACIFISME, RÉVOLTE PAYSANNE, ROMANESQUE SUR GIONO DE 1934 A 1939[1]

## par Pierre Citron

Sans rappeler des bases bien connues — Giono essayiste opposé à tort à Giono romancier, alternance entre essais et romans de 1934 à 1939, utopie généreuse du pacifisme — je commence abruptement en soulignant que Giono, pacifiste viscéral depuis 1914, est aussi un fabulateur viscéral — imaginateur, inventeur, romancier : d'où conflit entre les deux. «Le réel me gêne», il l'a dit. Comme il ne peut y avoir de cloison étanche entre l'action et la création, le romanesque imprègne le pacifisme.

Il faut rappeler en deux mots le contexte politique, et la situation de Giono. En février 1934, il a adhéré à l'A.E.A.R., animée notamment par Aragon et Barbusse depuis sa création en 1932, et proche des communistes. A cette époque, le parti communiste, comme toute une partie de la gauche, est pacifiste et antimilitariste. Son idée de base est la révolution anticapitaliste. Giono aura toujours horreur du capitalisme, même s'il n'emploie guère le terme que de 1934 à 1939. Révolutionnaire au sens communiste du terme, il ne l'est qu'en 1934 et 1935 ; cela transparaît par instants dans son vocabulaire, même s'il ne prononce pas souvent le mot de «révolution». Ce mode de penser «de gauche», qui vient se superposer un peu artificiellement à celui de ses romans et essais antérieurs, se fait jour parfois dans «Je ne veux pas oublier»[2], texte paru dans *Europe* le 15 novembre 1934, et repris deux ans plus tard dans *Refus d'obéissance*. Déjà là, le pacifisme va susciter des personnages individuels, esquissés seulement, mais qui ont leur existence romanesque. Giono, évoquant les propos qu'il lui est arrivé de tenir contre la guerre, fait naître aussitôt les hommes qui lui font des objections : «''Tu dis que nous nous sommes battus [...] pour des mines, pour du phosphate, pour du pétrole, je suis mineur. — Eh bien quoi, tu es mineur? — Si la mine ferme, qu'est-ce que je bouffe?'' Il y avait de petits paysans, propriétaires de trois hectares, qui se croyaient visés quand je parlais des gros propriétaires terriens. Il y eut même un épicier qui défendit le pétrole, parce qu'il en vendait et qu'il en avait une provision de cinq barils dans son arrière-boutique.»

(*Écrits pacifistes*, p. 19) Tout cela débouche sur la phrase-clé : «il n'y a qu'un seul remède : notre force. Il n'y a qu'un seul moyen de l'utiliser : la révolte.» C'est ici le début, chez Giono, de l'idée de révolte collective.

Il a, par le mouvement des Auberges de jeunesse, quelques contacts avec le milieu des jeunes ouvriers. La caravane qui allait créer le Contadour devait initialement être faite de jeunes communistes, si on en croit une lettre à Gide de juillet-août 1935. Mais les choses changent. La IIIe Internationale ayant, depuis un an, commencé à infléchir sa ligne sur ce point, les communistes français, en 1935, abandonnent progressivement le pacifisme, acceptent l'idée de défense nationale — ne refusant donc plus l'idée d'une guerre si elle est imposée par le nazisme — et agissent en faveur d'un réarmement. Giono est dès lors pris dans une contradiction. D'un côté son action est celle des hommes de gauche qui sont ses amis (Guéhenno, Chamson, etc.); en octobre 1935, il signe le manifeste des intellectuels antifascistes qui donne le signal du mouvement destiné à aboutir au Front populaire; il publie plusieurs textes dans *Vendredi*, qui se crée en novembre 1935. Mais de l'autre côté, au moment même où il souhaite la victoire des forces de gauche, elles sont en train de s'éloigner de lui sur le point, essentiel à ses yeux, du refus par principe de la guerre. Bientôt il se sent résolument adversaire des communistes. «En ce moment je déteste les communistes et je crois que ça va être bientôt la rupture totale entre eux et moi», écrit-il dans son journal le 21 mars 1936. En mai, il y note : «Élections. Victoire front populaire», sans commentaire : signe peut-être d'une perplexité, sinon d'un déchirement. Mais il va s'associer à la protestation de divers intellectuels de gauche contre le procès de Moscou en août 1936. C'est alors qu'il écrit à P. Bost : «On m'a fait signer assez de manifestes contre la sauvagerie nazie pour que j'en signe un contre la sauvagerie stalinienne.»[3]

Mais, parallèlement à cette évolution (je reviens un peu en arrière), Giono sent monter en lui au cours de 1935 ce qu'il s'imagine être une intuition fondamentale : la conviction de l'imminence d'une gigantesque révolte paysanne, qui constitue pour tous un redoutable danger. L'idée se manifeste pour la première fois[4], je crois, dans une lettre à Jean Guéhenno, qu'un autre passage concernant un accident de santé connu permet de dater d'avril 1935 : «Il faudrait que je puisse te parler du *danger paysan*. Il y a un immense danger et on ne le voit pas parce qu'on s'obstine à croire que les paysans forment une *classe*. C'est une *race*.»[5] Giono refuse ici la classification marxiste. La paysannerie a dans sa pensée, au début tout au moins, un aspect double. Je cite à nouveau la lettre à Guéhenno, où il dit qu'il existe certes une âme paysanne profonde, qui est belle et dont il n'y a rien à craindre. «Mais le paysan sorti du *primaire*, sorti du collège *secondaire*, celui qui s'est cassé le nez contre tous les examens et qui est retourné *par force* à la terre! Celui qui est devenu arrogant parce que de 1920 à 1926 il a gagné (ici), bénéfices nets par an (et à ce moment-là j'étais employé de banque, je le sais) de 140 000 à 150 000 f. dans une ferme qu'il affermait 6 000 f. Celui à qui on a répété sur tous les tons par démagogie qu'il était le pilier du monde, celui qu'on a exonéré d'impôt en lui disant qu'il est le plus pauvre et il se savait le plus riche. Celui-là, mon pauvre vieux, tu ne sais pas ce qu'il prépare. J'en pleure tout seul devant mon papier, certains soirs quand je reviens de chez eux. Et ne crois pas qu'ils ne soient que quelques-uns. Les 2 500 écoles primaires de ma région les ont fabriqués à raison de 40 ou 50 chaque et par an pendant plus de 20 ans. Ils tiennent le pays.» Voilà pour les gros, les riches, les arrogants dont le nombre est d'ailleurs invraisemblablement grossi. Et Giono continue : «Les autres, on les voit qui tournent vers vous leurs yeux candides et qui se demandent qui a raison. De moi qui mets tout mon cœur à leur dire la nécessité de la générosité et du courage, des autres qui crient l'égoïsme, et l'égoïsme sous toutes ses formes. Et ils se laisseront entraîner car l'égoïsme est plus facile et ceux qui les y encouragent sont de leur race.» Donc les égoïstes qui entraîneront, et les candides qui suivront. Voilà les troupes de la révolte de cette race.

Cette distinction ne sera plus reprise : Giono la gommera au profit d'une image plus uniforme de la paysannerie, ce qui entrera mieux dans un cadre pacifiste. La vue pessimiste des paysans subsiste, mais elle se présente en bloc, sans distinction entre meneurs et suiveurs, dans la lettre à Gide de juillet-août 1935 : «Je suis en train de faire de grandes expériences avec les paysans. Elles ne sont pas toutes réjouissantes.» Et, en post-scriptum, après avoir parlé des «contacts de camaraderie» qu'il voudrait contribuer à «établir entre ouvriers et paysans», il ajoute : «la grande menace mystérieuse vient des paysans. Personne ne la connaît. [...] Ça peut devenir, demain, la force de répression contre laquelle tout se brisera, et nous entrerons dans une période de terreur et de *destruction* culturelle dont personne n'a idée. Je crois qu'il faut en toute hâte, et toute autre occupation cessante, les imbiber des grandes idées généreusement révolutionnaires. Mais c'est plus difficile et plus ingrat que de porter le christ chez les Papous.» (*Coresp. Gide-Giono*, Univ. Lyon-III, 1983, pp. 26-27)

A partir de la fin de 1935, il n'est plus question pour lui d'une alliance entre les paysans et les ouvriers, peut-être parce que les seconds sont, dans son esprit, liés au communisme. La révolte paysanne devient autre chose qu'une branche de la révolution générale ; elle prend son autonomie. Ses causes sont du domaine de la raison. Giono n'en a jamais fait une analyse groupée et systématique, mais elles apparaissent clairement dans divers passages écrits entre la fin de 1935 et 1938. Il y en a trois, et elles sont connexes. D'abord les paysans, incarnation de la vie naturelle, se soulèvent contre le mode de vie industriel et mécanisé, qui est artificiel, et qui les ruine tout en détruisant leur identité culturelle ; c'est une révolte presque écologique ; ensuite, ce type de société mène à la guerre, et les paysans veulent la paix ; enfin, dans cette guerre, les ouvriers vont en usine pour fabriquer des armements, tandis que les paysans se font massacrer sur le front. Bref la révolte est triple : contre la société, contre la guerre, contre les ouvriers. Tantôt l'une, tantôt une autre prend le dessus ; mais elles sont là toutes trois, souvent indémêlables. Aussi le thème de la révolte paysanne est-il toujours, même si parfois il ne l'est qu'implicitement, un thème pacifiste. Il fallait y insister, car les textes que je vais citer concernent pour une part appréciable la révolte paysanne, et je devais montrer que, par un paradoxe apparent — car la guerre, même civile, n'est pas la paix — cette révolte n'était à peu près jamais dissociée complètement des préoccupations pacifistes.

Schématisons les deux pôles de ce que pense ou ressent Giono. D'une part la société moderne est quelque chose d'abominable, contre quoi il faut se révolter. D'autre part les seuls qui soient à ce moment organisés pour une révolte, les communistes, sont pour lui des alliés inacceptables, parce qu'ils refusent de condamner ce mal absolu qu'est la guerre. La conséquence implicite de ces deux postulats est que toute révolte concrète est impossible ; la seule qui reste est d'ordre imaginaire : poétique et plus précisément épique. Plus trace de marxisme ici. Giono n'est pas pour ou contre la gauche : en ce qui concerne la révolte, il est dehors. Parti du réel, il en décolle totalement. C'est ce qui se passe dans *Les Vraies Richesses* : dans l'évocation du soulèvement paysan se dessine un extraordinaire mouvement de balancier entre le réel et l'imaginaire — comme dans *Les Tragiques* ou dans *La Légende des siècles*. Et c'est un personnage romanesque collectif que Giono va créer.

Le voici : « Maintenant les champs se lèvent pour le combat du peuple de la vie, contre la société des faiseurs de mort. Nous sommes une immense forêt en marche. Nous emportons lourdement avec nous nos délices et nos terreurs ; notre implacable férocité et la douceur de nos mains de feuilles. A toutes les grandes époques, quand il a fallu lutter contre les mauvaises forces, l'imagination paysanne a chaque fois inventé la forêt en marche. [6] [...] Mais elle n'était que la fumée de nos désirs. [...] Ce qu'elle semblait être n'était que parce que nous le disions. Les temps n'étaient pas révolus. Maintenant, ils le sont : elle s'est dressée, elle marche, la voilà ! » (pp. 184-185). Suit la première page de fantastique global, collectif, qu'ait écrite Giono — car « Prélude de Pan » n'était que du fantastique individuel. Et c'est aussi la première page de fantastique actuel, et déjà politique. Fantastique car il s'agit à la fois de « nous », les paysans pauvres, qui « cultivons un peu de tout », qui vivons en symbiose avec la nature, avec les arbres, mais qui restons des hommes, qui élevons des bêtes, etc., et d'un autre « nous » qui se fond avec le premier, le « nous » des arbres de la forêt. « Nous, le vent du monde sonne les fanfares de chasse à travers les couloirs de notre corps de forêt [7] [...] De l'est à l'ouest, par le nord, par le sud, la forêt s'avance, couvrant des vallons, couvrant des plaines, débordant les collines, recouvrant les collines le long des fleuves, le long des vallées, pas à pas, lourdement, cernant ce bourg, emportant d'assaut cette ville, poussant devant elle les décombres de la civilisation de la mort. » (pp. 185-186) Civilisation qui est certes celle du moderne monstre industriel (et ici nous revenons au monde réel) : « Sa gueule a vingt rangées de mâchoires avec des dents espacées, triangulaires et tranchantes comme les dents des faucheuses mécaniques [...] » (p. 189). Plus précisément, elle est celle du capitalisme : sa gueule « hurle des cours de bourse » (p. 190). Et celle de l'État moderne : « Dans chaque griffe il tient le sceau de bronze d'un gouvernement » (p. 189). Ce gouvernement n'est pas abstrait, il est composé d'individus : « Des ministres à cul de hyènes montrent les dents, aboient, détalent, crèvent sous les haies [...] » (p. 190). Mais le monstre est aussi celui de la violence, donc implicitement de la guerre (nous rejoignons le pacifisme) : sa gueule « mâche sans arrêt des enfants, elle les avale, elle se lèche avec ses vingt langues ruisselantes de sang » (pp. 189-190).

Puis Giono redécolle vers l'imaginaire. Les deux foules qui disent «nous» — paysans et arbres — se battent côte à côte : «Près d'un fleuve qui tord sa graisse au milieu des champs, des bouleaux et des frênes se battent contre un énorme poisson. Ils l'ont cerné dans un golfe. Déjà la bête émerge de plus de moitié avec sa grosse gueule dégoûtée ouverte, son œil rond comme une cible, son gros ventre qui ne respire plus. Sur les deux rives du fleuve, la forêt descend. [...] Le poisson se renverse sur le flanc. Il se met à vomir une chaîne de poissons de plus en plus petits, se vomissant les uns les autres par des gueules dégoûtées. Tous les habitants de la rive du fleuve s'avancent dans les chemins. Ils portent de grands couteaux épais comme le troisième quartier de la lune. [...] Ils commencent à dépecer le gros poisson ; ils creusent des tranchées de mines dans sa chair.» (pp. 190-191) Ce poisson gras et fade, c'est l'abondance inutile, le texte le dit. Les paysans (à cet endroit du texte, ils sont «ils» et non plus «nous») comprennent, se mettent du côté des arbres, se précipitent au-devant d'eux et les embrassent. «Ils s'enfoncent dans nos taillis. Ils pénètrent en nous, vers nos clairières et nos joies», disent les arbres (p. 193). Les masses paysannes et forestières attaquent une grande cité de province, où les graines éclosent soudain. «La ville crevée d'arbres devient forêt.» (p. 194) Et le déferlement se poursuit. «Nous touchons aux faubourgs des grandes villes. [...] Et je te retrouve, Paris. Je te revois. Nous arrivons sur toutes les collines qui t'entourent, nous sommes arrêtés à te regarder comme les anciennes invasions que tu as vaincues! Mais nous, nous frémissons de cette colère affolée qui fait danser les chevaux devant la maison d'équarrissage. Tu es l'usine de notre mort. Nous ne venons pas pour te piller, nous venons pour te détruire.» (pp. 195-196) La foule apostrophe Paris pour le condamner : «Tu trompais la jeunesse des enfants avec de fausses mystiques, tu faisais travailler les hommes pour de fausses richesses, sous l'admirable tendresse de ton ciel gris où survit le regard des poètes massacrés.» (p. 196) Et Paris n'est pas ici un symbole ; c'est bien de lui qu'il s'agit, et il est même multiplié par l'imagination du poète : «Tes Louvres éclatent, tes cathédrales s'effondrent, tes clochers chavirent comme les mâts de navires crevés.» (p. 197) Ce n'est plus, comme dans «Destruction de Paris» *(Solitude de la pitié)*, le thème romantique de Paris en ruines et désert ; mais le thème biblique des villes coupables anéanties par un cataclysme[8]. Dans cette partie du texte, la forêt qui dit «nous» est de nouveau à la fois végétale et humaine : «Nous sommes la civilisation naturelle de la sève et du sang.» (p. 196) Les graines intérieures à la ville sont ici — contrairement à ce qui se passait dans la cité de province évoquée tout à l'heure — celles des hommes restés humains et qui vivaient à Paris ; ce sont elles qui font éclater la ville : «le bosquet d'hommes qui sort de toi nous bouleverse de joie» (p. 197). La vision d'êtres mi-humains mi-végétaux se précise : «Leurs feuillages sont encore sanglants du gros effort qu'ils ont fait pour naître entièrement purs d'une chair entièrement intelligente.» (p. 197) Et la vie véritable, qui, par l'effet d'une métamorphose apaisante, n'est plus que la vie humaine, toute vision de forêt en marche effacée, se rétablit à la place naguère occupée par la ville, et sur le pays entier.

Cette vision apocalyptique a encore un écho dans le cinquième et dernier chapitre des *Vraies Richesses* : on y revoit le monstre moderne, et, plus nettement qu'avant, c'est lui qui est à l'origine de la guerre menaçante. S'adressant à l'homme, qui est ici le personnage collectif, Giono s'écrie : «Ce dont on te prive, c'est de vents, de pluies, de neiges, de soleils, de montagnes, de fleuves et de forêts, ta patrie. On t'a donné à la place une patrie économique, un monstre qui exige périodiquement le sacrifice de jeunes hommes. Tu songes avec terreur à ces temps de l'ancien Mexique où l'on vendangeait tous les mardis des grappes d'hommes sur l'autel de Tezcatlipoca. La patrie qu'on t'a inventée a plus d'appétit encore. Tu es aussi loin d'elle que de ce jaguar à torse de fournaise.» (pp. 218-219) Et, à la dernière page du livre, cette protestation contre l'idée de patrie s'oriente contre le culte des morts à la guerre, culte alors entretenu par certaines associations d'anciens combattants : «Les morts sont morts. Dès qu'ils ont passé la porte, ils ne peuvent plus servir qu'à des fins naturelles; corps et âmes. Ils ne sont jamais utiles à la patrie, mais l'abolition de ta vie sert à ceux qui manœuvrent l'idole.»[9] (p. 219)

Au début de 1936, je l'ai dit, Giono se sépare des communistes. Il ne sera désormais plus question de convertir les paysans aux «idées révolutionnaires» comme le disait la lettre à Gide. La coupure entre ouvriers et paysans est inéluctable, la guerre civile approche. R. Ricatte a cité (Pl., III, 1267) un passage du journal en date du 27 novembre 1936 : «Bientôt, sans que vous vous en soyez doutés une seule fois, vous allez vous trouver en face de votre véritable adversaire, vous, fascistes[10] de droite et de gauche. Et les jeux espagnols seront du sucre de pomme à côté de ce qui vous attend.» A la même date à peu près (fin novembre 1936), dans une lettre à Pierre Scize[11], que Giono n'a finalement pas envoyée, mais qu'il a conservée dans son journal, preuve de l'intérêt qu'il y portait au moins comme document, il précise qu'il redoute une «terrible révolte paysanne organisée», une guerre « *Terre* contre *Usine* » en vue de laquelle certaines catégories d'artisans-ouvriers sont déjà noyautées par les paysans. Il s'agit, dit-il, d'une autre «forme de révolution» que celle dont on parle couramment. «Celle qui vous attend vous surprendra par sa nouveauté, sa violence (dans laquelle d'ailleurs je serai moi-même écrasé comme vous), son organisation, sa masse.»

C'est au même moment, en novembre 1936, que Giono conçoit le projet de roman qui l'occupera par intermittences pendant deux ans, mais dont, que l'on sache, il ne rédigera pas une ligne, ces *Fêtes de la mort* dont Robert Ricatte a révélé l'existence. Je ne reprendrai pas ses analyses sur l'évolution du projet dans l'esprit de Giono, et sur son contenu. Je souhaite seulement replacer *Fêtes de la mort* dans un contexte plus large. Rappelons qu'il y a deux grands mouvements prévus dans le roman : une révolte, partie de Haute Provence, qui avorte par la faute de sa dispersion, une seconde, issue de Saint-Véran dans les Hautes-Alpes, celle que conduit le chef aveugle qui descend de la montagne sur sa mule, envahit la vallée du Rhône à la tête de ses armées, et remonte vers le nord. Les deux derniers paragraphes du plan sont : «Marche sur Paris» et «Devant Paris. Fin du monde moderne.»

La marche sur Paris de *Fêtes de la mort* est une autre vision, dans un autre registre, plus spécifiquement romanesque, de celle des *Vraies Richesses*. On retrouverait même dans les deux textes la musique de Bach. Ce passage du musicien de la paix à la guerre est un autre signe de la perturbation qui fut celle de Giono pendant ces années. *Fêtes de la mort* présente d'ailleurs une différence sensible avec *Batailles dans la montagne*, qui le précède, et avec *Deux Cavaliers de l'orage* qui le suit : lors de leur élaboration, les protagonistes se sont assez vite individualisés, multipliés, et ont reçu des noms ; l'action s'organisait en même temps autour d'eux. Dans *Fêtes de la mort*, l'action est relativement détaillée, de même que la localisation des événements ; mais elle reste très collective : les noms sont rares : une Anne Blanc dont on ne sait rien, un Paul et un Alfred, envoyés des paysans ; mais le chef aveugle n'a pas de nom, pas plus que ses partisans, que l'enfant qui le guide et qu'un violoniste italien qui le suit. Tout se passe comme si Giono était encore hanté par le souvenir de l'épopée collective de marche paysanne sur Paris esquissée dans *Les Vraies Richesses*.

Dans l'œuvre suivante, qui n'est plus un roman, dans *Le Poids du ciel*, écrit de juillet 1937 à avril 1938, reparaît, mais cette fois sans son allure guerrière, l'étroite alliance marquée dans *Les Vraies Richesses* entre le paysan et la forêt. Car, peu après le début du livre, voici le paysan collectif : «Il est revêtu de forêts qui lui recouvrent les cuisses, les hanches, montent le long de sa poitrine, recouvrent son épaule comme une peau d'ours [...].» *Le Poids du ciel* est certes bien davantage un livre cosmique qu'une œuvre politique et il reste par là une œuvre pacifiste. Mais la menace de la guerre y reste présente comme une obsession. C'est l'âme moderne comparée à un cadavre en décomposition dans son armure, «une sorte de comte d'Orgaz, un flot de pus serré dans une armure inutile (dont l'acier même a l'air de vomir) effondrée entre les bras des prêtres et des nobles» (p. 14). (On pourrait penser que celui qui parle ici est le Giono amateur de peinture et non l'antimilitariste, l'image de l'armure étant archaïque. Mais un autre texte, plus loin, prouvera qu'il n'en est rien.) C'est, dans la première partie, «Danse des âmes modernes», la description des armées : «Entassés sur les plages des continents, dans les plaines, les montagnes, les collines, couvrant les labours, les prairies, les guérets, les landes et tout l'arable, embarrassant les socs de charrue comme du chiendent ; vêtus de rouge, de noir, de brun, de bleu, portant des plumes de coq dans le cul, des étoiles rouges sur leurs casquettes de charretiers à oreillères, se placardant des croix en ailes de moulin sur leurs chemises brunes, s'éventant d'étendards, de torches, de cavalcades, de parades, de saluts mutuels, piétinant la patrie de marches, de contre-marches, d'avances, de reculs, habitant des boîtes à musique pleines de clairons, de mécanismes d'horlogerie, de lois à retardements ; inutiles parfaits, préparant leur utilité, mangeant à la pointe du sabre le plus clair, le plus beau, le plus pur de l'humain.» (pp. 19-20) On a remarqué les étoiles rouges et les chemises brunes : là il ne s'agit pas d'armées fantastiques ou abstraites. De même, dans la féroce tirade qui suit contre les dictateurs, ce sont bien ceux de l'Europe de 1938, car voici leurs partisans : «Soudain, tous ces hommes en conserve crient [''] Heil ! ['']. De l'autre dictateur, là-bas, il en coule de tout pareils qui crient : ''A nous !'' De l'autre dictateur, il en coule de tout pareils, qui crient : ''Le parti !''» (p. 24) C'est contre Hitler, Mussolini, Staline que Giono hurle son horreur. Plus loin, dans l'évocation de Marseille, les journaux proclament les nouvelles de la guerre d'Espagne en cours, des bombardements de Barcelone et de Madrid, de la bataille de Teruel (p. 175). Des hommes d'affaires discutent sur le cours des métaux et parient sur le réarmement (p. 198). Ces derniers personnages prennent corps : leur dialogue est transcrit. Prennent corps aussi, avec leurs vêtements, leurs attitudes, leurs propos, des paysannes, un homme en boghei, un berger. Certains ont même des noms ; un tisserand s'appelle Jules, et son ouvrière Henriette Cœur ; et une Honorine de Bourg-Chemin est évoquée dans la conversation à propos de la beauté de ses cheveux dorés. La paix de ces campagnards s'oppose à la civilisation mécanique qui engendre les guerres. Et les ouvriers qui, dans les usines, fabriquent des armements, ont aussi leur présence et leur poids. Une fois de plus, Giono pacifiste et Giono romancier s'interpénètrent. De la pensée jaillissent les personnages, ou plutôt Giono pense naturellement en personnages autant qu'en idées. D'ailleurs la révolte paysanne romanesque de *Fêtes de la mort* trouve ici son écho : «J'entends s'approcher l'heure d'un règlement de comptes général, et ce n'est pas celui auquel nos politiques s'attendent.» (p. 262)

De même, quand, en juillet et août 1938, Giono écrit les cent pages de sa *Lettre aux paysans sur la pauvreté et la paix*, texte cette fois militant en forme de message[12], il la pense en créateur de personnages. Personnages constants, présents dès le premier mot, les paysans auxquels il s'adresse : «Oh! je vous entends! En recevant cette lettre, vous allez regarder l'écriture et, quand vous reconnaîtrez la mienne, vous allez dire : ''Qu'est-ce qui lui prend de nous écrire? Il sait pourtant où nous trouver.''» (p. 119) Il ne cessera, tout au long du texte, de s'adresser à eux, «cette forêt d'hommes que vous êtes et qui ombrage si délicatement la terre» (p. 130) — encore la forêt paysanne, mais cette fois simple notation fugitive : le thème est en train de s'estomper. Mais ce sont surtout des dizaines d'autres personnages qu'il fait surgir au fil des pages : le percepteur, le gendarme, l'huissier qui menacent le paysan ; la famille du paysan qui écoute la radio, anxieuse, jusqu'à ce que la femme dise à son mari : «''Allons, ferme, cherche un peu quelque chose de plus gai.''» (p. 126) C'est à nouveau l'ouvrier dans l'usine d'armements (p. 131), ce sont les femmes et les enfants de paysans au travail dans les champs en l'absence du chef de famille mobilisé (p. 132). Et toute la civilisation du machinisme a des effets comparables à ceux de la guerre : «On veut faire de l'humanité tout entière ce qu'on a fait de certains hommes à qui la guerre a cassé la colonne vertébrale et qu'on soutient avec des corsets de fer et des mentonnières armurées. Ils ont des médailles et brevets de héros, mais quand une femme se marie avec eux, ouvertement on la félicite et sincèrement on la plaint.» (p. 216) Nous retrouvons ici l'image du comte d'Orgaz et de son armure dans *Le Poids du ciel*, et cette fois elle n'est pas picturale, mais en relation avec la guerre moderne. Si bien que tous les personnages qui peuplent la *Lettre aux paysans* sont aussi colorés, par contraste, des lueurs de la guerre. Il y a ceux qui ont fait l'erreur d'abandonner la charrue et de partir pour la ville (pp. 139-143).

D'autres sont esquissés, encore fluides, et commencent tout juste à se cristalliser. Le plus frappant est ce paysan qui, au milieu des propos collectifs tenus par des paysans à Giono en réponse à son discours, se met à parler brusquement, sans un mot d'avertissement ou de présentation. Si on sait qu'il est là, c'est uniquement parce qu'il dit «je» : «J'ai fait du blé». Et toute son histoire se déroule pendant douze pages. Il est marié ; son fils est au collège, sa fille à l'École Normale ; il emploie un berger, il loue deux hommes pour la moisson, il lui faut payer le battage de son blé. La surproduction l'empêche de vendre sa récolte. Il a une terre à lui, mais se sent ruiné, alors qu'autrefois, en 1919, ayant pris une terre à ferme du côté d'Ongles, sur une terre pauvre, il cultivait un peu de tout, il avait cent brebis, il mettait de l'argent de côté. Maintenant il a un tracteur, il produit dix fois plus de blé, mais ne sait qu'en faire. Et son frère, qui est dans des terres à primeurs, a les mêmes problèmes pour vendre ses oignons et ses asperges. Les difficultés sont analogues pour d'autres hommes dont Giono bâtit aussi le portrait : l'artisan cordonnier, l'ouvrier des usines de chaussures Bata, le cordonnier qui a voulu créer une petite entreprise et qui n'a créé que ses propres soucis.

Il est curieux que, parallèlement à ces images paisibles, naisse en Giono — issue peut-être de son ancienne notion de paysans divisés en meneurs férocement égoïstes et suiveurs naïfs — une idée nouvelle en tant que vue générale (car elle existe, éparse, implicite, dans plusieurs de ses œuvres de fiction antérieures) : celle de la cruauté paysanne. Il avait, dans la lettre de novembre 1936 à P. Scize, évoqué la violence de la révolte. Pourquoi, dans la *Lettre aux paysans*, écrit-il : «[...] Vous comprenez bien que j'approuve votre révolte ; avec toutes ses cruautés. » (p. 141) Il s'agira pour les paysans d'«employer sans remords tous [leurs] désirs de violence et de cruauté». Certes Giono trouve dans la terre elle-même l'odeur «d'une cruauté ravissante» (p. 144). Mais surtout il sent en lui-même une cruauté virtuelle : il a écrit dès 1935, dans un texte que publie *Monde*, le journal de Barbusse : «Je ne suis pas un immobile défenseur de la paix. Je suis un cruel défenseur de la paix. » (p. 268) Dans sa lettre à Paulhan, en mai 1938, il avait écrit : «S'ils me faisaient la grâce de me garder vivant et de me permettre d'être un soldat de leur rang, vous m'imaginez pas, cher Paulhan, avec quelle joie sauvage je me jetterais dans le massacre qu'ils piétineront sous leurs pieds. » Il se sent, dans la *Lettre aux paysans*, plus révolté que les paysans «et encore plus cruel» (p. 142). Mais enfin la jacquerie remonte au XIVᵉ siècle, les paysans modernes ne se sont pas encore révoltés et n'ont exercé aucune cruauté. Il me paraît clair que ceux auxquels pense Giono, ce sont les paysans des *Fêtes de la mort*, dirigés par l'aveugle à la dureté extraordinaire, qui organise et régente les grands massacres. Après sa première grande victoire viendra «la journée des règlements cruels» (Pl., III, 1275). Le roman en gestation se mêle ainsi, sans que Giono en soit conscient, aux écrits d'action, pour mettre en œuvre cette cruauté déjà signalée par plusieurs gionistes[13]. Cruauté qui apparaît dans les romans de l'époque, avec l'épisode d'Adèle Cotte encornée par le taureau, et du même taureau tué aussitôt à coups de serpe par Saint-Jean, dans *Batailles dans la montagne* ; avec toute la fin de *Deux Cavaliers de l'orage*[14].

Cette révolte n'était qu'un rêve épique dans *Les Vraies Richesses*, un roman d'anticipation politico-historique, mais fantastique, dans *Fêtes de la mort*, mais elle apparaît dans la *Lettre aux paysans* comme présente et concrète : non plus seulement prévue et imaginée, mais prêchée. C'est encore au début le soulèvement paysan contre la civilisation industrielle. J'ai déjà cité «Cette forêt d'hommes que vous êtes et qui ombrage si délicieusement la terre», et je continue la citation en achevant la phrase : «si vous la laissiez s'enflammer des flammes de la violence, non seulement elle dévorerait tout dans un incendie qui éclairerait de la mort les coins les plus secrets du monde, mais elle laisserait après elle des déserts où rien ne pourrait plus recommencer» (p. 130). C'est «cette grande révolte paysanne qui vous alourdit le cœur quand vous êtes penchés sur vos champs solitaires» (p. 133). Mais à la fin du texte, beaucoup plus précisément, c'est d'abord l'idée que si les paysans refusaient de vendre leurs produits (ou de les échanger contre de l'argent de valeur nulle), ils seraient les maîtres de tout (p. 172). Et surtout c'est l'appel à une action immédiate pour empêcher la guerre imminente, l'injonction aux paysannes de refuser, en l'absence de leurs hommes mobilisés, toute production destinée au pays, et de s'engager en cas de guerre à détruire leurs stocks et à ne plus cultiver que pour leur famille. La révolte paysanne, livrée auparavant contre la société, n'est plus désormais qu'une révolte contre la guerre. Le premier combat n'est pas périmé ; mais le second est plus urgent. Il a l'apparence d'une action politique. En réalité, c'est une fiction d'action politique : ce texte n'a apparemment été contresigné par personne, il ne pouvait l'être, et nous sommes en pleine utopie romanesque.

Enfin, dans *Précisions*, Giono décrit une famille de petit hameau campagnard à la fin de septembre 1938, au moment de la crise de Munich, avec quatre hommes désespérés, ne mangeant rien pendant trois jours (p. 239). Qui pourra y croire ? Nous sommes dans la psychologie imaginaire, et ces paysans sont des personnages de romans de Giono.

J'ai jusqu'ici évoqué les êtres créés par Giono et extérieurs à lui. Mais le plus romanesque de tous, c'est Giono lui-même en tant qu'il se met en scène. Il s'invente constamment. Il réinvente son passé en 1939, dans «Je ne veux pas oublier», quand il évoque, comme une victime potentielle de la guerre, un enfant à qui il donne ses propres yeux bleus et dont il fait, dans un de ses avenirs possibles, un poète comme lui-même. Il est romancier du passé aussi quand il réinvente certains aspects de sa guerre de 1914. Toujours dans «Je ne peux pas oublier», il dit être, avec le capitaine V. (Vidon), le seul survivant de sa compagnie. La 6e compagnie du 140e R.I., à laquelle il a appartenu pendant la plus grande partie de la guerre, a certes subi des pertes considérables. Mais — le journal des marches du régiment, conservé aux archives de l'armée de terre à Vincennes, en fait foi — les pertes de la 6e compagnie ont été dans l'ensemble moins effroyables que celles des compagnies avoisinantes : le capitaine Vidon semble avoir été plus ménager de la vie de ses hommes. Et sa veuve, qui a écrit à Giono le 14 septembre 1935, a eu raison de le taxer d'exagération : «[...] heureusement, Monsieur, vous ne restez pas seul survivant de la sixième du 140 ; [...] que de fois j'ai vu rentrer mon mari joyeux d'avoir rencontré un des anciens de sa ''belle sixième''.» Quant aux quatre camarades cités dans la dernière page de «Je ne peux pas oublier», et qui auraient été tués à côté de Giono devant le fort de Vaux, Devedeux, Marroi, Jolivet et Veerkamp, je n'ai pas trouvé leurs noms dans le journal de marche du régiment, aux Archives de la Guerre à Vincennes, parmi les listes des tués ni en mars ni en août 1916 lors des attaques près du fort de Vaux. Deux d'entre eux, Marroi et Jolivet, sont d'ailleurs des personnages du *Grand Troupeau*. Et Giono, dans ce roman, a semble-t-il modifié tous les noms quand il s'inspirait de personnes réelles. Quand, dans son article, il présente son récit comme un témoignage vécu, il fait donc encore œuvre de romancier.

Il en est de même quand il s'invente un passé de mutin de 1917. Malgré ce qu'il a raconté à plusieurs reprises, notamment à sa famille, durant ces années 1935 à 1939, il ne semble pas que ce puisse être vrai. Il n'est pas question de mutineries dans *Le Grand Troupeau*, où il les aurait sans doute évoquées au moins par allusion s'il en avait été témoin. Et surtout, d'après ce que j'ai vu à Vincennes des archives concernant les mutineries, le 140e R.I. ne paraît pas y avoir participé. Tout ce passé, Giono se l'est recomposé dans *Précisions* : «J'ai fait partie des mutinés de cette époque, humblement. Je sais ce que c'est que d'être aligné devant un adjudant qui compte 1-2-3-4, le 4 sortez, et ainsi de suite, et tous les numéros 4 sont fusillés le lendemain à l'aube, sans jugement.» (p. 243) Et plus longuement encore dans la préface aux *Carnets de moleskine* de Lucien Jacques, où sont décrits les préludes aux exécutions (*Écrits pacifistes*, pp. 284 sq.). Or, s'il y a eu, surtout de mai à septembre 1917, de très nombreuses mutineries collectives, des milliers d'hommes traduits devant les conseils de guerre, plus de 500 condamnés à mort (dont une trentaine exécutés), il semble que, malgré une légende tenace, il n'y ait jamais eu de décimations sans jugement, sauf peut-être dans un cas douteux qui ne concernait pas le régiment de Giono[15]. Il a inventé à partir d'une légende — en toute bonne conscience puisqu'il s'agissait pour lui de lutter contre une nouvelle tuerie.

Cela, c'est son personnage passé. Mais Giono est aussi un romancier de lui-même comme pacifiste dans son temps quand il grossit démesurément les marques de sympathie et de confiance qui se sont manifestées à son égard. Il note ces signes dans son journal. Le 28 septembre 1935 : «Intention de créer une Organisation Jean Giono — contre la guerre. Avoir 300 noms inscrits d'hommes qui s'engageront à se réunir et à résister à un ordre de mobilisation. Se faire fusiller en bloc, si on l'ose. Des deux façons c'est la démolition de ce rouage graissé qu'est l'ordre de mobilisation. L'organisation Contadour qui est déjà l'espoir de tant de jeunes resterait l'organisation directrice de toutes les initiatives adjacentes.» Rappelons que la première rencontre au Contadour datait du début du mois, et que «l'organisation» en question, à supposer qu'elle ait existé, ne pouvait être qu'embryonnaire. Mais, en un sens, tout le Contadour, lui aussi, a été un roman vécu, ce qui pourrait être une des raisons pour lesquelles il n'est jamais passé dans un roman écrit. Le 15 octobre 1935 : «Et je continue à dresser des motifs d'ordre nouveau. Et la jeunesse les écoute et, de plus en plus, semble les entendre. Un peu partout les étudiants se groupent sous mon nom, à Aix, à Lyon, à Poitiers, à Grenoble, à Paris, à Nancy. Ce que j'écris maintenant va les coaguler définitivement.» Le 24 janvier 1936 : «Aujourd'hui déjà demande de traduction anglaise des V[raies] R[ichesses] sur le morceau paru dans *Vendredi*. Lettres venant de Marseille, Nancy, Lons-le-Saunier, Lille, St Raphaël, Suisse sur les

V[raies] R[ichesses] paru dans *Vendedi*. Toutes délirantes. » Le 10 mai 1936, à propos des *Vraies Richesses* : « L'édition allemande se fera en Suisse et paraîtra en Allemagne comme une compagnie de francs-tireurs. » A la fin de novembre 1936, dans sa lettre non envoyée à Pierre Scize, Giono décrit son activité : « Je fais une enquête paysanne depuis *huit mois* tous les jours dans l'Isère, les Basses-Alpes, le Haut Var, le Vaucluse et la Drôme. » Tous les jours depuis huit mois en 1936, alors que depuis février il est attelé à l'énorme *Batailles dans la montagne*, dont on suit le progrès jour par jour dans son journal ! Et plus loin dans la même lettre : « Tout ce que j'ai *vu* et *entendu* ici m'est confirmé par ce que je sais de l'Auvergne, du Bordelais, de la Bretagne (où j'ai fait faire les mêmes enquêtes soigneuses par des amis éprouvés et sûrs). » Ces enquêtes faites par des amis sont sans doute aussi imaginaires que les siennes ; aucun témoignage n'a jamais, que je sache, été rapporté à leur sujet. Mais Giono s'invente une vie parallèle à la sienne. Le 30 novembre 1936, au moment où commence à s'esquisser le projet de *Fêtes de la mort*, Giono évoque le soutien qui lui vient d'étudiants et d'ouvriers de Nice, de Marseille, de Besançon, et continue : « A Alger, création d'un groupe intitulé Refus d'obéissance. Bientôt je vais avoir un groupe de paysans, région de Vachères, Banon, Reillanne, qui sera également intitulé Refus d'obéissance. Et il faudra compter avec ces noyaux. » Il publie, dans le numéro 3-4 des *Cahiers du Contadour*, des extraits de nombreuses lettres reçues à la suite de *Refus d'obéissance*. En octobre 1938, à Jean Grenier, il dit avoir derrière lui les instituteurs et les postiers (*Portrait de Jean Giono*, pp. 16-17). Certains, par un lyrisme extravagant, entretenaient cette griserie. Alfred Campozet me rappelait récemment qu'un contadourien que je ne nommerai pas (mais je sais qui c'est) écrivait à Giono vers cette époque : « Qu'est-ce que tu attends pour entrer dans Paris sur ton cheval blanc au son des cloches de Notre-Dame ? » Et je crains qu'on ne puisse taxer d'humour l'auteur de la phrase (Giono en général Boulanger, ce n'aurait pas été mal). Giono lui-même jouait avec cette idée — car il aimait ce jeu. André Chamson m'a raconté il y a quelques années que Giono, à l'époque, lui avait dit un jour : « Ça ne peut pas durer. Tu réunis autour de toi les gens qui t'aiment bien dans ton pays [les Cévennes], et tu descends sur la vallée du Rhône. Je fais la même chose en Provence, nous nous rejoignons, nous montons sur Paris et nous faisons couler des flots de sang. » (Une fois de plus, la marche sur Paris…) Chamson, légèrement estomaqué, lui répond : « Des flots de sang ! Comme tu y vas ! » Et Giono, avec un geste désinvolte : « Bah ! des Parisiens… » (Ce qui ne surprend aucun de ceux qui l'ont connu : ils retrouvent là le type d'humour qui lui était familier.) Autre exemple de grossissement hyperbolique : il confie à Jean Grenier que « quelqu'un qui colporte sa *Lettre aux paysans* en a vendu 7 000 en trois mois » (*op. cit.*, p. 23). Dans *Précisions*, Giono, apostrophant Daladier, évoque la résistance à la mobilisation en septembre 1938 : « Quant à vous, Monsieur le Président, vos affiches de mobilisation ont été chez moi déchirées et barbouillées de minium sur plus de cent kilomètres carrés. Et quand j'ai demandé à mes amis une équipe prête pour faire ce que nous avions à faire, j'ai eu plus d'hommes à ma disposition que ce qu'il était nécessaire. Les gens de la rue applaudissaient les pacifistes décidés. » (p. 244)

36

Il s'invente aussi quand il laisse entendre, dans le début que j'ai cité de la *Lettre aux paysans*, qu'il était en relations constantes et familières avec de très nombreux paysans, et leur écrivait souvent (puisqu'ils reconnaissaient son écriture). Certes il faisait de longues marches dans la campagne, et il lui arrivait de parler avec tel ou tel. Mais comment de tels contacts auraient-ils pu être permanents ? Il passait sa vie à écrire ses livres. Il me paraît plus que douteux qu'il ait envoyé des lettres à de nombreux paysans. La figure de Giono comme personnage connu de tous dans toute sa région, qu'il cherche implicitement à accréditer, fait aussi partie de son œuvre romanesque. Mais pas uniquement : elle entre aussi dans une stratégie d'action : pour être écouté, il devait faire croire qu'il disposait d'une large influence.

Il reste que, dans sa lutte, Giono s'attribue une importance devant l'opinion, sur laquelle il se plaît à se faire illusion. Beaucoup de grands écrivains ont été saisis des mêmes rêves. C'est Victor Hugo s'imaginant, lors de son retour à Paris en 1870, que le peuple allait le placer par acclamations à la tête du pays ; Saint-John Perse, lui aussi en exil pendant quelques années, persuadé, dit-on, qu'à son retour on allait lui offrir le pouvoir ; Malraux cherchant en 1939 à rencontrer Staline pour le convaincre de changer ses plans. L'erreur d'appréciation de tels hommes sur la portée de leur grandeur (certains à juste titre qu'ils seront grands littérairement dans les siècles à venir, ils croient à tort qu'ils doivent aussi l'être politiquement en leur temps), Giono l'a commise également. On lit dans son journal, le 22 janvier 1937 : «Je vais voir si, d'ici demain, je peux écrire à Roosevelt.» Mais on a surtout parlé d'un projet de rencontre avec Hitler en 1939. Lucette Heller-Goldenberg y fait allusion dans sa thèse sur Giono et le Contadour (p. 175), ainsi qu'Alfred Campozet, plus prudemment, dans *Le Pain d'étoiles*. Giono aurait dit à certains qu'il avait rencontré Hitler qui lui aurait promis le maintien de la paix. Bien que je ne connaisse personne qui en ait témoigné directement, et que Giono n'ait pas l'exclusivité de la fabulation, il est possible qu'il ait raconté cela : il en a raconté bien d'autres. Ce n'était évidemment pas vrai, mais le moment est peut-être venu de faire la lumière sur ce point, pour ne pas laisser s'enraciner des légendes. A. Campozet s'est demandé si Giono n'aurait pas été «contacté par un service de propagande allemand ou par une organisation pro-nazie en France» (p. 123) ; et si l'intermédiaire n'aurait pas été Drieu la Rochelle qui serait venu (au conditionnel) voir Giono à Manosque (p. 124).

En fait, le journal atteste que l'initiative de cette opération — Giono empêchant la guerre par un entretien avec le plus menaçant des déclencheurs possibles de guerre — n'est pas venue de Giono lui-même. C'est un Allemand sur lequel je suis mal renseigné, Willy Schneider[16], qui soumit le projet à un journaliste français ami de Giono, plus tard un très grand résistant, que j'ai connu, qui est mort, et dont la famille m'a demandé de ne pas encore divulguer le nom. Schneider se disait ancien combattant et pacifiste, et c'est peut-être vrai. Mais on ignore absolument si c'est lui qui a eu l'idée originale de la rencontre ou s'il n'a été qu'un intermédiaire, et de qui ; on ignore quelles étaient ses possibilités d'accéder auprès de Hitler — à supposer qu'elles n'aient pas été mythiques. Toujours est-

il que le journaliste transmit la proposition à Giono en novembre 1938 ;
cette lettre et les suivantes ont été interfoliées par Giono dans son journal.
Après avoir souligné le prestige que ses livres lui avaient conféré, il lui
faisait une proposition brutale, lui demandant s'il voulait avoir un entretien avec Hitler. Il s'agissait de mettre en face l'un de l'autre l'ancien combattant Giono et l'ancien combattant Hitler. L'aventure, dit-il, est fai-
sable en dehors des chancelleries, par l'intermédiaire d'un ancien combattant allemand, pacifiste lui aussi. Les conditions seraient que les deux
hommes parlent de tout, y compris de la question juive ; et qu'un compte
rendu fidèle de l'entretien soit dressé et publié[17]. Giono répondit à son
ami, vers le 20 novembre :

> «Cher vieux,
> Bien sûr que j'accepte, à condition toutefois que tu me laisses d'abord
> le temps de la réflexion et que toi de ton côté tu réfléchisses également
> dans le même sens de toute ton honnêteté. Je ne peux aller voir Hitler
> que pour lui proposer *en tout et pour tout* qu'il prenne *l'initiative d'un désar-
> mement général universel.*
> C'est la seule chose à faire.
> Honnêtement je ne peux, tel que je me connais (c'est-à-dire pas diplo-
> mate et aussi, il faut y insister, pas intelligent), je ne peux entrer dans
> ces discussions de droit des peuples ou de politique des peuples. Je ne
> peux qu'être celui qui, ne *sachant* pas dénouer le nœud gordien, le *tranche.*
> Réfléchis bien. Si je vais voir Hitler, je veux y aller *ouvertement*, sans
> cachotteries et après l'avoir fait annoncer par tous les journaux paci-
> fistes. Je veux y aller sur cette raison : «MISE AU POINT D'UN DÉSAR-
> MEMENT UNIVERSEL ET TOTAL».
> Et toutes les questions diverses sont comprises là-dedans. Mon entre-
> tien avec Hitler devant alors être devant témoins. Je ne veux pas y aller
> *pour qu'on me parle* ; je veux y aller *pour parler.*
> Je n'ai pas d'autre proposition à lui faire que cette proposition : qu'il
> prenne l'initiative d'un désarmement *universel et total.*
> Réfléchis et écris-moi. Je t'embrasse.»

Le journaliste, le 25 novembre (cette fois la lettre est datée) discute
les points soulevés par Giono, suggère que Giono essaie d'obtenir un
geste positif comme la libération des écrivains et artistes détenus en camp
de concentration. Sans minimiser les difficultés, il ajoute qu'Hitler, il
le sait, a lu Giono et qu'il a sur lui une opinion qui permet une explication franche et même brutale. Mais les choses traînent. Nous ne possé-
dons malheureusement que les lettres du journaliste ; celles de Giono,
à l'exception de celle que je viens de citer et qui a été dactylographiée
(il en reste donc un double) ont été détruites ou perdues pendant les
années de guerre où le journaliste vécut constamment dans la clandestinité. Il fut question de visites du journaliste, puis de Schneider, à Manosque ; on ne sait si elles ont eu lieu. D'après les lettres du journaliste,
échelonnées de décembre 1938 au 18 février 1939, Schneider aurait suggéré de faire appel, pour l'entrevue, au célèbre aviateur allemand Udet,
as de guerre qui avait sa légende en Allemagne et son franc-parler. Il se
révèle ensuite que Goering veut mettre son nez dans la rencontre, et que
d'autre part Udet est pour le moment en Libye auprès du maréchal Balbo.
Pas d'autre trace du projet : il a visiblement tourné court. C'est peut-être

l'occupation de la Tchécoslovaquie en mars 1939 qui y a mis le point final.

Mais A. Campozet écrit (p. 124) qu'au début de 1935, sur la demande de Giono, il avait été le voir à Manosque avec Lucien Jacques. «Je crois devoir accepter, nous dit-il. On ne sait pas ce qui peut en sortir. Tout doit être tenté. Mais j'y mets deux conditions. La première, c'est que la rencontre ait lieu en France, en pleins champs. Je serais mal à l'aise dans un bureau. Je veux avoir auprès de moi des arbres, des prés, des collines, mon monde à moi, le monde vrai, en somme. La seconde, c'est que nous ne soyons accompagnés que de nos seuls interprètes, le sien et le mien qui, j'y tiens essentiellement, sera juif.» Cette condition de l'interprète juif m'est confirmée par la veuve du journaliste, que j'ai rencontrée récemment. Et, quelques jours plus tard, toujours selon le témoignage d'A. Campozet, un peintre rencontré à Saint-Paul-de-Vence, et qui n'avait jamais vu Giono, demandait à Lucien et à Alfred : «Votre ami Giono va-t-il se décider à rencontrer Hitler?» Et, devant une affectation d'ignorance : «Ses conditions ne sont pas sérieuses.» Il y avait donc eu une fuite — ou plusieurs. De quel côté? Il est certain que Giono n'avait pas gardé un secret total et que, outre Lucien Jacques et Alfred Campozet, Gide était dans le secret[18]. Par ailleurs, ses conditions interdisaient pratiquement la rencontre. Donc, il acceptait pour ne pas laisser passer une chance de paix, même minime, mais, en même temps, il refusait en fait, par sentiment sans doute de l'impossibilité et de l'inutilité d'une telle rencontre. En tout cas, il est évident qu'il n'y avait à aucun moment en lui — pas plus qu'en son ami journaliste — trace d'un atome de sympathie pour Hitler. Chez tous deux, cette démarche généreuse et utopique répondait à la nécessité de faire quelque chose en tentant à tout prix, et même si les chances étaient infimes, de «trancher le nœud gordien». Mais chez Giono, en outre, détourner le cataclysme d'un geste, cela ne s'inscrivait-il pas dans la ligne de l'action d'un de ses personnages romanesques, Saint-Jean (son nom ou surnom contient le prénom de Giono) qui, à la fin de *Batailles dans la montagne*, fait sauter le barrage et libère du cauchemar toute la population?

Après le Giono romanesque du passé et celui du présent, il en est un troisième, qui touche d'ailleurs au précédent : celui d'un avenir plus ou moins proche. Il est déjà là dans «Je ne peux pas oublier», où il imagine des situations futures dans lesquelles il pourrait se trouver. Il se dit : «Tu refuseras de serrer la main aux officiers de carrière. Tu défendras ta porte aux officiers, même si un jour l'un d'eux entre dans ta famille ou si tu te trouvais être l'ami d'un officier qui aurait surpris ton amitié.» (p. 20) Il se plaît donc à sécréter son horreur future s'il devait avoir un gendre officier marié à Aline (8 ans à l'époque) ou à Sylvie (3 mois). Plus tard, dans ses lettres à Scize et à Paulhan, il s'est vu, au cœur de la révolte paysanne, tantôt victime du massacre et tantôt y participant. Dans la *Lettre aux paysans*, il se représente son avenir comme celui d'un cultivateur paisible, lorsque les paysans, pour affamer la civilisation moderne, se seront mis à refuser de livrer leurs produits. «Pour moi, quand ce jour-là arrivera je sais ce que je vais faire. Je vais tout simplement faire comme vous et prendre les champs en main. Il en faut moins que ce qu'on croit. Il me faudra récolter environ deux mille kilos de blé (ça n'est rien comme peine, dites-vous), mille kilos de pommes de terre, cinq cents kilos de légumes verts de diverses catégories ; avoir dix brebis, dix poules et dix lapins [...] C'est peu, dites-vous, et tout ça ne demande même pas cent cinquante jours de travail par an. Je sais. Mettons même que ça m'occupera un peu plus longtemps que vous, moi qui ne serai pas habitué les premiers temps ; il me restera encore dix fois le temps d'écrire des chefs-d'œuvre si j'en suis capable. Rien ne peut être plus profitable à ces chefs-d'œuvre que cette petite table de bois blanc dans un coin du grenier près de la table basse entourée de vigne vierge et où, de temps en temps, vient se cramponner une de ces vives hirondelles toutes frémissantes, puis qui se calment, tournent la tête et me regardent paisiblement. » (*Écrits pacifistes*, p. 171.) A quiconque serait tenté de croire à une intention réelle de Giono de se faire agriculteur, indiquons que jamais, bien qu'habitant une maison dans un jardin, il n'a jardiné d'aucune manière. Nous sommes toujours dans le roman. Et le mouvement d'expansion qui lui est si naturel se déclenche, et les autres artistes l'imitent, et l'univers est transformé : « Il restera le temps des chefs-d'œuvre pour tous, nous rendant brusquement compte que le temps est une chose longue. Quand le musicien et le peintre aussi seront devenus paysans, ce qui n'est pas seulement un état mais une profonde philosophie et un bouleversement total de l'humain, quand il existera sur le monde entier une civilisation paysanne. » (pp. 171-172) C'est ensuite le Giono guerrier se joignant à la paysannerie dans sa ruée contre la civilisation moderne ; c'est celui de la lettre à Paulhan déjà citée, où Giono, après avoir prédit la grande révolte des paysans, s'exclame : « S'ils me faisaient la grâce de me garder vivant et de me permettre d'être un soldat de leur rang, vous n'imaginez pas, cher Paulhan, avec quelle joie sauvage je me jetterais dans le massacre qu'ils piétineront sous leurs pieds. » (Pl., III, 1268) C'est ici la correspondance dans la vie avec la ruée romanesque des *Fêtes de la mort* et l'envers, frénétique, dans son imagination, du jeu de massacre des Parisiens qui transparaissait dans sa conversation avec Chamson. Enfin, un troisième Giono possible se montre dans la préface aux *Carnets de moleskine*, avec l'image (dans laquelle, en 1939, il met nécessairement une part importante de lui-même) du pacifiste, ou plutôt, comme il l'écrit, du pacifique devant le peloton d'exécution. Il faut lire tout le passage final, qui se conclut ainsi : « Le pacifique est devant les fusils. Il ne lui reste plus qu'un temps infinitésimal. Il est seul. Mais il est contre. » (p. 310) Ce qui pourrait entrer, comme une des composantes, dans l'explication de l'attitude de Giono rejoignant finalement la caserne en septembre 1939 : il ne se fait pas fusiller parce qu'il s'est déjà fait fusiller en pensée dans son œuvre, et s'est donc libéré de cette pulsion. L'importance de l'écrit comme compensation ou substitution à l'acte réel ne sera jamais assez soulignée chez lui comme chez tant d'autres écrivains. En même temps, d'ailleurs, il refusait cette idée de se sacrifier pour l'exemple en désertant dès la déclaration de guerre, et confiait à Alfred Campozet, qui me l'a rapporté : « Pas de martyre ; le martyre ne sert à rien. » Phrase qu'il devait répéter dans un de ses entretiens radiophoniques avec Jean Amrouche. Il pense sans doute aussi qu'il a sept personnes à nourrir comme il l'écrivait dans la *Lettre aux paysans* (p. 170) ; de fait, il les nourrira, et même en plus grand nombre, pendant toute la guerre.

Dernier roman enfin, uniquement parlé, celui-là : celui de l'organisateur de refuges. Le Contadour lui-même, en un sens, n'avait pas seulement été une réunion d'hommes libres et pacifiques, mais un refuge symbolique contre l'oppression du machinisme moderne, et aussi contre la menace de la guerre. L'idée de se retirer totalement de la société transparaissait dès 1935 dans une phrase du journal (19 octobre, un mois après le premier Contadour) : «L'admirable monde supporta et entoura les hommes fous. Que les hommes sages se réunissent et s'en aillent.» A la veille de la guerre, il lance, successivement ou simultanément, trois idées en ce sens. Le premier refuge était un bateau, égyptien, écrit Alfred Campozet, grec à ce que m'a dit récemment Daniel May ; il aurait pu emmener quarante ou cinquante personnes. Giono en a fait la confidence à un certain nombre de contadouriens, en leur recommandant le secret, le nombre de places étant limité. Refuge permanent? Moyen de gagner un refuge lointain? Ce n'était sans doute pas précisé. D. May, à qui Giono en a parlé dès 1938, au moment de la crise qui devait aboutir à l'accord de Munich, y voit, m'a-t-il dit, une sorte d'expédition fabuleuse des Argonautes. Le nom de Jason, choisi par Giono pour *Deux Cavaliers de l'orage*, aurait-il avec cette idée un lien inconscient? Le second projet était celui de «retraites secrètes avec souterrains et réserves de vivres», écrit A. Campozet (p. 123); Jean Grenier, dans son *Portrait de Jean Giono* (p. 15), dit de son côté : «Il avait en effet trouvé dans le pays de quoi cacher une cinquantaine de personnes.» Retraites provençales en 1938, selon J. Grenier; alpestres en 1939, selon A. Campozet. Ni bateau ni souterrain, évidemment, ne dépassa jamais le stade du discours. Giono a enfin songé à l'exil, et a même commencé à l'organiser pour d'autres : en fin août ou début septembre 1939, il a suggéré à certains (contadouriens ou autres, je ne sais) de se rendre à Taninges, en Savoie, chez ses cousins Fiorio — il les y rejoindrait pour les aider à passer à Vallorbe, en Suisse, où ils seraient accueillis par sa cousine Antoinette Fiorio — soit directement à Vallorbe. Certains l'auraient pris au mot, et il ne les aurait pas rejoints. Il aurait ainsi, sans le vouloir, risqué de les jeter dans une aventure sérieuse. S'est-il fié à sa réputation de fabulateur? Il savait que ses proches — sa famille, L. Jacques, A. Campozet, etc. — ne le croyaient qu'avec réserves, et traitaient souvent ses récits comme des romans. S'imaginait-il que personne n'attachait d'importance, dans l'ordre des faits matériels, à ce qu'il disait? Je crois plutôt à une explication que j'ai donnée ailleurs : homme fondamentalement de langage, il avait le sentiment (un peu extravagant, ou délirant, si l'on veut, mais c'est ainsi) que tout ce qui avait été fait par des mots pouvait être défait par d'autres mots, et n'avait donc jamais la consistance de l'irréversible. Et, à ce moment précis, sa fabulation était favorisée par le fait que nombre de pacifistes en plein désarroi l'interrogeaient pendant ces jours dramatiques, et le pressaient naïvement de fournir une solution à leur problème[19]. Et les solutions, c'était toujours dans son imagination qu'il les trouvait.

Il faudrait encore souligner — mais je n'en ai pas la place et me réserve de le prouver ailleurs — que Giono, comme tant d'autres, savait au fond de lui la guerre inévitable, et que sa lutte pour la paix, profondément sincère, s'inscrivait sur un fond de désespoir inavoué.

Concluons. Je ne cherche pas à justifier sur tous les plans le pacifisme de Giono, ni à nier la déception que son attitude en 1939 a pu provoquer chez nombre de ses admirateurs. Je cherche à le comprendre. Son pacifisme a été, sans nul doute, celui d'un homme sincère et actif dans sa lutte contre la guerre. Mais, sous peine de mal le saisir, il ne faut pas voir chez lui uniquement le pacifisme de tous les autres, mais un pacifisme coloré, enrichi par moments, démesurément amplifié, «embaroqué» par une nature de romancier : d'un romancier écrivant à cette époque une série de romans semi-épiques, et vivant en même temps un roman personnel semi-épique, qu'il fait par instants passer dans ses essais en les nourrissant de ses images personnelles — la forêt paysanne en mouvement — et de ses fantasmes intimes — cruautés ou marche sur Paris. Sa pensée, bouillonnante et fluide, dynamique, jamais cristallisée dans un système établi, se développe sur plusieurs lignes parfois parallèles mais aussi parfois conflictuelles : adhésion au mouvement de la gauche d'une part, pacifisme absolu de l'autre ; analyse qui se voudrait «rationnelle» de la société d'une part, révolte fantastique contre elle de l'autre ; action d'une part, désespoir de l'autre ; histoire d'une part, mythes de l'autre. Mais les contradictions sont emportées par un élan qui donne à tous ses écrits de la période une unité spécifique.

NOTES

1. Les références sont à l'édition Gallimard (collection «Idées») pour les *Écrits pacifistes* et *Le Poids du ciel* ; à l'édition Grasset (1960) pour *Les Vraies Richesses* ; à l'édition Pléiade pour les romans.

2. J'ignore si Giono connaissait l'*Ode génoise* de J. Romains (1925) où figurent plusieurs poèmes commençant par le vers «Je ne puis pas oublier la misère de ce temps» ; l'un est une violente diatribe contre la guerre et ses responsables. Giono estimait Romains ; il avait appelé «admirable» le premier volume des *Hommes de bonne volonté* (voir Pl., I, 537) et devait, après la guerre, me dire grand bien du roman *Le Moulin et l'hospice*. Même s'il n'y a ici que coïncidence, ce qui est possible, il est frappant qu'elle porte à la fois sur l'expression et sur le fond.

3. Lettre non datée, que j'ai placée par erreur en 1938 dans mon article «Giono pendant la première guerre mondiale», *Bulletin de l'association des amis de J. Giono*, n° 12, p. 16. — En novembre 1936 la première version de la page liminaire de *Refus d'obéissance* sera si anticommuniste que Giono renoncera à la publier, sur l'insistance de ses amis, et en écrira une autre mouture, plus brève et plus neutre. En 1938, il ira jusqu'à rompre avec tous ceux qui gardent quelques liens avec les communistes, comme Jean Guéhenno. Mais il restera à gauche, et, au début de 1939, il adhérera à la F.I.A.R. de Diego Rivera et André Breton, d'inspiration trotkyste.

4. Il est possible que Giono ait imaginé pour la première fois en avril 1935 un personnage de paysan engagé dans une révolte collective à Tréminis (Pl., II, 1390), mais ce n'est pas sûr : la notion de révolte n'est que dans un commentaire de Giono en 1970, et il a pu y mêler dans son souvenir la genèse de *Batailles dans la montagne* et celle du projet des *Fêtes de la mort*.

5. La formule «pas une classe mais une race» dormira quelque peu en lui pendant trois ans, et, en 1938, reviendra plusieurs fois. On la relèvera vers la fin du *Poids du ciel* vers mars 1938 (p. 282), et dans une lettre de mai 1938 à J. Pau-

lhan (Pl., III, 1268). Dans la *Lettre aux paysans*, il parlera de «race paysanne» (deux fois p. 142) ; mais p. 148 il ira plus loin : «Il n'est ni une classe ni une race ; il est une subdivision du règne animal ; il est l'homme. C'est lui qui a des rapports avec le monde. Il ne se classe pas dans la sociologie, il se classe dans la zoologie [...].»

6. Forte exagération. Mon ami J. Dufournet me dit que le thème ne se trouve pas dans les textes du Moyen Age. Il n'est mentionné ni par Frazer dans *Le Rameau d'or* ni par G. Durand dans *Les Structures anthropologiques de l'imaginaire*.

7. Les arbres parlent et agissent, comme dans le final du *Chant du monde* (Pl., II, 409).

8. Il pourrait s'y superposer le souvenir d'un des livres qui ont le plus fasciné Giono dans sa jeunesse, et dont il s'est plusieurs fois souvenu dans son œuvre : *Le Livre de la jungle*, de Kipling. Dans l'épisode intitulé «Descente de la jungle», après que le village a été attaqué par les animaux amis de Mowgli, les lianes, les plantes, les arbres le recouvrent aussitôt, et bientôt on n'aperçoit plus à sa place qu'une légère ondulation végétale.

9. Une protestation analogue contre le culte des morts et les clichés qu'il entraîne avait été élevée par Giraudoux dans *Bella* (1926) et à nouveau dans *La guerre de Troie n'aura pas lieu*, représentée en 1935, l'année même où Giono écrivait *Les Vraies Richesses*.

10. Le manuscrit porte bien «fascistes» et non «fascismes» comme l'imprime par erreur l'édition Pléiade.

11. Lettre non datée, mais qui peut être assignée à 1936 : elle contient une invitation à venir à Manosque, sauf entre le vendredi 11 décembre et le lundi 14, dates qui ne sont exactes qu'en 1936.

12. Certaines des expressions et des idées du *Poids du ciel* sont reprises dans la *Lettre aux paysans*. Ce n'est pas seulement parce que Giono tenait à ses idées, mais parce que le public des deux livres était entièrement différent. *Le Poids du ciel* n'existait à l'époque qu'en édition de demi-luxe ; il comportait 31 astrophotographies de M. de Kerolyr, et était tiré à moins de 7 000 exemplaires ; les moins coûteux, sur papier de châtaignier, valaient 75 francs, cinq fois le prix d'un roman moyen. La *Lettre aux paysans* se vendait 7,50 francs, soit dix fois moins. Giono espérait pour elle une large diffusion, inconcevable pour *Le Poids du ciel*. Il lui fallait faire passer son message ; peu importaient les redites d'un ouvrage à l'autre.

13. Notamment R. Ricatte dans sa préface aux *Œuvres romanesques* (Pl., I, p. XIV-XV), et J. Pierrot au colloque d'Aix en juin 1982 (voir *Giono aujourd'hui*, Édisud, 1982, pp. 203-216).

14. Les scènes sanglantes, dans la première partie de l'œuvre de Giono, concernaient plutôt les animaux : peau dégouttante de sang à la fin de *Colline*, renard tué par Panturle dans *Regain*, chamois dans *Vie de Mademoiselle Amandine*. Une exception, *Le Grand Troupeau* (où on lit d'ailleurs aussi un sanglant épisode «animal», celui où Olivier tue la truie). Quand les hommes sont victimes, les images sanglantes semblent donc toujours liées plus ou moins directement à la hantise de la guerre.

15. Celui du bataillon Rabusseau du 66ᵉ R.I., qui aurait été décimé sur ordre du général Duchêne. Mais G. Pedroncini, auteur d'une thèse sur les mutineries, considère que l'accusation n'est probablement pas fondée.

16. Une difficile enquête serait nécessaire pour savoir si Schneider, dont on n'a pas eu de nouvelles après la guerre, était sincère, ou s'il participait consciemment ou non à une manœuvre destinée à alimenter la propagande allemande. Je n'ai pas mené cette enquête. Son résultat ne changerait rien à ce dont il s'agit

ici. L'idée qu'il ait pu s'agir d'une manœuvre ne semble avoir effleuré ni Giono ni son ami journaliste.

17. Le projet a connu quelques fluctuations. La veuve du journaliste me dit qu'il était question d'abord que son mari aille avec Giono voir Hitler. Les deux hommes auraient payé eux-mêmes leur voyage : ils attachaient beaucoup d'importance à ce point.

18. Voir les *Cahiers de la Petite Dame*, t. III, p. 156, à la date du 2 octobre 1939.

19. L'impression qu'A. Campozet, à ce qu'il m'écrit, a gardée de ces journées, est que Giono tenait un double discours selon ceux auxquels il s'adressait : l'un réaliste («Pas de martyre»), l'autre fait d'inventions, auquel le poussait son souci de calmer les anxiétés qui se manifestaient autour de lui.

# DE L'AMBIVALENCE D'UN PERSONNAGE : PAULINE DE THÉUS

par Christiane Kègle

## 1. L'inquiétante étrangeté

Il a été dit déjà que la rédaction du *Hussard sur le toit* fut réalisée en «trois campagnes d'écriture»[1]. Lors de la première interruption, Giono s'était consacré en particulier à la rédaction de deux textes, soit : *Un Roi sans divertissement* et *Noé*[2]. Si le premier de ces textes livrait principalement sous forme de condensation un matériel signifiant dont l'essence cryptique a pu être décodée[3], le second texte, *Noé*, dans sa construction baroque et sa «tentative monstrueuse d'une écriture indéfinie»[4], pourrait bien rejoindre, par un détour de composition, le sens caché du choléra, cette «maladie épidémique de décomposition»[5]. Décomposition, au niveau strictement formel, de la trame romanesque des *Chroniques romanesques*, dont le tissu textuel éclaté n'a pas échappé aux remarques pertinentes de Jacques Chabot[6]. Mais décomposition également dans le sens plus spécifiquement matériel du terme, c'est-à-dire : d'«altération d'une substance organique, chimique, ordinairement suivie de putréfaction»[7]. Car il est un passage de *Noé* qui se rapporte notamment à cet état de putréfaction, voire de pourrissement progressif, à savoir : l'épisode de la Thébaïde, qui raconte les circonstances dans lesquelles le narrateur fut amené à dormir dans un petit pavillon sis près du port de Marseille, dont

> «un énorme écusson de bronze vert, de plus d'un mètre de long, placardé dans les volutes d'or à plus de deux mètres de haut, proclamait en calligraphie de fondeur que c'était ici *La Thébaïde*». (III, 730)

«Béat et pétrifié» (III, 730) devant l'admirable travail de cette «kalligraphia» (de «graphein» : «écrire») qui constitue une de ces «aubaines de poète», le narrateur de *Noé*, en plein délire imaginatif, entrera dans la petite chambre «strictement nue, à part un lit de sangle, étroit, une chaise et une ampoule électrique...» (733) que lui allouera une vieille dame «vêtue de torchons» (731), ultérieurement appelée «reine de Troie» (737), accompagnée par ailleurs d'une «armée de savates» (736).

Retenu captif de l'*envoûtement* provoqué par l'«allée de pins romains aux troncs *rouges*», «le clouquement mélancolique des crapauds» enfouis dans les bassins qui parsèment les bords du petit sentier qui mène à la fameuse Thébaïde, ou encore *fasciné* par les «rocailles romantiques» et «la mélancolie dodelinante des chants des bêtes aquatiques» (III, 730-731), le narrateur ne fera pas d'abord attention aux signes qui, pourtant, ne manqueront pas de se révéler à lui dans leur énigmatique effet d'«engloutissement».

Or, ces signes se manifesteront avant toute autre chose en s'adressant directement aux sens; à l'odorat, en particulier, qu'une «vilaine odeur», une «mauvaise odeur [...] plus inquiétante que dégoûtante» finira par venir chatouiller de sa laideur «persistante» C'est ainsi que s'éveillera peu à peu la curiosité du logeur, suffisamment pour qu'il consente à se séparer de cette «belle nuit romantique» (734-35) et à inspecter enfin le lit sur lequel il reposait depuis un certain temps et d'où s'élève une «ignoble bouffée de puanteur épaisse» (735-36).

Du point de vue de la genèse des textes et de leur source inconsciente, ce passage relatif à la Thébaïde est révélateur dans la mesure où ne laissent pas de s'entremêler tour à tour le thème romantique de la mélancolie et celui, moins sublime, de l'odeur nauséeuse. Mais, à bien y penser, cette association ne saurait étonner, puisque «mélancolie» provient de «mélancholia» : «bile noire», «humeur noire»[8]. Si l'on sait que «melancholia» était le titre primitivement choisi par Sartre pour son roman *La Nausée*[9], l'on ne saurait, d'autre part, évacuer les connotations ambivalentes que recouvre ce double motif en indexant en creux la thématique baudelairienne des fleurs du mal[10].

## 2. *La suprématie du signifiant*

Certes, l'ambivalence même du motif n'aurait pas manqué d'intéresser Freud, auteur d'un article portant sur les sens opposés dans les mots primitifs[11]. Contesté plus tard par Émile Benvéniste dans son fondement philologique[12], cet article n'en demeure pas moins apte à révéler, dans son intuition première, la part inconsciente qui préside à la genèse des textes, puisque, d'une part, l'inconscient est structuré comme un langage, en quoi il convient de lire que l'inconscient du texte illustrerait à son corps défendant le sens antinomique de certains mots, et que, d'autre part, ainsi que l'écrivait encore Lacan dans une note limitrophe au «Séminaire sur la lettre volée» : «cette question [du sens opposé des mots primitifs] reste entière, à dégager dans sa rigueur l'instance du signifiant»[13].

Or, le signifiant ne fait pas défaut à venir ponctuer de son principe antinomique le lieu où se jouent, dans le cœur d'Angelo, les mécanismes qui président à l'envoûtement pour une «odeur [...] si belle» (IV, 59), sublime entre toutes en ce qu'elle inscrit dans le discours, par un détour métonymique, l'insatiable désir d'Angelo pour Pauline de Théus[14].

Toutefois, cette dernière ne laisse pas de se situer à la source d'une problématique, puisqu'elle semble n'apparaître dans le Cycle que pour venir troubler de sa présence éphémère le très romanesque Angelo qui s'en éloigne cependant par un excès de pudeur. Mais, ainsi qu'on le verra subséquemment, Pauline de Théus véhicule sans aucun doute dans l'écriture une grande part d'inconscient. Si le romancier, en effet, finit par la récuser, c'est pour lui substituer un autre «personnage» dont on ne saurait minimiser l'importance, à savoir ce «Choléra, Choléra, Choléra» (IV, 1167) qui, étalé à huit reprises sur les feuillets documentaires qui parsèment les bancs de la micheline ramenant le narrateur de *Noé* de Marseille (pays de la Thébaïde), n'en finit pas de provoquer de fort néfastes réactions chez les compagnons de route de ce dernier[15].

Comment, par conséquent, ne pas remarquer que le signifiant élémentaire /t/ va ponctuer à l'initiale le nom même de *Thé*us, tout en prenant son origine dans cette éloquente *Thé*baïde dont il fut précédemment question. Qui plus est, un passage de *Noé* ne manque pas de rétablir le rapprochement entre Théus et Thébaïde, en indiquant que l'odeur nauséeuse serait à la source même de la mélancolie d'Angelo, eu égard à l'«odeur si belle» :

> «Sans elle [la mauvaise odeur], il y avait ici tous les éléments d'une belle nuit romantique, comme je les aime. Je m'en suis souvenu en écrivant *Le Hussard*. Le pavillon dans lequel on loge Angelo au château de la Valette a sous ses fenêtres le bassin que j'avais sous la mienne, cette nuit-là. Et l'odeur exquise qu'il y sent (et qui vient de ce petit mouchoir de femme caché dans le pot à fleurs — l'odeur de Pauline — l'odeur qu'il appelle *l'odeur si belle* — l'odeur dont il dit : *Quel est l'être passionné qui a inventé de porter ce parfum, et laisse ainsi des traces devant tous les pas que je fais ?*), je me demande jusqu'à quel point l'odeur *si belle* qu'il sent dans *son pavillon* n'est pas fille de cette odeur infernale que je sentais dans le mien...» (III, 734-35)

Faisant basculer l'ensemble signifiant de l'un à l'autre pôle de l'alternative séquentielle monstrueux-sublime, le signifiant élémentaire /t/ investit les noms propres de Théus, Thébaïde, dont le phonème initial /t/ semble indexer en creux la présence de l'*objet petit a*, toujours indépassable en son altérité[16].

Ainsi que l'indique l'ensemble des textes analysés précédemment, cet *objet petit a* semble se référer à un plaisir tantôt érotique, tantôt mortifère, selon la chaîne signifiante à laquelle il se rattache.

D'une part, en effet, la Thébaïde se donne à lire comme un lieu «infernal» (III, 735), si l'on en juge par l'odeur terrible qui s'en dégage et qui provient de rien de moins que d'un cadavre en décomposition. Il s'agit, en l'occurrence, du corps de Mme Donnadieu qui, ayant «perdu de sa corpulence» (739) alors qu'il reposait sur le lit subséquemment occupé par le narrateur, fut conduit «à sa dernière demeure dans des seaux».

Certes, le discours psychanalytique aurait beaucoup à dire au sujet de cette «ignoble bouffée de puanteur» (III, 735-36) par ailleurs rapprochée de «l'odeur exquise» provenant de «ce petit mouchoir de femme caché dans le pot à fleurs» (III, 734-35). Mais l'on peut également s'en remettre au discours préfaciel, qui se voulait suffisamment explicite quant à l'interprétation à donner à l'ambiguïté de l'odeur :

> «On me répondra que cadavre et puanteur (terreur même) ont une valeur érotique. J'en conviens, par ouï-dire d'ailleurs. Mais il faut un

minimum de naturel aux cadavres et aux mauvaises odeurs pour qu'elles agissent dans ce sens. Du moins, j'imagine. Autrement dit, il faut [...] que les cadavres proviennent de meurtres, assassinats, tortures, guerres, c'est-à-dire d'un atelier humain ; que les mauvaises odeurs soient des produits naturels du corps ; [...] c'est ce que j'appelle naturels. Or, dans le choléra, cadavres, puanteur et terreur sont les produits du mystère [...]. La contagion installe un phénomène anti-physique général dans l'épidémie.» (IV, 1189)

De ce passage, on peut inférer que l'imagination mortifère du scripteur érotise ce que le discours préfaciel nomme ici les «produits naturels du corps» (cadavre - décomposition - puanteur), alors qu'inversement le choléra, dans son aspect endémique, apparaît comme l'antidote par excellence à l'amour[17]. Et l'on ne saurait sous-estimer le «phénomène anti-physique» dont il est question dans le passage plus haut cité, le préfacier ajoutant plus loin : «En 1832, on appelait le choléra : ''Trousse-galant''» (IV, 1189)[18].

## 3. Ambivalence et motif préférentiel

Ainsi que le remarque très pertinemment Jacques Chabot dans son article intitulé «Le manuscrit et son double», «tandis qu'il censure Eros, le héros [mais on pourrait tout aussi bien écrire, le scripteur] se livre [...] [à l'imagination] de Thanatos»[19]. Et J. Chabot ne manque pas de mettre en évidence les deux pôles de cette dualité, plus spécifiquement analysée dans les chapitres cinq à huit du *Hussard sur le toit*[20], dualité dont on sait qu'elle origine du principe même de l'«ambivalence» que la psychanalyse définit comme «une présence simultanée dans la relation à un même objet, de tendances, d'attitudes et de sentiments opposés»[21].

Cette attitude se manifestant avant tout dans la relation amour-haine, Mélanie Klein, après Freud, y voyait l'effet d'un clivage entre le bon et le mauvais objet, soit entre l'amour et la destruction de l'objet simultanément vécus dans l'inconscient du sujet[22].

Or, à la lumière de ces remarques, le personnage de Pauline de Théus ne peut manquer d'apparaître, dans la première partie du Cycle tout au moins (soit : *Angelo* et le premier chapitre retranché du *Hussard*), comme l'objet par excellence où viennent s'investir les attentes amoureuses d'Angelo en ce qu'elles renouvellent pour lui une pulsion libidinale dirigée, à l'origine, vers sa propre mère, la «tendre et passionnée» duchesse Ezzia Pardi.

En effet, le désir qui s'inscrit, tout au long de la fable, dans le parcours métonymique qui passe par l'investissement sentimental d'une «façade pâle d'une très belle maison du XVIIIe s. français de style pur» (IV, 50)[23], puis l'investissement amoureux de l'«odeur si belle», tisse un réseau d'associations à partir duquel émergera, en dernière analyse, le souvenir attendri d'Angelo pour sa mère, ce «grand amour de [sa] vie» (134).

Au plan de la narration, la valse «Les Regrets» de Brahms permet de rétablir la relation qui se fait dans l'esprit du héros, entre sa propre mère et Pauline de Théus[24]. Pouvant être regardée comme une métaphore par où le signifié franchit la barrière résistante à la signification, cette valse de Brahms indique, en effet, le retour de la pulsion libidinale envers la mère, pulsion qui, refoulée, fait brusquement irruption dans la conscience du héros au moment même où Pauline se met à jouer Brahms au piano.

Toutefois, par l'effet d'ambivalence qui résulte du clivage du bon et du mauvais objet, le souvenir d'Angelo enfant s'efforçant de sécher les larmes de sa mère pendant qu'elle jouait Brahms à «une époque désespérée de [sa] vie» (IV, 133), ce souvenir constitue le bloquage même de l'investissement amoureux envers l'objet du désir. Or, si les malentendus qui s'ensuivent entre Pauline de Théus et Angelo Pardi ne sont pas sans rappeler ceux de Fabrice Del Dongo et de Clélia Conti[25], il est par ailleurs intéressant de constater que le spectacle de Pauline en «robe pourpre», «décolletée jusqu'au milieu de l'épaule», et s'appliquant à interpréter la mélodie de Brahms, produit sur Angelo le même effet de sidération que celui de

«Perceval devant le sang des oies sur la neige» (IV, 133).

«[Je suis] hors de moi», avouera alors Angelo, annonçant par anticipation la même captivité dans l'Autre qui frappera les personnages d'*Un Roi sans divertissement*. Il n'est donc pas gratuit de remarquer que le «pourpre» de la robe de Pauline, allié à la «blancheur de [sa] nuque» (IV, 133) vient réitérer un motif esthétique récurrent dans l'œuvre gionienne[26]. Qui plus est, l'image-écran que constitue la jonction du rouge et du blanc s'éclaire de façon particulière, du point de vue psychanalytique tout au moins, lorsqu'un passage de *Jean le Bleu*, texte autobiographique[27] par excellence, donne à voir le personnage de Francesc Odripano qui, enfant, assiste à une scène rituelle de la mère se maquillant devant son miroir :

> «Les miroirs de ma mère avaient aussi une *odeur*. Je restais toujours près d'elle quand elle faisait sa toilette et elle faisait toujours sa toilette. Quand elle avait fini de se parfumer, de se farder les yeux, les lèvres et les joues, elle regardait puis elle effaçait tout et elle recommençait. Il lui était venu, à la longue, au coin de la lèvre, un petit mal irritant et qui tressaillait avec un peu de *sang* comme un nez de belette. Elle le couvrait de *poudre de riz*; il restait un moment caché puis il revenait [...] On voyait la poudre qui se rosissait puis une petite perle de sang se gonflait. Elle rajoutait de la poudre. Dans ses boîtes, elle avait du fard et des *odeurs*. Le fard était assorti à l'*odeur*.» (pp. 233-34)[28] [Je souligne.]

Si l'identification au miroir parle par le titre même qui fut donné à ce passage, à savoir : «Le poète est comme le teinturier», on ne saurait d'autre part évacuer le rapprochement qui s'établit d'emblée entre la suite de ce même passage et un texte de *Monologue*, où les motifs du sang et de la pendaison se conjuguent pour reproduire le paradigme de la jouissance mortifère. Rejoignant le discours préfaciel plus haut cité en ce qu'il véhiculait le thème de la valeur érotique des «produits naturels du corps», pour employer le même euphémisme d'expression, ces deux passages méritent d'être cités :

> «"Tu vois, disait-elle [la mère à Franchesc Odripano], regarde, c'est un arbre qui m'étrangle, il est venu jusqu'à mon cou avec ses grosses branches, et il serre, et je vais mourir. Tu vois, je suis déjà verte et mon

sang se pourrit dans mes lèvres.'' Alors, elle tirait la langue et je me mettais à pleurer [...] Mais, je me consolais vite car la langue qu'elle tirait était rouge et le rouge parlait pour moi une langue vivante. Le voilier amarré devant notre palais avait une lanterne rouge en haut du mât. »[29] (p. 234)

«Le vallon de l'Iverdine passe pour être l'enfer. Alors, l'enfer est partout. Dans la montagne, les gens ont un plaisir ; se suspendre par leur capuchon. Ce sont des capuchons en peau fermés au cou par une courroie de cuir. On se met à trois. Deux relèvent le troisième et le pendent à un clou par son capuchon. La courroie se serre, le sang ne circule plus dans la tête : la connaissance se perd. C'est si agréable qu'il faut recommencer constamment. [...] En retournant d'où ils viennent ils sont extasiés. Demandez-leur : qu'est-ce que vous avez vu ? Rien ! Qu'est-ce qui se passe ? Rien. Ils se lèchent les lèvres. » (V, 192-193)

Ce double thème du sang répandu ou résorbé dans les veines par strangulation ne saurait manquer d'éclairer un certain nombre de textes tels *Monologue, Automne en Trièves* ou *Deux Cavaliers de l'orage*, dans lesquels l'insistance du motif du sang se donne à lire comme texte cryptique[30]. Toutefois, le rapprochement institué par les textes de *Noé* et *Jean le Bleu*, entre l'odeur, d'une part, et l'enfer, d'autre part («Les miroirs de ma mère avaient aussi une odeur», écrit le narrateur de *Jean le Bleu*; l'odeur «était infernale. Elle parlait d'enfer, de souterrains, d'endroits où, d'éternité en éternité, ne passera jamais d'air pur» (III, 736), semble reprendre comme en écho le narrateur de *Noé*) ne constitue-t-il pas une invite à revenir aux romans du Cycle, puisque l'«odeur si belle», par le sublime auquel elle réfère, ne laisse pas de faire basculer tout le système intertextuel dans l'enfer du choléra.

Car l'«odeur si belle» est aussi dotée d'une force antagoniste qui ouvre aux derniers retranchements du platonisme :

«Il n'est pas possible [se disait Angelo, tenant entre les mains le centimètre avec lequel il devait mesurer le tour de taille de Pauline] que je touche le corps de cette femme. Comment ne le comprend-elle pas ?» (IV, 125)

A l'ampleur excessive des scrupules du héros se reconnaît aisément l'intensité du désir, frappé par ailleurs d'interdit[31]. Ce qui, de plus, est sous-entendu dans l'analyse psychologique (on serait tenté d'écrire à la manière de Stendhal) qui fait écho aux soliloques d'Angelo. Car, si ce dernier consent à désirer Pauline et à l'admettre, subconsciemment, ce n'est qu'au prix d'une idéalisation excessive où, sublimé, ce désir investit la même relation d'objet, mais reconsidérée sous l'angle de la chasteté fraternelle. Toutefois, il ne va pas sans dire que, refoulée, la pulsion libidinale ne fera que se déplacer sur un autre objet, ainsi que le veulent les lois de l'inconscient. D'où il ne faut pas s'étonner de voir apparaître le personnage de Thérésa, qui fut la nourrice d'Angelo (on remarquera, d'ailleurs, le retour du signifiant élémentaire /t/ dans le nom de la nourrice) :

«Si j'avais eu une sœur, j'aurais aimé qu'elle soit semblable à cette Pauline qui a les cheveux si noirs et la peau si blanche. Mais, si ma mère avait eu une fille, que n'aurait-elle pas réussi à faire avec elle ! Pendant toute ma jeunesse, j'ai eu envie d'une sœur. Il est probable que si je l'avais eue, je ne me serais pas précipité avec tant de turbulence sur la poitrine de Thérésa pour cacher ma tête entre ses gros seins; de mon âge ou même plus jeune que moi, sa présence aurait suffi à me donner tous les bonheurs et tous les courages.» (IV, 130-31)

Plus loin dans le texte, le discours intimiste rétablira le rapprochement entre la sœur et la mère, et la figure de Pauline prendra irrémédiablement, pour Angelo, le caractère d'inaccessibilité qu'implique une telle projection :

> «La seule chose qui compte dont il [le marquis de Théus] ne peut pas se fâcher et qui, sans doute me suffira (ajouta-t-il avec un excès de scrupule qu'il fut heureux de constater) c'est qu'elle existe et que je le sais.» (IV, 1387)

Venant clôturer le texte du premier chapitre (retranché) du *Hussard*, ce passage met aussi un terme aux réminiscences d'Angelo. Non sans raison, puisque Pauline était de plus en plus considérée par lui comme un substitut de la mère, par rapport au marquis de Théus représentant le père absent, la conjonction des deux ne manquant pas de référer à la relation œdipienne :

> «il s'agit [...] de me rendre compte, simplement, que son mari ne fait pas tant d'histoire pour prendre sa taille, ses épaules et même des privautés. (Après ce mot il resta un bon moment sans penser.) Cette idée vulgaire mit beaucoup de gravité dans l'âme d'Angelo. [...] Si le mari prend des privautés avec elle, c'est son affaire et ne me regarde pas. Ce qui me regarde, c'est qu'elle ne me rende pas lâche, se dit-il avec un petit rire amer. Il revoyait l'admirable petit visage semblable à un fer de lance. Et pourtant, se dit-il, pendant qu'un froid subit glaçait son échine, si elle était venue chez moi comme Anna Clèves, je n'aurais pas perdu dix minutes à allumer toutes mes bougies et ne savoir quoi faire. Aussitôt il tomba dans un chagrin profond — j'ai des pensées basses, se dit-il. Jamais je ne mériterai ma vie.» (IV, 1379)

Si la culpabilité inhérente à l'Œdipe ne saurait mieux se traduire que par ce passage, sublime entre tous, où ne fait cependant pas défaut la «tendresse» du romancier à l'égard du héros, le symptôme primaire de défense indexé par la scrupulosité ou la pudeur avouées n'est sans doute pas éloigné de ce que Freud appelait une «formation réactionnelle», laquelle peut être définie ainsi :

> «Attitude ou habitude psychologique de sens opposé à un désir refoulé, et constitué en réaction contre celui-ci. [...] En termes économiques, la formation réactionnelle est un contre-investissement d'un élément conscient, de force égale et de direction opposée à l'investissement inconscient.»[32]

On pourrait, dès lors, inférer que ce contre-investissement, lisible dans le discours en première personne dans le texte d'*Angelo*, serait également à l'origine du processus de censure chargé d'éliminer du «corpus» romanesque, c'est-à-dire : *Le Cycle du Hussard* (chapitre I), toute manifestation scriptible, laquelle pourra dorénavant se laisser définir comme un processus d'érotisation mortifère s'engendrant d'une certaine représentation de la mère.

Si, tout au long du texte d'*Angelo* et du chapitre retranché du *Hussard sur le toit*, la voix d'Eros cherche à se faire entendre malgré les élans d'improbation du héros, celle de Thanatos ne laissera cependant pas de lui faire écho, bien que dans des textes limitrophes à la première partie du Cycle. On en jugera mieux par le passage suivant où la pulsion envers Pauline de Théus prend une connotation toute différente lorsqu'elle se trouve assimilée à la volonté de destruction du «mauvais objet» :

> «Je ne parle pas de Pauline qui a autre chose à penser. [...] Notamment, je crois, malgré ses dires, qu'elle a toujours pensé à l'*avenir*. C'est une bourgeoise. Il n'est pas de moment où elle ne se garde [...] elle se garde pour la médiocrité. La médiocrité la rassure, la réchauffe, l'endort. C'est une chatte qui choisit pour dormir les genoux des paralytiques. Là elle sait qu'elle ne sera pas dérangée [...]. Que le paralytique en crève, elle s'en moque. Elle attendra d'en être prévenue par le froid de glace des chairs. Alors, elle s'agitera le temps de se trouver un autre paralytique mais chaud.» (IV, 1181)

Dans ce passage, tiré de la *Postface* d'*Angelo*, il ne faut pas s'étonner de l'avatar que subit le personnage, puisqu'il forme une enclenche au «supprimer Pauline» de la *Préface*, dont il fut plus avant question. Ainsi que le remarquait P. Citron, dans la «Notice générale du Cycle du Hussard», cet avatar «étonnera tous ceux qui ne la connaissent que par les textes publiés» (IV, 1148). Toutefois, loin de considérer, à l'instar de ce dernier, ce «vacillement» de l'auteur vis-à-vis du personnage de Pauline comme l'expression d'«une sorte de dépression très passagère» (IV, 1148), la présente analyse, à la lumière des éléments de la chaîne associative à laquelle vient s'intégrer cette récusation du personnage, d'autant plus investie de sens qu'elle subit le poids de la censure[33], ne peut que confirmer davantage la thèse de l'ambivalence de l'objet, pour lequel la métonymie de l'odeur révélait le double aspect érotique et mortifère.

Par conséquent, en dépit de l'assertion qui veut qu'«aucune trace» de cet aspect du personnage ne subsiste dans *Le Hussard sur le toit* (IV, 1148), on postulera que celui-ci se maintient, quoique en vertu des lois du signifiant qui opère par déplacement de la pulsion d'un objet à un autre.


NOTES

1. Nous empruntons ces renseignements à Jacques Chabot, qui les tient lui-même de P. Citron. Voir «Le Manuscrit et son double : Giono, *Le Hussard sur le toit*», *Littérature*, 52 (1983), pp. 41-42.

2. *Idem*, p. 78.

3. Cet article est extrait de ma thèse de doctorat intitulée : *Fiction et scriptibilité : l'exemple de Giono*, Université de Toronto, Département de français, 1984.

4. J. Chabot, art. cit., p. 79.

5. *Idem*, p. 78.

6. *Idem*, pp. 77-79.

7. Petit Robert.

8. *Idem*.

9. Cf. Georges Raillard, *« La Nausée » de J.-P. Sartre*, Hachette, 1972 (Classiques Hachette), p. 30.

10. Cf. Alan J. Clayton, *Pour une poétique de la parole chez Giono*, Lettres modernes, Minard, 1978 (Situation).

11. Cf. « Des sens opposés dans les mots primitifs », dans *Essais de psychanalyse appliquée*, Gallimard, 1978 (Idées), pp. 59-67.

12. Cf. « Remarques sur la fonction du langage dans la découverte freudienne », dans *Problèmes de linguistique générale I*, Gallimard, 1966 (Tel), pp. 75-87.

13. Cf. « Le Séminaire sur ''La lettre volée'' », dans *Écrits I*, Seuil, 1971, p. 81, note 7.

14. Cf. Lacan, « L'instance de la lettre dans l'inconscient », dans *Écrits I, op. cit.*, p. 274 :
« Nous pouvons [...] symboliser par :

$$f \ (S \ ... \ S') \ S \ = \ S \ (-) \ s,$$

soit la structure métonymique, indiquant que c'est la connexion du signifiant au signifiant, qui permet l'élision par quoi le signifiant installe le manque de l'être dans la relation d'objet, en se servant de la valeur de renvoi de la signification pour l'investir du désir vivant ce manque qu'il supporte. Le signe – placé entre ( ) manifestant ici le maintien de la barre –, qui dans l'algorithme premier marque l'irréductibilité où se constitue dans les rapports du signifiant au signifié la résistance de la signification. »

15. Cf. *Postface à « Angelo »* (IV, 1167).

16. Cf. Ducrot, Oswald et Todorov, Tzvetan, *Dictionnaire encyclopédique des sciences du langage*, Seuil, 1972, p. 441.

17. Cf. Alan J. Clayton, « Prophylaxie de la négation dans *Le Hussard sur le toit* », dans *Bulletin de l'Association des amis de Giono*, 15, 1981, pp. 75-96.

18. Qu'on nous permette d'ailleurs de citer ce passage au complet :
« Je n'ai pas connu de grandes épidémies, sauf la grippe espagnole, et j'étais à cette époque-là au sein de dangers historiques plus impressionnants. Mais j'ai fait une expérience qui me renseigne, j'ai cantonné un soir de 1916 à côté d'une ferme de Santerre, dans un hangar de laquelle on avait entouré de fil de fer barbelé une vingtaine de soldats du train empestés de morve communiquée par les chevaux. Nous n'avons connu ces agonisants que par leurs miaulements désespérés, la description de leurs visages entourés de morve verte que nous fit un aide-toubib, et ce barbelé qui nous parut aussitôt insuffisamment barbelé. La fille de ferme était pommelée et directe ; elle rôdait dans le soir : foins coupés et ténèbres. Notre escouade s'enorgueillissait d'un spécialiste de l'amour physique. Il resta sage comme un image [sic]. En 1832, on appelait le choléra ''Trousse-galant''. » (IV, 1189)

19. *Op. cit.*, p. 49.

20. Cf. J. Chabot, *op. cit.*, pp. 42 sqq.

21. *Vocabulaire de la psychanalyse*, Presses universitaires de France, 1981, art. « Ambivalence », p. 19.

22. *Idem*, p. 20.

23. Sur le rôle de la métonymie dans le procès du désir, cf. note 14, *supra*.

24. Cf. *Angelo*, chapitre X (IV, 133-134) ; J. Chabot, art. cit., p. 64.

25. Cf. Henri Godard, Notice d'*Angelo* (IV, 1203-1204), et P. Citron, Notice du Cycle du Hussard (IV, 1120-1122).

26. A ce sujet, cf. J. Chabot, « Giono et l'imaginaire », communication des « Journées Giono » de juillet 1977, résumée dans le *Bulletin de l'Association des amis de*

*Giono*, 9, 1977, pp. 149-53. Cf. aussi R. Ricatte, Notice à *Faust au village* (V, 966-68), et L. Ricatte, Notice à *Un Roi sans divertissement* (III, 1303-1305).

27. Cf. J. Chabot, « Le narrateur et ses doubles dans *Jean le Bleu* », dans *Jean Giono 2, La Revue des lettres modernes*, nᵒˢ 468-73, 1976, pp. 9-56.

28. Cité par J. Chabot, *idem*.

29. On remarquera de nouveau la conjonction du voilier *blanc* et de la lanterne *rouge*.

30. Cf. en particulier : V, 177-180 ; III, 195-198 ; *Deux Cavaliers de l'orage*, Gallimard, 1965 (Folio), pp. 71-73 et 135-142.

31. Ainsi que le fait remarquer J. Chabot à propos du chapitre 5 du *Hussard sur le toit* : « en fait de pudeur, il [c'est-à-dire Angelo] en fait un peu trop » (art. cité, p. 50).

32. *Vocabulaire de la psychanalyse, op. cit.*, article « Formation réactionnelle », p. 169.

33. Puisque le texte de cette *Postface* est resté inédit, ainsi que l'indique P. Citron, dans la note 1 apparaissant au bas de la page 1163 du tome IV.

# « L'ÉCOSSAIS » :
# « LA FIN DES HÉROS » ET LA FINALITÉ DE L'ÉCRITURE

## par Jacques Chabot

> « Mais il est beau, je crois, que le droit appartienne
> à des êtres sensibles »
>
> *L'Écossais*, V, 112.

La dernière nouvelle des *Récits de la demi-brigade*, dans l'ordre actuel de l'édition « choisi par l'auteur » [1], est en fait la première dans l'ordre chronologique de l'invention et de la publication [2] : *L'Écossais ou la fin des héros*. Ce tête-à-queue voulu par Giono lui permettait sans doute de conclure l'ensemble du recueil sur la conclusion de ce primultime récit : « Dans cent ans, il n'y aura plus de héros » (V, 120) ; conclusion qui reprend elle-même, à la fin de *L'Écossais*, le sous-titre incipit de la nouvelle tout entière : « La fin des héros ».

Car telle est bien, en dernier lieu et en ultime leçon, la signification *éthique* du cycle de Martial. Martial, mais aussi bien ses adversaires attitrés, Pauline et Laurent de Theus, et surtout l'Écossais, son partenaire tellement singulier qu'il semble être son double, sont tous ensemble des *caractères* et *de grands caractères*.

J'entends par *caractère l'ethos* tragique, tel que le définit Aristote : « La qualité qui indique clairement dans une situation pas claire le parti à prendre ou à laisser » [3]. Qualité de l'âme, en effet, le caractère est le discernement de l'action, ou plutôt *dans l'action*, la réflexion et le jugement ne s'y distinguant pas de l'acte qui en tient lieu. Les caractères pensent en acte : par son suicide improvisé en pleine action le citoyen d'Edimbourg fait preuve d'un discernement fulgurant.

Aristote précise bien que les actes seuls et non les paroles ont du caractère : si le héros discute au lieu de prendre son parti il fait seulement la preuve de son jugement. Néanmoins le poète tragique pense et surtout *écrit* cette même action héroïque en donnant la parole à des personnages agissants ; et la qualité de son discernement à lui consiste à bien adapter leurs paroles à leurs actes. Ce qui est l'affaire, dit-il, au mieux, de la politique, au pire, de la rhétorique. La grande rhétorique, comme la tragédie, est, en effet, politique.

Si donc, la tragédie exige d'un héros qu'il ne soit pas un rhéteur, le solitaire des «moors de Rannoch» n'abuse certes pas de la rhétorique, lui qui «prononce à peine dix phrases dans l'année» (V, 115) et meurt (presque) sans parler. Mais c'est un laconique tendre et jovial, «un bon gros rougeaud» avec ses «grosses joues rondes» (V, 113), tellement rond que son suicide même en prend comme un air de gaieté, de «malice» (V, 119), imagine Martial; c'est un héroïque *gamin* qui ne se paie pas de mots en jouant sa vie à qui perd gagne. Martial, Pauline, Laurent *et Giono* peuvent d'ailleurs, sans risque d'enflure, aller le dire à Sparte. Mais son laconique coup de pistolet n'atteste pas un discernement politique aussi net que son style, je veux dire celui de Giono qui, avec les *Récits de la demi-brigade*, a pris définitivement le parti du style sec, pour ne pas dire «cassant»[4].

Or, ce parti pris, en un certain sens, reste éminemment politique, si nous entendons aussi par *ethos*, en extension et en hauteur, le caractère du héros dans ses rapports avec la société dans laquelle il se trouve (bien ou mal) *compris*, et même avec une civilisation dans son ensemble. Tant vaut la cité, tant vaut le héros. Et quand une civilisation n'a plus elle-même de caractère, quand elle n'a plus de fins morales mais seulement des moyens de parvenir à d'autres fins qui ne le sont plus, elle en finit avec une culture qui subordonnait la politique à la grandeur, elle en finit avec l'héroïsme.

La leçon de morale de l'Écossais implique donc un jugement de haute politique : par sa mort nécessaire autant que libre — il consent librement à n'être plus de ce monde où il n'a, par la force des choses, plus rien à faire — il condamne une société qui le condamne lui-même, par bassesse, à disparaître. Mais ce renoncement est-il encore *de la* politique? Non, car il ne sert à rien.

Dans les *Récits de la demi-brigade*, en effet, le destin tragique prend pour le héros, quel qu'il soit, le visage non de la politique mais de la police, disons tout bêtement de *la policique*. La police d'État, la police de «cabinet secret» y triomphe à tout coup, sans exception[5], d'un héroïsme *hauturier*, de grand large et de plein vent, mais qui s'est résolu (et qui en est réduit) à mourir en beauté après s'être bien battu. Noble politique, s'il en fût jamais... si totalement indifférente à la réalisation de ses fins pratiques, parce qu'elle ne peut plus la prévoir ni même l'espérer, que nous sommes en droit légitimement de nous demander si c'est encore de la politique, et même de l'éthique, ou du grand art.

Dans *L'Écossais*, comme dans tous les autres *Récits de la demi-brigade*, en définitive, est-ce la police qui met aux temps héroïques un point final, ou le héros lui-même *qui prononce sa fin*? Incontestable héros, Martial survit quand même à l'Écossais pour nous raconter sa mort héroïque. Poursuivaient-ils tous deux les mêmes buts? Martial est-il encore un héros éthique? C'est-à-dire un héros dont l'action doit avoir une finalité pratique et politique?

# 1. Éthique

Martial, en effet, qui tue indirectement le héros de l'histoire, est lui-même un gendarme qui *joue* à ne pas être un policier. Nous ne pouvons même pas prétendre qu'il joue au gendarme et aux voleurs, puisque les voleurs de grands chemins qu'il pourchasse sont tous des chevaliers de noble race, mais affirmer plutôt qu'il joue au gendarme contre de bien plus redoutables ruffians : les policiers. Martial reste un demi-solde de l'antique *gendarmerie* française, celle qui n'en finit pas de périr sous les coups de la modernité depuis les batailles d'Azincourt et de Crécy, selon les historiens, de Pavie selon Giono, et de l'Empire selon Martial lui-même, celle *des gens d'armes* prêts à tout perdre et même la victoire, fors l'honneur. C'est ainsi qu'il en est réduit, mais pour son plus grand plaisir, à jouer, lui gendarme, avec «les brigands» contre les flics. Exactement comme Langlois faisait sa partie avec Monsieur V. au plus total mépris des règlements de police et des lois de la justice.

Martial, en effet, semble lui aussi enquêter sur une affaire pas très propre, sur ce que Laurent de Theus appelle ironiquement par antiphrase «une tête artistement écrasée» (V, 115), et Martial «un soldat bousillé» (V, 91). L'écrasement ou plus exactement «le bousillage» étant par définition du travail mal fait, Martial enquête donc sur une tache de sang (malpropre) dans la neige ; et nous savons d'avance, grâce à Langlois, jusqu'où peut conduire une telle curiosité. De toute façon, il n'est pas sorcier de comprendre très vite que *L'Écossais* nous offre la reprise abrégée d'*Un roi sans divertissement*, à moins qu'*Un roi* ne soit la répétition générale de *L'Écossais* qui en serait comme l'épure et la très sobre conclusion.

Martial, comme Langlois, n'est donc pas vraiment un policier qui enquête, mais comme le procureur de Grenoble, «un amateur d'âmes» : ce n'est pas le crime en soi qui l'intéresse, mais *la manière*. En présence d'un «massacre pareil» (V, 89) qui n'a visiblement pas pour mobile l'argent ni même la mort de la victime, Martial découvre qu'«il y avait ici un peu plus» (V, 89). Quoi ? «On dirait qu'on s'est bien amusé.» D'où la réaction disons de ressentiment plutôt que de discernement : «Je voudrais tenir le type qui a bousillé ce soldat. Pour le plaisir, moi aussi» (V, 91). Car il distingue le meurtre du massacre : tuer «proprement d'un seul coup de pistolet» (V, 89) — fût-ce avec «une froide cruauté» (V, 88) — et même surtout si c'est avec une *froide cruauté*, la froideur conférant à la cruauté une maîtrise certaine —, c'est un meurtre, un geste unique et net, un don de la mort. Ce qui «bousille» un meurtre, au contraire, et le dégrade en vulgaire massacre, tient précisément à «l'acharnement» avec lequel «le soldat haché à coup de couteaux avait en outre la tête écrasée sous trois énormes pierres» (V, 89). La froide cruauté, c'est une forme de laconisme. L'acharnement est quantitatif comme les hachures et massif comme les trois blocs ; il manque de cette qualité toute en finesse que confère à un geste d'incision la netteté sans bavure et la franche décision où se révèle un caractère, qu'il s'agisse de l'incision en pleine chair d'un chirurgien et d'un tueur professionnel ou de l'incision graphique d'une plume sur le papier : le bafouilleur comme le bousilleur manque de classe, et surtout de métier.

Pour le professionnel qu'est Martial le tueur en a *trop* fait : le massacre est un pléonasme, et sa propre enquête un exercice de style. Ce n'est donc pas la mort de Brigou, ni la sienne, qui a pour Martial de l'importance, ni surtout celle même de l'assassin, car le châtiment importe moins que la forme du châtiment appropriée au vice de forme de l'assassinat. Faisant profession de mourir et de tuer, il pense que, pour un soldat,

> «[…] ce qui l'attend *de mieux*, à mon avis, c'est la mort. Brigou avait cherché et trouvé. Il ne me restait qu'à faire de même. Ce n'est pas que je sois un héros. Je ne les aime guère et je m'arrange fort bien de la vie ordinaire. Mais le travail bien fait est encore ce que j'ai trouvé de mieux pour me distraire» (V, 101).

Propos de gendarme ou d'artiste ?

Martial préfère à l'héroïsme éthique, lequel a besoin de résultats pratiques et politiques, le divertissement gratuit que procure «le travail bien fait», le métier pour le métier comme l'art pour l'art. Pas plus que Langlois il ne règle les comptes de la société, car il se *contente* de régler ses propres comptes avec son métier : il n'est pas l'exécuteur des hautes œuvres ; simplement l'ordonnateur des pompes de la mort.

La preuve : il ne trouvera jamais *le coupable* (dont il n'a cure) mais seulement une *victime*, et d'une telle innocence qu'elle en devient une hostie de sacrifice. «Le citoyen d'Edimbourg» expie, en effet, pour un crime qu'il n'a pas commis et même auquel il est toujours resté totalement *étranger*, moins par héroïsme que par pur amour, afin de résoudre simplement *et d'un seul coup* un cas de conscience particulièrement compliqué auquel il n'avait point de part. Avec lui c'est bel et bien le héros tragique, «innocent-coupable», qui meurt et toute une race périt avec lui comme s'il était le dernier des justes ; mais son sacrifice est d'autant plus beau qu'il a l'air absurde et ne résoud pratiquement rien. Avec lui l'action tragique par excellence, le sacrifice du héros, tourne à *l'acte gratuit*. Car il n'expie même pas le crime d'un autre, mais un scrupule de conscience, pour Laurent de Theus, et de métier, pour Martial. On imaginerait difficilement un échange aussi pur idéalement de toute compromission avec la réalité sociale et politique : l'Écossais «paie la casse» (V, 119) en se cassant la tête. Et *l'Anglais*, Langlois, qu'avait-il fait d'autre avec son pétard de dynamite ? Sinon payer la casse de Monsieur V. ? L'Écossais, double de Martial qui est responsable de sa mort, se suicide comme Langlois ; mais Martial lui survit. En cela Martial n'est plus tout à fait l'Anglais (Langlois). Question de style, cependant ; l'instrument de son suicide en faisant prendre à sa tête «les dimensions de l'univers» (III, 600) conférait à la mort de Langlois une certaine emphase spectaculaire. J'avoue préférer «le bon regard de malice et d'amour» (V, 119) que «le timide enfant du Septentrion sauvage» (V, 115) adresse à *son* Langlois — c'est du moins ce que Martial imagine — en pressant simplement la gâchette de son outil. Style sec. Il a surtout l'air de faire une bonne blague à Martial, en s'immolant dans les formes de l'honneur et de l'humour. La perfection de son sacrifice, strictement formelle, y gagne encore de ne pas avoir l'air de se prendre au sérieux. Et s'il y prend du plaisir, à la différence de Monsieur V. ou de Langlois lui-même, ce n'est aux dépens de personne sinon à ses propres frais : *gratis pro meo*. Ce suicide hautement symbolique, puisqu'il est un échange gratuit de valeurs strictement idéales — un pur honneur pour un honneur souillé — en est tellement gratuit qu'il en devient *parodique*, le héros ayant tout l'air en mourant de se foutre de l'héroïsme.

Un «arsouille» ayant bousillé un soldat «en service commandé» pour le plaisir et compromis dans cette sale affaire un grand seigneur, seul un «milord» pouvait se tuer avec un aussi souverain détachement de son acte, et pour un plaisir nettement plus épuré : celui de «mettre la marque de la foutrerie» (III, 667) à la fois sur la bassesse et sur la grandeur, sur la noblesse du geste autant que sur l'arsouillerie de l'acte. Bourreau et victime en même temps, mais dans une complicité supérieure, celle de l'ironie, c'est lui qui, frustrant d'une mort héroïque Laurent de Theus, et Martial de son travail bien fait (car il n'a pas de quoi être fier !), transforme la sienne peut-être moins en profession d'amitié qu'en leçon de grand style. C'est lui qui, par l'élégance presque effacée (mais non sans «malice») de sa mort, fait de son deuil (du deuil qu'il fait de lui-même) «un trône», ce trône que Martial refusait à Laurent (V, 117). L'Écossais seul est digne d'être roi, *parce qu'il est le fou*, et le roi de ce divertissement supérieur que devient la mort du héros quand le héros se fout de son héroïsme autant que de sa mort : l'Écossais ou le fou du héros.

Après un tel trépas, Martial (et Laurent avec lui, c'est-à-dire les deux héros vivants), comme à la fin du *Bal*, peut se dire que : «Cette mort eut vraiment le chic de me laisser devant un vide parfait» (V, 47). Car en présence d'un être aussi souverainement compétent et raffiné sur l'honneur et sur le style, Laurent et Martial en sont réduits à constater leur néant et leur incompétence : en matière d'honneur ? Non : *de chic*.

## 2. *Esthétique*

La partie de *L'Écossais* se joue d'ailleurs — et tous les *Récits de la demi-brigade* pareillement sont des parties qui se jouent entre gens du même monde, à l'exclusion de tout ce qui n'est pas noble — comme une partie d'échecs entre le roi Laurent, la reine Pauline, le cavalier Martial et le bouffon écossais, où le bouffon fait tout le monde échec et mat par un imparable coup de maître. Je dirai même — la réputation des Écossais n'ayant pu échapper à l'humour de Giono — par un coup de sublime *avarice*, de cette *avarice* qui est le comble de la générosité, selon les principes de Noé-Giono ; et que l'avare «fait jouer» (car elle est un jeu suprême dans lequel un solitaire est à lui tout seul, dans sa propre partie, le jeu, l'enjeu et le joueur) pour «s'enivrer magnifiquement de [ses] fonds de cave» (III, 667), et finalement s'envoyer en l'air en se tirant lui-même comme un feu d'artifice. L'Écossais n'est-il pas à sa façon, solitaire et «avare de lui-même», «un prince en Enfer» (III, 665) à l'égal de Milord l'Arsouille qui joue à s'anéantir en beauté ?

Son existence entière a été vouée à la fidélité qu'il doit à son roi légitime, fidélité sans espoir et à fonds perdus, puisque son légitime finit en quenouille ou plutôt en goupillon. Une telle fidélité sans emploi et en pure perte signifie-t-elle encore autre chose que la fidélité à soi-même ? Après l'avoir économisée pendant toute une vie solitaire et jamais payée de retour, l'Écossais en fait royalement cadeau à Laurent c'est-à-dire à un autre lui-même. Qui donc, mieux que l'Écossais, «dépense de l'amour en pure perte, de la confiance en pure perte, de l'estime en pure perte» (III, 667)? Et ne pensons-nous pas à lui encore, quand Giono parle, à propos de Milord l'Arsouille, de «foi trahie qui brûle ses poudres» (III, 667)? M. V. était «un Monsieur», mais l'Écossais est un Milord.

Quelle foi? Au sens large du terme : la confiance qui autorise la fidélité à la vie. Fidélité qui se sent trahie dans un monde où toute noble raison de vivre fait figure d'antiquité. Car la bande à Laurent dans laquelle il faut inclure le gendarme qui la poursuit, c'est vraiment «le cabinet des antiques». L'Écossais y arrive par hasard, en qualité d'hôte, au moment où l'honneur du maître de maison est compromis, pour sauver l'honneur de l'honneur. Ce qu'il fait très pudiquement, ce laconique, en se tirant un coup de pistolet, pas un pétard, pas un feu d'artifice, dans la bouche, à l'étouffée. Belle façon d'en finir, moins avec l'héroïsme tombé en désuétude qu'avec la modernité, cette idée générale qui ne pardonne pas la singularité de caractère.

La fin du héros pourrait bien être alors le commencement de l'écriture (et de ses *caractères* propres), l'écriture qui dégage son authentique finalité sur les ruines de la morale, de la politique et, bien sûr, de la religion ; de tout sacré de respect, en un mot. Car sa finalité véritable est la transgression des valeurs établies, même et surtout des plus sacrées, telle que la pratique Milord l'Arsouille, ce «type qui se fout de tout» (III, 664) et dont «les exploits se bornent à mettre la marque de la foutrerie sur les objets reconnus jusqu'à présent d'utilité publique» (III, 667), et pourquoi pas sur l'héroïsme? Mettre sur tout *le caractère* (étymologiquement : «la marque») de la foutrerie, si c'est un «exploit», et c'en est un, n'est certes pas un exploit héroïque. Le dandysme n'est plus que «l'héroïsme de la vie moderne», plus du tout pratique mais exclusivement spectaculaire et provocant. Mais ce peut être aussi bien ce que Martial, qui n'est pas un dandy mais un gendarme, appelle, lui, «le travail bien fait» (V, 101) ; quand le «travail» n'a plus aucune fin sociale ni politique ni même, en dernier recours, morale, mais qu'on le fait simplement pour l'amour de l'art. «Et voilà le travail!» pourrait pouffer le clown écossais en exécutant son ultime cabriole.

L'héroïsme ainsi réduit au silence, la parole reste au gendarme à qui revient la charge de faire son rapport ou de dresser procès-verbal. Or, quand Martial, sidéré par la fin du héros dont il est responsable (autant que Laurent du massacre du soldat bousillé), répond «au bout d'un moment» à son colonel — prénommé Achille pour qu'il n'y ait aucun doute sur son caractère de héros désuet «du temps où Marthe filait» (V, 100 et 120) —, ce qu'il répond d'abord : «Dans cent ans il n'y aura plus de héros» (V, 120) n'est que la première partie de sa conclusion, l'oraison funèbre d'un personnage plus anachronique encore que le dernier des Mohicans ; ou plutôt ce n'est que l'attendu de sa conclusion définitive qui est : «Ma voix n'exprimait aucun regret» (V, 120).

Même s'il ne dit pas expressément : «tant mieux!» — nous savons par ailleurs que Martial n'aime guère les héros —, il ne proteste quand même pas que «c'est dommage»! Sans doute est-ce là, pour un romancier connu depuis belle lurette pour son romantisme impénitent, une façon bien à lui, en se distinguant à la fois du héros et du flic, de se faire «moderne».

En somme, il en a bien pris son parti de la fin des héros, il n'est même plus un nostalgique prenant fait et cause pour l'héroïsme, et il s'accommode sans difficulté de «la vie ordinaire», celle qui consiste à bien faire son métier. Comment? d'une certaine *manière*. Car ce gendarme est un artiste, ce que nous allons démontrer maintenant; ou, en d'autres termes : *la fable*, ou action tragique, de *L'Écossais*, contrairement à ce qui s'impose dans une vraie tragédie, n'est pas «la fin de la tragédie»[6] pour la simple raison que *L'Écossais* n'est pas d'abord «l'imitation d'une action», ni même d'un caractère : la signification tragique ou éthique de la nouvelle — ce que nous venons de commenter sous ces noms d'héroïsme et de «fin de l'héroïsme» — y est secondaire et subordonnée. *Au récit*.

C'est le *récit*, en effet, non *la fable*, qui importe ici, au point que l'action tragique (et même sa signification éthique) devient une *allégorie* de l'écriture qui la fait exister pour s'y représenter, aussi gratuitement qu'elle fait mourir le héros en pleine action. Le simple fait de raconter la fable au lieu de la représenter «en action», la distancie de telle sorte que nous prenons conscience, avec l'auteur, que *c'est du théâtre*. Et que le véritable sujet de la nouvelle n'est pas la fable mais le récit. L'écriture n'a d'autre fin qu'elle-même. Et pour «bien faire son métier» d'artiste, l'écrivain se doit à lui-même de ne pas se payer de mots en se laissant abuser parce qu'il raconte. Il ne doit surtout pas se prendre à son propre jeu mais le jouer supérieurement, pour la beauté du geste et l'honneur du métier. Nous avons ainsi défini un style ironique.

Partons de la modernité que représente dans *Les Récits de la demi-brigade* la police politique, «le Cabinet noir où grouill[ent] tous les reptiles de la création» (V, 83), avec son double jeu permanent : la modernité c'est la falsification généralisée de tout ce qui valait la peine de vivre et de mourir, l'aliénation radicale de l'homme condamné à *être agi* quand il croit agir, Don Quichotte malgré lui, leurré par qui le manipule à son insu. *Tout est faux*. Nous l'apprenons, à la fin de *L'Écossais*, par Achille qui appelle ça «devenir moderne» : les papiers pour lesquels Brigou s'est fait «massacrer», avec ordre «de les défendre jusqu'à la mort», **«étaient faux»** (V, 120). Ainsi toute l'action de la nouvelle, et tout l'héroïsme qui s'y exerce en pure perte, tiennent dérisoirement à un faux, à *un papier* qui n'est, en définitive, qu'un leurre. Et sans doute entendons-nous là comme un écho de la déclaration liminaire de *Noé* : «Rien n'est vrai : même pas moi [...] Tout est faux» (III, 611).

Si l'héroïsme périt de cette falsification universelle qui le réduit à n'être plus qu'une forme vide, sans réalité pratique — tout est faux, hélas! la vie est bousillée —, l'art, au contraire, y prospère sans autre sanction que la mort (qui était, de toute façon déjà, la destination naturelle d'un héros) et sans autre obligation que d'en faire du beau travail (telle est la fin de l'artiste) : rien n'est vrai, tant mieux! fignolons notre mort inutile. La modernité, en effet, c'est la mort du symbolique (ou du sacré) dans sa fonction éthique (politique et sociale) et donc, en un certain sens, la mort de la tragédie ; mais elle est aussi bien l'avènement de la mort symbolique (dans l'art) et d'une symbolique de la mort : la tragédie moderne, c'est la littérature, que Giono conçoit comme «le grand théâtre» des «fêtes de la mort». L'artiste moderne est, en somme, un homme qui «meurt au monde», non pour Dieu (comme un mystique) mais pour l'amour de l'Art.

La littérature «moderne», en effet, comme la peinture, conquiert son autonomie et se donne véritablement pour ce qu'elle est, en s'affranchissant de son «sujet», c'est-à-dire de l'objet réel qu'elle est censée représenter ou «imiter», par exemple des actions héroïques : elle s'affirme elle-même dans la mort (symbolique) de son référent, le réel. Elle tue symboliquement dans *L'Écossais* l'héroïsme pratique, en le vidant de tout contenu réel. Mais alors l'esthétique accomplit la deuxième mort de l'héroïsme bousillé par la société d'abord, mais non moins *récupéré* ensuite par la littérature pour des fins qui ne sont plus les siennes, celles de l'héroïsme, mais deviennent celles de l'art. L'art dont la fonction (toujours symbolique) pourrait bien être de munir un héros (Brigou) de *faux-papiers* pour en affubler deux autres (Martial et Laurent) d'une mort *d'emprunt*. Tout est truqué du début à la fin.

L'ambiguïté de ces *Récits de la demi-brigade* tient, en effet, au caractère équivoque de Martial, ce gendarme qui joue à déjouer le double jeu de la police et généralement s'enferre dans ses propres bottes secrètes : «coup fourré» (V, 120), constate et conclut fort judicieusement Achille, à la fin de *L'Écossais*. Ce pouvait être déjà la conclusion d'*Un roi sans divertissement*. Pareil pour *La belle hôtesse*, où Martial, croyant doubler la police, se fait blouser par elle ; dans *La Mission* où (inversement) c'est elle qui se fait piéger par lui en pensant lui tendre un traquenard ; dans *Le Bal* où, par un double «coup fourré», Martial, trompant à la fois les conspirateurs et l'autorité ligués contre lui, se fait tromper par un arsouille de haute volée qu'il prétendait manipuler. Et ainsi de suite...

Ces *Récits* ne sont plus des tragédies mais des *énigmes*, compliquées à plaisir, pour le plaisir de la complication, car il s'agit moins pour Giono de les résoudre que de les exposer. Le discernement du héros dans l'action y est presque toujours pris en défaut, avec une sorte de malin plaisir — *de qui* ? Quand tout «s'emmanche mal», Martial, dans *La belle hôtesse*, fait cette réflexion : «Il y avait quelque part quelqu'un qui se foutait de moi» (V, 78). Sans doute l'auteur ! Et la curiosité du lecteur, orientée par un auteur qui se fout de tout sauf de bien écrire, s'intéresse finalement plus à l'intrigue de la nouvelle qu'à l'héroïque simplicité de son action. Le «caractère» c'est l'Écossais, dont l'acte aussi simple que décisif fait un incontestable héros (mort) ; quant à Martial, qui le tue comme un frère, mais un frère tombé en désuétude et qui, de toute façon, n'était déjà plus de ce monde, il n'est pas un héros simple car il est devenu aussi *un intriguant*, sinon un intrigant. Pour son honneur et son plaisir personnel, certes, qui lui tiennent lieu de bonne cause et de fin dernière.

Martial, en effet, recherche très évidemment la chasse et non la prise. Mais *il chasse aux signes* comme Langlois chassait le loup selon les règles de la noble vénerie ; et sa quête des indices imite l'action même de l'écriture : l'écriture se représente elle-même dans cette quête des indices dont Martial est l'agent. Notons d'abord qu'il agit entièrement seul et qu'il n'est pas «en service commandé» (V, 102) : il se met «en civil» (101), et il agit donc pour son propre compte, clandestinement, libre de toute obligation professionnelle et sociale. Il n'exerce pas la profession de gendarme, il fait *son métier*. Il vérifie d'abord soigneusement l'état de ses instruments de travail ; il charge à sa manière ses pistolets dont l'un, comme ceux dont Langlois s'est servi pour sacrifier Monsieur V. (III, 504), a «la gâchette sensible, un peu coquette» (V, 101). Tout risque de bousillage doit être exclu. Goguenard et (humoristiquement) vulgaire, Martial se donne un *alibi* des plus communs : «Je vais voir une femme» (102), et c'est à la fois faux, puisqu'il ne va pas à un rendez-vous galant, et vrai, puisqu'un des indices découverts par lui, le bolero parfumé, semble indiquer que la piste suivie doit le conduire jusqu'à une femme. Lisons entre les signes : le véritable sujet d'un roman, fût-il une histoire d'amour, n'est pas l'amour, qui n'est qu'un leurre, c'est le romanesque lui-même : ce qui nous intrigue. Et pour bien nous faire entendre que Martial ne s'engage pas dans une affaire sentimentale mais dans un labyrinthe de signes et d'indices, Giono lui fait choisir comme monture sa jument *Ariane*. «Le fil d'Ariane, dit Bachelard, c'est le fil du discours.»[7] Martial serait-il un nouveau Dionysos? Oui.

Monté sur Ariane dont «les ressorts», dit-il, sont aussi «exacts» que ceux de ses pistolets, Martial devient une sorte de centaure masculin-féminin *(animus-anima)* et forme avec «cette bête [qui le] comprend» un couple certainement plus parfait, dans sa complicité, que celui qu'il prétend (ironiquement) constituer avec «la femme» (anonyme) qu'il va soi-disant voir. Le trio dans son ensemble, Martial, Ariane et les pistolets, nous est décrit comme un appareil efficace de haute précision. Et surtout cette bête, qui n'est pas plus une bête que le cheval de Langlois nommé «Langlois» par les paysans du Trièves (III, 510), tranche sur la neige où sa robe *s'inscrit* (comme les robes verte et rouge de Saucisse et de Madame Tim durant la chasse au loup) *en noir sur blanc*. Elle est ainsi, remarque Martial, tout à fait convenable à son dessein qui est «d'être pris pour cible» (102). Martial, en effet, se donne à voir, noir sur blanc, pour provoquer l'adversaire (ou le partenaire?) inconnu et l'obliger à se démasquer. Ainsi l'écrivain s'expose sur sa page blanche pour inciter à ses risques et périls son lecteur à sortir de sa réserve, afin de mieux le connaître et, le connaissant, de se faire lui-même reconnaître. Martial, parti en reconnaissance, utilise Ariane précisément comme un signe de reconnaissance, pour ouvrir, fût-ce à coup de pistolet, la communication avec l'inconnu. Telle est, en effet, l'énigme de la communication par l'écriture, qui ne démontre rien mais se provoque et s'éprouve, dans l'acte même de communiquer, à partir de faibles indices qui ne sont jamais des preuves. Pour faire la preuve de son existence, on ne peut que la produire en s'éprouvant soi-même dans les autres.

A partir du moment où il s'expose et *s'indique* lui-même, pour inventer des indices de ce qui n'existe pas encore, Martial se trouve donc dans la posture ambiguë d'être la victime possible d'une situation équivoque et, en même temps, d'être «le seul juge» de cette même situation. Juge et partie à la fois, il a le sentiment de dominer une situation dont il ne possède pas toutes les clefs, pour la complexe raison qu'il doit s'adapter à cette situation qui lui échappe *à* fin d'en devenir lui-même la clef (mais pas *toutes* les clefs).

D'où son désir d'être ce corbeau — un souvenir sans doute de Brueghel et très précisément de ses «chasseurs sous la neige» —, ce corbeau qui, noir sur blanc lui aussi, à la fois fait partie du paysage et le survole «en plan cavalier» (III, 642), pour reprendre l'expression même de Giono dans *Noé*. De Giono qui, dans *Noé*, envie au peintre, et nommément à Brueghel, son pouvoir de tout donner à voir en même temps au lieu de raconter à la queue-leu-leu : «Si on avait le temps, si on pouvait surtout faire lire un livre comme on fait regarder un paysage [...]» (III, 640), soupire le romancier qui n'a pas «avec l'écriture un instrument bien docile» (III, 642). L'écrivain, en effet, compose le paysage et en fait partie. Il voudrait bien transposer sa situation particulière d'individu au regard limité par la position même dans laquelle il se trouve, en quelque point de vue supérieur, de Sirius et de Dieu, qui lui permettrait d'universaliser sa vision en la rendant souveraine.

> «Un corbeau se dirigeait vers Saint-Pons. Je le regardais voler sur un pays que j'aurais bien aimé voir de haut comme lui. Il s'éloignait au-dessus d'étendues qui portaient, écrite, la solution du problème.» (V, 103)

Où la description du paysage tourne à la mimesis de l'écriture, qui consiste, somme toute, à parcourir un espace blanc pour y rassembler, si possible y totaliser, les indices d'une énigme dont la solution même se trouve précisément quand tout a été écrit. «J'avais besoin, poursuit Martial, de lire les traces laissées ce matin même dans la neige. La position du corbeau était idéale. Il pouvait tout voir sans rien détruire» (V, 103). Martial, au contraire, risque constamment d'abolir les indices en les parcourant : sa propre trace brouille la piste. Il faudrait ne pas y être et ne pas en être pour dominer totalement la situation sans craindre de casser quelque chose dans cette mécanique de haute précision que doit être une enquête sur un crime dont l'enquêteur fait partie sans tout à fait le savoir; mais il s'en doute quand même un peu, comme Langlois ou Œdipe.

En fait Martial y verra clair, mais non sans détruire. L'Écossais, son double innocent, paiera la casse et lui-même sera responsable de cette victime non coupable qui lui ressemble comme un frère; avec cette différence qu'il n'en mourra pas, d'être lui-même devenu un non moins innocent bourreau. Du moins a-t-il l'excuse de s'être lui-même offert d'abord, sinon en victime expiatoire, du moins comme *cible*.

> «Un coup de fusil bien ajusté me donnait tous les atouts, surtout d'avoir en face de moi un être en chair et en os à la place de suppositions gratuites [...]. Je proposai donc franchement à mon adversaire une nouvelle occasion de jouir. Je ne pensais pas que certaines âmes savantes ne se le permettent qu'aux rares occasions où l'esprit est subitement d'accord avec le corps» (V, 104)

Que signifient ces phrases sibyllines et qui sont ces «âmes savantes»?
Martial joue sa partie avec un partenaire supposé d'égale force mais invisible, avec un double qui n'est peut-être qu'un leurre, mais un double censé être semblable à lui-même, malgré les apparences contraires, comme Langlois avec Monsieur V. Il suit les traces sales d'un bousilleur en cherchant un héros. Ces «âmes savantes» — on peut également songer à l'Ar-

tiste des *Grands chemins*, qui décompose ses coups de tricherie les plus sub-
tils pour se faire prendre à son propre jeu et donner ainsi à son adversaire
l'occasion de s'amuser autant que lui à «tel est pris qui croyait prendre»
— de telles âmes donc ne cherchent pas à gagner mais simplement à se
faire reconnaître, sachant de science infuse que la mort de l'autre ne résoud
rien dans la lutte à mort des consciences puisque la destruction de l'adversaire supprime la question de la reconnaissance sans la résoudre. Les deux
duellistes se doivent donc de s'interdire toute jouissance *facile*, autrement
dit de vaincre par élimination. La seule jouissance vraiment positive est
donc d'ordre spirituel et non pratique. Car cette jouissance de jouer non
pas au plus fort *mais au plus fin* exige moins d'abattre l'adversaire que de
le déconcerter, et finalement de se surprendre soi-même autant que l'autre
dans le feu de l'improvisation, quand «l'esprit est subitement d'accord
avec l'action» (V, 104). C'est ce que nous appelions, en commençant,
le *discernement dans l'action*. Martial, ailleurs, le formule ainsi en des termes
comparables : «[...] je déteste la loi». Entendons bien : je déteste la loi
établie, convenue, préexistant à l'action qu'elle commande, de loin ; la
loi que sert et fait respecter le gendarme. «Je n'ai d'appétit, ajoute-t-il,
que pour des lois qui sortent en éclair du sein même de l'événement»
(V, 103). Or quelles sont les lois qui répondent exactement à cette définition ? Sans doute le suicide impromptu de l'Écossais qui tranche le cas
de conscience posé par Laurent et Martial à l'instant même où il est
noué, acte héroïque comparable à celui d'Alexandre tranchant le nœud
gordien.

Mais plus encore les lois de l'écriture qui ne préexistent pas au texte
et que l'écrivain doit improviser dans le feu de l'action d'écrire au fur
et à mesure que l'événement, c'est-à-dire la phrase qui advient, se présente.

L'artiste, en effet, cette âme savante d'un savoir jamais définitivement
acquis, se cherche en suivant ses propres traces, dans un pays inconnu
qui est cet espace du texte à venir où il se trouve bien moins qu'il ne
s'invente ; et son esprit prend *littéralement* corps dans ce texte, prend le corps
du texte où il s'incarne.

Il n'y a donc pas de règle du jeu, mais un jeu où l'artiste doit inventer
ses propres règles, en jouant : ou, pour reprendre une distinction chère
à Donald Winnicott, l'art n'est pas un *game*, un jeu selon les règles établies ; il est le type même du *play*, plus exactement du *playing*, c'est-à-dire
un divertissement qui se donne librement les lois de sa propre
improvisation.

Le véritable écrivain est donc un *écrivant*, pas la somme de ses écrits,
et l'écriture une sorte d'intuition intellectuelle qui crée immédiatement
son objet : le texte non pas établi mais en train de se faire comme passage
instantané de l'idée à l'acte, comme idée en acte.

Dans ces conditions, Martial, qui parcourt à cheval et pistolet (j'allais
dire plume) au poing de vastes étendues blanches de déserts enneigés,
apprend progressivement, avec la complicité fraternelle de son adversaire
inconnu, à découvrir dans les signes et les indices, *trop manifestement laissés
en évidence*, l'esprit qui les inventa pour le provoquer à chercher plus loin.
Il comprend cette provocation après s'être lui-même exposé en vain comme
cible à un adversaire qui ne veut pas de sa peau mais seulement sa recon-

naissance et qui rend donc l'héroïsme de Martial «parfaitement inutile» pour faire appel à sa compréhension.

> «C'est maintenant [conclut Martial] que j'aurais aimé être corbeau[8], pour qu'il me soit donné d'aller voir à quelle sorte d'être vivant j'avais affaire. Il avait l'intelligence de s'accorder au monde le plus pur, au point de n'y laisser aucune trace, malgré le massacre de Mauvais-Pas, ou peut-être en raison même de l'esprit qui s'était réjoui à ce massacre.» (V, 105)

La mort, fût-elle héroïque et à plus forte raison «bousillée», n'est pas une fin ; la finalité véritablement humaine c'est l'esprit dans lequel cette mort est *enfin comprise*. L'écriture, elle-même, comme la mort, laisse des traces qui doivent être interprétées. Un certain esprit mauvais, impur, s'est réjoui du massacre et — «à cause de», pas «malgré», ce bousillage — Laurent veut «s'accorder», sans laisser aucune trace, «au monde le plus pur», celui de l'esprit, qui rend à la mort, et à l'écriture dont la mort est l'objet, toute leur subjective pureté. Le plaisir du texte n'est qu'une jouissance encore trop matérielle, trop impure, la jouissance des signes et des traces de l'esprit qui a produit indirectement, sous prétexte de raconter une autre histoire (que la sienne), les marques de sa propre signification.

Ainsi l'authentique finalité de l'écriture est, pour l'écrivain Giono, un tranquille divertissement de soi-même dans l'acte même d'écrire ou de se signifier en écrivant. L'être ou plutôt le devenir de l'artiste, c'est, en effet, son être dans le mouvement de l'écriture mobilisée dans le feu — *l'éclair* — de l'improvisation. L'improvisation ou le *discernement dans l'action* d'écrire.

## NOTES

1. «L'ordre des nouvelles est celui choisi par l'auteur.» *Les Récits de la demi-brigade*, Note de l'éditeur, p. 5, éd. Gallimard, 1972.

2. Cf. Notice de l'édition de la Pléiade, tome V, pp. 869-870.

3. Aristote, *Poétique*, 6-1450b, p. 39, éd. Belles Lettres, Paris, 1969. Traduction (pour ce passage cité) de Jacques Chabot.

4. Langlois paraît à son retour, «austère» et «cassant» (*Un roi sans divertissement*, Pléiade, tome III, p. 507) : «Il était cassant comme ceux qui ne sont pas vraiment obligés de vous expliquer le pourquoi et le comment ; et ont autre chose à faire qu'à attendre que vous ayez compris.» Cette définition du *caractère* de Langlois me paraît tout à fait pertinente pour qualifier le *style* de Giono à partir d'*Un roi* et surtout dans *Les Récits de la demi-brigade* ou *L'Iris de Suse* : il se «fout» littéralement de nous, comme de lui-même.

5. Sauf dans *Noël* qui ressemble précisément à un conte de Noël, et dans *La Mission*.

6. Aristote, *Poétique, op. cit.*, p. 38.

7. Bachelard, *La Terre et les rêveries du repos*, José Corti, Paris, 1948, p. 215.

8. Où le point de vue du «corbeau» — qui peut être aussi un bousilleur malpropre de sales lettres anonymes — devient paradoxalement celui d'où l'on peut appréhender «une sorte d'être vivant» accordé au «monde le plus pur»; où le corbeau se métamorphose en colombe messagère de l'Esprit Pur. L'artiste est à la fois «colombe» et «corbeau», oiseau de mort et de vie.

# STRUCTURES NARRATIVES DANS
## «LE BONHEUR FOU»

### par Yves-Alain Favre

Si l'intérêt que le lecteur prend à un roman dépend du sujet traité, il résulte davantage encore de l'art avec lequel le récit est mené. Le sujet le plus captivant risque de donner lieu à un roman médiocre si l'auteur ne sait pas agencer les épisodes, présenter les personnages, donner un rythme à son récit. Or, Giono, durant toute sa carrière de romancier, n'a pas cessé de se renouveler. Loin de distinguer deux ou trois manières différentes dans son esthétique, il serait préférable de déterminer, pour chaque roman pris dans sa singularité, l'originalité et la nouveauté de la mise en œuvre narrative. Même dans les livres qui forment un ensemble — ainsi le cycle du Hussard — chaque œuvre possède ses propres caractères narratifs. Je voudrais donc préciser ces structures narratives dans *Le Bonheur fou*, roman considérable à plus d'un égard. L'examen portera tout d'abord sur l'architecture d'ensemble du roman et sur les problèmes de la chronologie et de la disposition des événements, autrement dit sur l'ordre du récit. L'analyse se poursuivra par l'étude des modalités de la durée et de l'agencement des épisodes et des séquences. Nous verrons ensuite comment certains personnages jouent un rôle dans l'organisation même du récit : l'intervention de Bondino à certains endroits capitaux du roman, la présence de Lecca à d'autres moments, la tension entre Giuseppe et Angélo ne laissent pas d'imposer au récit une structure significative. De même, les deux pôles féminins qui attirent tour à tour Angélo s'organisent de manière à susciter un sens. Enfin, la manière dont se trouve conçu l'espace où s'aventure Angélo apporte de précieux éclairages sur la signification fondamentale du *Bonheur fou*.

Malgré la complexité du récit et le foisonnement des épisodes, l'architecture du *Bonheur fou* demeure simple. Ce roman se présente comme un diptyque. Le premier chapitre sert de prélude et rappelle des événements antérieurs au récit fondamental. Puis, un premier volet de sept chapitres (II à VIII) nous montre Angélo participant à la révolution à Milan. Le chapitre IX constitue, au centre du roman, une sorte de charnière : Angélo a quitté Milan et passe quelques jours au château de La Brenta, halte paisible au milieu des luttes et des combats. Vient alors un second volet de six chapitres (X à XV) qui nous peint Angélo combattant dans la guerre de libération qui a lieu dans la région de Vérone. Ainsi voit-on successivement Angélo participer à une insurrection révolutionnaire citadine, puis combattre, comme un soldat, en rase campagne. Ce second volet du diptyque se subdivise à son tour en deux parties égales : Angélo prend d'abord part à une guérilla en menant au combat une petite escouade de cavaliers (chapitres X à XII) ; ensuite, il participe à de véritables opérations militaires (chapitres XIII à XV). On peut établir le schéma suivant :

Prélude : I
1. La révolution à Milan : II à VIII
   Repos à La Brenta : IX
2. La guerre de libération :
   - la guérilla : X à XII
   - les batailles rangées : XIII à XV.

Cette composition d'ensemble une fois définie, regardons de manière plus précise la chronologie exacte des événements rapportés et considérons leur disposition dans le récit. Bien évidemment, il ne s'agit d'analyser que la chronologie telle qu'elle apparaît dans le roman ; on sait que Giono a pris des libertés avec l'histoire[1] et il ne saurait être question d'examiner la vérité historique du roman. Fort aisément, on peut déterminer la chronologie du récit principal. Car Giono facilite la tâche du lecteur en mettant lui-même des repères commodes ; chaque chapitre se trouve parsemé d'indices temporels (adverbes ou compléments circonstanciels) qui permettent de se faire une idée exacte du déroulement des faits. Giono semble en effet tout particulièrement intéressé par le cours du temps. Il note la succession des jours et des nuits et indique les divers moments de la journée avec un soin minutieux. Ces indications scandent ainsi le récit et en précisent les diverses étapes. Je n'en donnerai que deux exemples. D'abord, au chapitre IV, on relève les notations suivantes[2] :

«le jour n'était pas levé» (p. 178)
«L'aube se levait [...]» (p. 191)
«A midi [...]» (p. 194)
«L'après-midi devenait très belle.» (p. 206)
«Le soleil se couchait.» (p. 209)
«La nuit tomba.» (p. 210)
«Mais maintenant il faisait nuit.» (p. 214)
«On avait encore une bonne heure de nuit devant soi.» (p. 217)

Le chapitre XI est tout aussi révélateur :

«Ils arrivèrent à Bidogno le soir même.» (p. 323)
«Vers les quatre heures du matin [...].» (p. 324)
«[...] le lendemain à l'aube [...]» (p. 327)
«Angélo se réveilla vers minuit.» (p. 333)
«Les patrouilleurs rentrèrent à l'aube.» (p. 334)
«Cette nuit [...]» (p. 337)
«Vers quatre heures et demie du matin [...]» (p. 337)
«A sept heures [...]» (p. 338)

«[...] à minuit. [...] A l'aube [...]» (p. 340)

«Vers le soir [...]» (p. 341)

«Au matin [...]» (p. 341)

«La nuit tombait.» (p. 346)

«A l'aube [...]» (p. 349)

«Dans le courant de la matinée [...]» (p. 350)

Toutes ces indications permettent de se faire une idée très précise de la chronologie.

Le récit fondamental, qui constitue l'essentiel du *Bonheur fou*, se passe en 1848. Il commence au début même du chapitre I : en mars 1848, une calèche pénètre dans Novare et s'arrête à la maison Ansaldi : Bondino en descend pour s'installer chez la marquise. Mais très vite, ce récit s'interrompt pour un long retour en arrière, qui dure près de trente ans, et ne reprend qu'au chapitre II, avec un léger décalage temporel ; en effet, le chapitre II se déroule à la fin du mois de février 1848[3] et ne s'étend que sur vingt-quatre heures. L'histoire commence un soir vers dix heures, se poursuit le lendemain et s'achève dans la nuit à Ivrée, où Angélo arrive chez son ami, l'avocat Del Caretto. Dès lors, tous les chapitres de la première partie s'enchaînent exactement les uns aux autres sans solution de continuité. Le chapitre III dure trois jours. Il commence le matin à Ivrée, où Angélo demeure toute la journée ; le deuxième jour, Angélo se met en route vers Casteletto, où il arrive le lendemain et passe la nuit. Le chapitre IV dure quatre jours : Angélo reste caché durant deux jours puis repart de bonne heure, le matin, pour rencontrer les artilleurs avec qui il passe la journée, et il s'en va la nuit suivante. A l'aube du quatrième jour (p. 129), il revient à Casteletto pour venger ses amis et prend la route de Novare où il parvient au crépuscule. Le chapitre V a une durée moins longue : Angélo passe la nuit à Novare ; à l'aube (p. 146), il en part pour gagner Milan, où il passe la journée et la nuit : soit, au total, trente-six heures. Le chapitre VI est encore plus bref : il commence à la fin de la nuit et dure toute une journée ; Angélo se trouve toujours à Milan. Au chapitre VII, il en sort pour se rendre à Brescia en passant par Bergame ; il met une journée pour accomplir ce déplacement. Le lendemain, il revient à Milan où il arrive seulement à l'aube : soit deux jours pleins. Le chapitre VIII s'étend davantage : Angélo reste huit jours dans une auberge ; puis il prend la route de la Suisse pour gagner le château de La Brenta ; le voyage demande trois jours pour être effectué. Au total donc, pour ce premier volet du roman : vingt-trois jours. Soit, à peu près, le mois de mars 1848. Ici intervient une première faille temporelle, impossible à déterminer avec précision. On peut l'estimer néanmoins à une quinzaine de jours. La chronologie du chapitre IX reste en effet fort incertaine. Car Angélo demeure «plusieurs jours» (p. 266) au château ; cette indétermination est d'ailleurs significative : le temps n'a plus la rigueur et la précision qu'il avait durant les événements précédents. Angélo se repose «dans les voluptés de la paix» et le temps s'écoule alors sans qu'il ait souci de le mesurer.

Avec la seconde partie du roman, de nouveau le temps se trouve défini avec exactitude et les chapitres, sauf exception, s'enchaînent encore les uns aux autres. Le chapitre X, qui commence au début de la nuit, s'étend sur trois jours au cours desquels Angélo se rend du château de La Brenta à Bidogno : «le lendemain de bonne heure» (p. 303), «le lendemain matin» (p. 306), «à la pointe de l'aube» (p. 316). Les aventures d'Angélo à la tête de sa petite troupe de cavaliers, au chapitre XI, durent sept jours[4]. Soit donc dix jours pour les deux chapitres. Mais, au chapitre XII, intervient une seconde faille temporelle, assez importante, qui rompt la continuité. La bataille de Rivoli, qui a lieu le 22 juillet, est décrite au chapitre XIII. Or, le chapitre XII à partir de la page 353 s'étend sur cinq jours[5]. Il faut donc penser que le début de ce chapitre (pp. 351-352) condense plusieurs semaines ; certaines expressions le suggèrent : «l'été venait» (p. 351), «depuis qu'ils avaient dépassé le lac de Garde et qu'ils descendaient sur Vérone», «après quelques journées de marche». Aussitôt après s'opère un resserrement de la chronologie et l'enchaînement redevient étroit. Le chapitre XIII dure seulement quatre jours[6]. Mais il possède une structure complexe qui sera étudiée plus loin. Le chapitre XIV voit encore diminuer le temps : deux jours uniquement[7]. Quarante-huit heures s'écoulent entre ce chapitre XIV et le suivant, durant lesquelles Angélo dort d'un sommeil réparateur. Mais le chapitre XV et dernier dure plus longtemps et s'étend sur neuf jours. Donc, au total, vingt-deux jours pour ces quatre chapitres. Giono fixe ainsi la chronologie avec soin ; pourtant, le lecteur, malgré ces repères stricts et précis, «ne songe pas à compter les jours»[8]. Il est en effet entraîné par le *tempo* du récit, comme on le verra ; néanmoins, ce découpage chronologique contribue pour sa part, même si le lecteur ne le remarque pas, au dynamisme du récit.

Dans la plupart des chapitres, l'ordre du récit suit très exactement le déroulement des événements et s'y conforme. Mais le récit ne possède pas toujours une linéarité parfaite. On relève quelques exceptions notables ; deux chapitres se distinguent en effet et contiennent des analepses : le prélude et le chapitre-charnière. Le chapitre I commence au début du mois de mars 1848, lorsque Bondino arrive à Novare chez la marquise Ansaldi. Aussitôt, une première analepse conte sa précédente arrivée à Novare en 1820, sa fuite vers Gênes, Turin et la France, où il rencontre plus tard Savone (pp. 9 à 15). Ici, deuxième analepse qui fait un rapide retour en arrière sur la vie passée de Savone (p. 15). Il s'agit, selon la terminologie de Gérard Genette, d'une analepse sur analepse. On revient alors aux allées et venues de Bondino, qui rencontre en avril 1830 Cerutti ; nouvelle analepse sur analepse, qui nous donne des informations sur l'existence passée de ce personnage (p. 16 et pp. 17 à 20). On suit alors les aventures de Cerutti en 1830 ; en juillet, il rencontre Sandro : quatrième analepse sur le passé de Sandro (pp. 21 à 25). On revient au personnage de Cerutti qui occupe la scène jusqu'à la page 35 où l'intérêt se déplace vers Sandro (pp. 35 à 41). Lorsqu'intervient Doria, une cinquième analepse s'intercale qui retrace également son existence antérieure (pp. 41 à 42). Doria devient alors le personnage central et rencontre Giuseppe. Dernière analepse à propos d'Asinari (pp. 46 à 48). L'histoire de Doria se poursuit et l'on en revient à Bondino à partir de la page 53. A l'extrême fin du chapitre apparaît enfin Angélo. On assiste donc à l'arrivée progressive des personnages ; dès qu'un nouveau personnage intervient, sa vie passée se trouve plus ou moins brièvement évoquée. Ce type de récit pourrait être nommé récit à structure emboîtée.

Le chapitre IX présente une disposition identique, mais plus simple. Du haut d'une tour du château, Angélo voit arriver un coche de voyage d'où descendent Carlotta et son mari (p. 267). Commence alors une longue analepse qui s'étend sur sept pages (pp. 267 à 274). Elle rappelle les principaux épisodes de la vie passée de Carlotta : son enfance au château de La Brenta, la mort de son père en 1831, sa vie aux côtés de la mère d'Angélo à Turin. Puis, le récit de l'arrivée des deux époux reprend. Notons enfin, pour être complet, la brève analepse du chapitre V, où la servante de l'auberge raconte à Angélo ce qui s'est passé la veille au soir et comment un soldat autrichien a été tué. Toutes ces analepses assurent une certaine profondeur au récit, mais à partir du chapitre II la continuité ne s'en trouve pas vraiment rompue.

Un autre procédé, s'il était abondamment utilisé, pourrait également rompre cette continuité : la vision stéréoscopique. Une même journée se trouve décrite successivement selon deux points de vue différents. Ainsi, Angélo vit son premier jour d'émeute à Milan (pp. 153 à 172) et l'on suit le détail de ses aventures personnelles. Puis, le narrateur présente une vue d'ensemble de la même journée : «On avait vu, au cours de la matinée, des enfants [...]» (pp. 173 et sq.). Au chapitre XIII, on se trouve à Rivoli ; la première journée vient de s'achever où ont été contées les diverses activités de Thurn et la deuxième journée commence («A la pointe du jour [...]», p. 397) ; mais aussitôt on revoit la journée précédente telle que l'a vécue Angélo (pp. 398-399). Plus loin, il s'agit encore de la même journée avec Thurn (p. 402), puis avec Angélo (p. 410). Ces distorsions ne constituent pourtant qu'une faible part du récit. Pour l'essentiel, il demeure linéaire, ce qui contribue à son dynamisme.

Cette impression de dynamisme se trouve renforcée par la faible durée de la plupart des chapitres : entre deux et neuf jours. Mais il faut, pour établir nettement ce point, introduire deux nouvelles notions : vitesse et tempo du récit. Giono lui-même propose de distinguer le tempo et le rythme[9]. Il conviendrait d'ajouter la notion de vitesse, qui d'ailleurs ne facilite pas l'analyse, bien qu'elle mérite d'être retenue. Normalement, la vitesse se définit comme le rapport de la distance et du temps écoulé pour la parcourir. Je propose d'appeler «vitesse du récit» le rapport entre le temps de l'histoire et le temps du récit. Si ce dernier demeure identique mais que le temps de l'histoire augmente, la vitesse du récit croît. Au contraire, si le temps de l'histoire diminue, la vitesse du récit décroît. On pourrait dire également, dans le cas où le temps de l'histoire resterait le même, que, si le temps du récit augmente, la vitesse du récit subit un ralentissement et que, si ce temps du récit diminue, la vitesse augmente. Ainsi le premier chapitre a une vitesse très rapide, puisqu'en cinquante-deux pages il retrace vingt-huit années ; en revanche, les autres chapitres ont une vitesse plus réduite : au chapitre VI, une journée se trouve racontée en quarante pages. On serait tenté de penser que le dynamisme du récit en souffre et qu'il diminue puisque la vitesse ralentit. Ce serait vrai si le tempo du récit n'intervenait pas. Le tempo d'un chapitre dépend en effet de la présence plus ou moins grande d'événements qui y sont rapportés. Pour un même rapport entre temps de l'histoire et temps du récit (par exemple : quarante-huit heures qui sont racontées en quinze pages, soit environ en trente minutes), on peut avoir un tempo calme : les quarante-huit heures s'écoulent dans la tranquillité, sans beaucoup d'événements marquants ; ou, au contraire, le tempo peut être très rapide : les événements se succèdent en grand nombre et se pressent de manière accélérée ; ce qui est le cas dans *Le Bonheur fou*, où Angélo court d'aventure en aventure. Ainsi, même avec une vitesse réduite, l'impression de dynamisme subsiste.

Les modalités de la durée y contribuent également. En effet, mis à part le chapitre I, le roman n'est formé que d'un long récit sommaire entrecoupé de scènes. On ne trouve pas de véritables ellipses ; le début du chapitre VIII ne représente qu'une fausse ellipse : «Angélo resta huit jours dans une auberge à manger et à dormir» (p. 251) ; car ces huit jours sont ensuite racontés en sept pages : récit sommaire accéléré. Au milieu du roman, le chapitre IX commence ainsi : «Angélo passa plusieurs jours dans les voluptés de la paix.» (p. 266) ; mais là encore, quelques pages sont consacrées à décrire la vie d'Angélo. Au début du chapitre XII, la faille temporelle ne se trouve pas résumée en quelques lignes nettes et précises, mais deux pages assurent la transition. On ne rencontre pas non plus de véritables pauses, où l'action s'arrêterait complètement. Certes, Giono parsème son récit de descriptions, mais celles-ci demeurent toujours très courtes et ne dépassent guère une dizaine de lignes. De plus, elles se trouvent parfaitement intégrées à l'action et n'en interrompent pas vraiment le cours. Prenons l'exemple du chapitre XI. Après une phrase de pur récit sommaire commence une brève description, mais, sans aucune complaisance pour le pittoresque, Giono ne cesse, au sein même de la description, de rappeler la présence de ses personnages : «Le site portait à l'enthousiasme.» «Un sorte d'aurore, mais ténébreuse comme celle qui convient à l'âme des héros.» «On pénétrait dans ce décor par une allée d'ormes triomphale.» (p. 323) Il s'agit là de ce que Marcel Schwob appelait une «description progressive», qui unit le descriptif au narratif. J'en donnerai un deuxième exemple, emprunté au début du chapitre II : Giuseppe et Angélo sortent de Turin en remontant la via San Paolo. Giono décrit les rues, les maisons, les réverbères, mais — et là se situe son originalité — cette description est étroitement mêlée au récit de la marche des deux hommes et se trouve narrativisée. Il montre le décor tel que les deux hommes peuvent le voir dans leur marche : «Ils longeaient des maisons basses et des murs de jardins. Les réverbères étaient très loin les uns des autres, et brouillés par la pluie. Une venelle coupait la rue à angle droit.» (p. 61) Un autre procédé consiste à intercaler ici et là dans un dialogue une phrase descriptive, qui, du fait de son isolement et de sa brièveté, ne rompt pas le flux du récit ; ainsi, à la page 62 :

- une ligne de dialogue
- «Sous la lampe, une jeune fille assez jolie retenait son souffle et ouvrait de grands yeux.»
- quatre lignes de dialogue
- «Les soldats parlaient fort dans la rue.»
- quatre lignes de dialogue.

Finalement, on ne rencontre donc qu'un récit sommaire entrecoupé de

dialogues, généralement assez brefs. Prenons par exemple le début du chapitre V :
- récit sommaire : trois lignes
- scène : une ligne
- récit sommaire : deux lignes
- scène : deux lignes
- récit sommaire :cinq lignes
- scène : neuf lignes.

Encore une fois, une telle manière d'écrire procure une impression de dynamisme que rien ne vient interrompre.

La composition de chaque chapitre aboutit à renforcer cette impression. Dans d'autres romans de Giono, comme *Le Chant du monde*, on peut distinguer, à l'intérieur d'un chapitre, plusieurs épisodes, qui possèdent chacun une relative autonomie et pourraient à la rigueur être détachés du texte pour devenir un court récit isolé. L'épisode s'ouvre et se clôt de manière nette et l'on n'a aucune difficulté à le délimiter. Il se compose de plusieurs séquences qui, elles, n'ont aucune autonomie et correspondent à des changements de lieu, de perspective, de durée ou de personnage. Mais dans *Le Bonheur fou* il en va différemment. Ainsi, dans le chapitre II — mais dans bien d'autres l'analyse serait la même — on ne rencontre aucun épisode aux frontières nettes et précises. Certes, on distingue assez aisément cinq épisodes :
- pp. 61-65 : la sortie de Turin
- pp. 65-68 : l'arrivée chez le comte Pesaro
- pp. 68-74 : la rencontre avec Pesaro
- pp. 74-79 : le départ pour Ivrée
- pp. 79-82 : l'arrivée chez Del Caretto.

Mais, dans tous les cas, on ne saurait préciser avec exactitude le moment où un épisode se termine et où le suivant commence. Ainsi, tout le début de la page 65 appartient sans conteste au premier épisode, au moins jusqu'à : «Puis le silence revint.» A partir de «Ils arrivèrent à une maison», on se trouve indubitablement dans l'épisode suivant. Mais les sept lignes intermédiaires se rattachent aussi bien au premier qu'au deuxième épisode, sans qu'on puisse trancher avec certitude. De même, tout un paragraphe («La maison était immense et délabrée. [...]» (p. 68) n'appartient vraiment ni au deuxième ni au troisième épisode. Ainsi, les épisodes s'enchaînent et se fondent l'un à l'autre ; à aucun moment le récit n'offre de rupture. Cette construction des chapitres s'apparente tout à fait à ce qu'on nomme, au cinéma, le fondu-enchaîné. Une séquence sans appartenance précise assure le lien entre chaque épisode ; la continuité dynamique du récit s'en trouve renforcée.

Les personnages principaux jouent un rôle et possèdent une fonction dans l'organisation du récit. Leur présence ou leur absence contribuent à imposer un sens au roman. Ainsi, Bondino apparaît au début, au milieu et à la fin du roman. Au début du chapitre I, il arrive à Novare chez la marquise Ansaldi pour réunir les libéraux et préparer la révolution. Angélo, à son tour, parvient à Novare, quelques jours après ; la voiture de Bondino se trouve encore là, mais il la voit partir et ne le rencontre pas (pp. 144-145). Au chapitre IX, cœur du roman, Angélo s'entretient de Bondino avec Carlotta et son mari. Son attitude se trouve alors définie : « Il n'a jamais cessé de conspirer pour lui mais avec la défiance d'un observateur expérimenté et le calme d'un philosophe étudiant les hommes avant de se livrer à eux [...]. » (p. 279) Comme Bondino a souhaité avoir une entrevue avec Angélo, Carlotta et son mari se sont chargés de la ménager. Bondino arrive donc à La Brenta, mais les deux hommes ne peuvent pas se comprendre. L'un est un politique prudent et avisé, l'autre un héros qui méprise le calcul et croit à une différence précise entre le bien et le mal. Bondino propose donc un partage des responsabilités : « Je continuerai à m'occuper de la cuisine, vous continuerez à monter à cheval. » (p. 293) Enfin, on le revoit aux dernières pages du roman, où il laisse Giuseppe et Angélo se battre en duel. Cette présence de Bondino aux endroits fondamentaux de l'œuvre, qui en commandent l'architecture, montre à l'évidence sa situation primordiale : personnage central, n'est-ce pas lui qui en définitive reste le seul vainqueur ? Giuseppe est mort, Angélo s'exile et part en courant les plus grands risques, Bondino pourra continuer ses intrigues.

Lecca intervient plus longuement, mais de manière moins essentielle. Il entre dans le roman au chapitre VI : Angélo apprend qu'un ancien général de Napoléon se trouve à Milan ; il le rencontre au palais Borroméo (p. 179) et d'emblée se rend compte qu'il s'agit d'un soldat de métier. Lecca refuse les soulèvements anarchiques et veut que la lutte soit organisée militairement et devienne efficace à force de cohérence. Angélo et lui se comprennent et s'estiment aussitôt. Ils se retrouvent à plusieurs reprises[10] au palais Borroméo et Lecca confie une mission au jeune homme, mais, au vrai, il se sert de lui. De nouveau, ils se rencontrent par hasard dans une auberge de village (p. 259). Lecca explique, en stratège, ce qui vient de se passer et expose son plan d'opérations. Il propose à Angélo un rôle politique, mais celui-ci décline l'offre : « Si vous avez besoin d'un cavalier pour votre fameuse charge, je suis votre homme. Le reste m'ennuie. » (p. 264) Lecca apparaît encore à la fin du chapitre IX : il venait rendre visite à Angélo à La Brenta et il lui donne de précieux conseils : Bondino s'est servi de lui sans scrupules, mais qu'il évite de s'en débarrasser lui-même : « Entre nous, ce n'est pas à vous de faire ce nettoyage. » (p. 299) Les deux hommes partent ensemble et Lecca accompagne Angélo durant toute son équipée jusqu'à Bidogno (chapitres X et XI). Ils se séparent au début du chapitre XII et Lecca disparaît du roman aussi discrètement qu'il y était entré. Compagnon d'armes et compagnon d'âme d'Angélo, Lecca intervient au milieu du roman comme une sorte de conseiller et de mentor, mais Angélo ne possède pas une confiance totale en lui. Il demeure un personnage en demi-teinte[11].

Les rapports de Giuseppe et d'Angélo constituent le drame fondamental du roman, comme le prouvent les notes préparatoires. Giuseppe apparaît à la fin du chapitre I (p. 42) ; il réside alors à Manosque où il exerce la profession de cordonnier. Doria le rencontre dans un café et Giuseppe lui apparaît comme « exalté et calculateur » (p. 43). Il achète à Doria une série de proclamations révolutionnaires, lui donne un louis d'or pour se procurer des armes et lui annonce la prochaine arrivée d'Angélo. Giuseppe précise à Doria ses liens avec Angélo : frère de lait de ce dernier, il est ensuite devenu son ordonnance au 3e hussards de Turin ; les deux jeunes gens ne se sont jamais quittés, sauf depuis que la découverte d'une conspiration les a obligés à s'exiler. Giuseppe éprouve une vive admiration pour Angélo : «Je n'ai jamais vu d'homme meilleur et plus beau que mon frère.» (p. 55). Il propose les services d'Angélo et se porte garant de lui ; mais on aperçoit déjà ce qui les sépare. Giuseppe n'est intéressé que par la politique ; les opérations militaires lui apparaissent comme secondaires. A Doria (p. 44) aussi bien qu'à Bondino (p. 54), il fait un cours de politique. On devine alors son ambition naissante. Le goût des combinaisons politiciennes s'est emparé de lui. Une phrase livre la clef de son comportement : «Il me faut garder un pied dans chaque camp.» (p. 60) A la fin du chapitre I, il retrouve Angélo à Turin ; les deux jeunes gens partent pour Milan afin de participer à la révolution ; ils s'élancent avec un enthousiasme certain et Giuseppe ne cache pas les sentiments qu'il éprouve pour son frère de lait : «J'aime bien quand tu fais le flambard.» (p. 64) Ils parviennent chez le comte Pesaro, mais, par mesure de sécurité, Giuseppe propose qu'ils se séparent ; il se rendra à Novare tandis qu'Angélo ira à Ivrée voir Del Caretto, et ils se retrouveront à Novare. En frères, ils se partagent l'argent qu'ils ont : «Nous partageons en frères. Et c'est aussi parce que des frères qui se séparent s'embrassent.» (p. 75) Mais, secrètement, la rupture est accomplie. Durant les chapitres III et IV, Angélo chemine seul. Au chapitre V, il arrive à Novare, mais n'y rencontre pas Giuseppe qui en est parti deux jours auparavant. Il espère alors le retrouver à Milan lors de l'insurrection (p. 179). Au milieu du roman (chapitre IX), Angélo comprend qu'on a voulu se servir de lui ; un piège lui avait été tendu, qui a échoué au dernier moment mais où il devait laisser sa vie et devenir une victime, «un drapeau». Et il se rend compte que Giuseppe *volens nolens* appartenait à la conjuration. La machination ayant échoué, Bondino et les siens tentent de faire croire qu'Angélo appartient à leur groupe et qu'il est devenu un «colonel combinard» (p. 298). Angélo ne peut pardonner à Giuseppe, qu'on retrouve seulement aux dernières pages. Avec soudaineté et de manière inattendue, le duel a lieu entre les deux frères : ils s'embrassent en silence et se battent à mort. Rien n'est dit sur ce qui précède ni sur ce qui suit : la mort de Giuseppe se trouve ainsi encadrée par deux zones d'ombre, ce qui accroît l'efficacité tragique. L'essentiel demeure masqué et comme sous-entendu. L'amour des deux frères qui deviennent ennemis s'achève dans la mort.

Les personnages féminins s'organisent en deux pôles qui tour à tour attirent Angélo. Tout au long de sa route, il rencontre des femmes qui le trahissent ou plus souvent qui l'aident. Au chapitre II, il bénéficie de la complicité d'une jeune marinière qui lui fait traverser le lac ; puis, il rencontre trois autres femmes dans la diligence d'Ivrée, qui éprouvent de l'intérêt pour lui. Au chapitre III, il découvre la trahison avec une jeune fille qui lave son linge dans un ruisseau ; elle l'accueille, le cache, lui donne à manger mais en fait elle lui a préparé un guet-apens qu'Angélo n'évite que de justesse. En revanche, une servante d'auberge le cache dans sa chambre à Castelleto et veut le faire sortir de la ville en lui donnant son frère pour guide. Même complicité de la part de la vieille dame chez qui

75

il s'est réfugié et qui le protège avec beaucoup d'amabilité, car elle aime la jeunesse et l'allégresse des révolutionnaires. D'autres femmes ne cessent de prendre soin de lui au cours de ses aventures : blessé, il est recueilli dans une maison bourgeoise où une jeune femme «très laide» le soigne avec dévouement (p. 190). A Brescia, le même scénario se déroule dans la maison d'un avocat. A l'auberge où il se repose (chapitre VIII), il rudoie d'abord Lucia qui vend ses charmes, puis converse agréablement avec elle, qui l'admire beaucoup et lui donne le conseil de se faire craindre des femmes, tant il exerce de séduction sur elles. Inversement, la jeune Autrichienne qui arrive en berline veut protéger son mari, et Angélo sait qu'elle n'hésiterait pas à le tuer (pp. 383-384). Mais deux femmes jouent un rôle prédominant : Lavinia et Carlotta, qu'il connaît depuis toujours. Lavinia, qui a de belles manières en raison de son enfance passée dans la maison de la duchesse, a épousé Giuseppe ; très belle Piémontaise, elle possède du bon sens et paraît avoir un jugement critique avisé. Angélo arrive chez elle, au chapitre V ; elle l'accueille avec gentillesse mais sans chaleur. Jalouse de Carlotta, elle n'aime pas que celle-ci fasse de petits cadeaux à Angélo (p.284). A la fin du roman, elle le reçoit à Turin ; depuis trois jours, elle l'attend et a tout préparé pour le duel. Elle a tout deviné et tout pressenti. Et cette aide discrète montre la préférence qu'elle lui accorde. Elle sait ce dont Giuseppe s'est rendu coupable envers Angélo et comprend que la lutte des deux frères devient inévitable. Nullement désireuse d'éviter le combat qui coûtera la vie à son mari, elle saisit qu'Angélo doit se venger de la trahison commise et l'assiste. Carlotta, de son côté, arrive avec son mari au château de La Brenta. Très belle, elle possède aussi de grandes qualités morales : «C'était une âme altière par contrat, mais disposée par nature à la tendresse.» (p. 267) Romanesque, elle aime lire l'Arioste et a le goût de la vie héroïque. Angélo n'apprécie guère cette arrivée qui va contrarier sa solitude : «Adieu, les bonnes rêveries où je suis moi-même avec tant de délices !» (p. 274) Carlotta qui avoue éprouver pour lui une amitié amoureuse cherche à savoir tout ce qui lui est arrivé depuis qu'il a quitté Turin. Elle veut le retenir au château, car elle craint pour sa vie. Un soir, elle l'appelle pour le seul plaisir d'entendre le son de sa voix. Une amoureuse complicité existe entre eux ; Carlotta ne trahit, du moins le prétend-elle, aucun secret d'Angélo. «Je n'ai pas parlé de toi. Je ne parle jamais de toi à Gianpaolo.» (p. 283) Pourtant, elle sera au courant de la machination montée contre lui. Lors du duel final, elle se trouve présente au palais, mais paraît indifférente au destin d'Angélo. Elle l'a trahi pour Giuseppe et pour Bondino. Ainsi s'opère un chassé-croisé entre ces deux femmes : celle qui aurait dû l'aider l'abandonne, celle qui aurait dû devenir son ennemie lui accorde son aide. Les rôles s'inversent autour du héros.

La conception de l'espace qui se dégage de ce roman impose à son tour un sens. Dès qu'Angélo devient le personnage principal — au début du chapitre II — l'espace se trouve aussitôt caractérisé : un espace qui s'ouvre et qui incite au départ : «Maintenant, en avant ! dit Angélo» (p. 61) Plusieurs verbes prolongent cette impression : «ils remontaient la via San Paolo», «Ils longeaient des maisons». A ne tenir compte que de ce chapitre, on le voit parsemé régulièrement de verbes qui indiquent le déplacement dans l'espace : «Ils passèrent la barrière» (p. 63), «Ils marchaient» (p. 63), «Après avoir marché dans un pré juteux, ils retrouvèrent la route» (p. 65), «il se fraya un passage à travers des osiers, grimpa un talus» (p. 65). Le héros ne demeure jamais immobile dans cet espace ouvert ; il se déplace sans cesse. Et, lorsqu'il se trouve enfermé dans un espace clos — ville, bourgade ou maison — il parvient toujours à s'en échapper par une sorte d'issue de secours, car il ne supporte pas longtemps l'espace fermé. Cours, arrière-cours, portes dérobées finissent par lui donner «la clef des champs» (p. 62). Et il parvient à regagner l'espace libre et ouvert où il reprend sa marche en avant. De Turin, il finit par sortir : on lui offre de partir par un chemin privé qui conduit du fond d'un jardin à une porcherie située hors des murs (p. 62), mais il paraît finalement plus simple de soudoyer le corps de garde. Du village suivant, il s'échappe en escaladant un mur, en traversant un jardin et en sautant un ruisseau (p.64-65). De la grange où il a trouvé refuge, il peut tout observer grâce à une lucarne et il s'en échappe par «un trou dans le mur qui donnait directement sur les prairies.» (p. 94) De la chambre de la jeune fille qui lui a donné asile à Castelleto, il part de nuit en passant à travers une maison voisine et un jardin (p. 102-103). Mais, la situation ayant changé, il revient dans sa cachette. De chez la vieille dame, il sort par «un couloir de communs» qui débouche sur une ruelle écartée (p. 117). A Milan, il entre dans une maison pour éviter les tirs et les charges des fantassins ; il assure la protection des femmes qui s'y trouvent, puis, par un dédale de pièces, de couloirs et de trous dans les murs, il rejoint la rue, bien plus loin (p. 165). Enfin, quand sur la route il rencontre une bourgade, il fait le plus souvent un détour à travers champs pour l'éviter (p. 140, 245, 335). Pourtant, dans cette errance, il a besoin de temps à autre de repos. Les lieux clos lui assurent une protection. Il y refait ses forces physiques, il y trouve également une sécurité et une sorte de bonheur. Ainsi dans la chambre de l'hôtel de la Couronne, où il passe une nuit reposante et dort du sommeil le plus profond (p. 82). Chez la vieille dame, à Castelleto, il s'installe confortablement pour passer la nuit (p. 106) ; il y demeure le lendemain, rassuré et tranquille. Et, de la fenêtre, il observe l'enterrement du soldat qu'il a tué. Après avoir erré dans Milan où les combats ont fait rage, il entre dans un palais déserté de ses habitants et passe la nuit dans un salon près de la cheminée (p. 177). Plus tard, lorsqu'il est blessé, il est recueilli et soigné dans un salon bourgeois (p. 190). Quand éclate l'orage, il se réfugie dans une grotte (p. 247) ; puis il demeure huit jours dans une auberge, où il passe son temps à se nourrir et à se reposer (p. 251). Halte où il prépare ses forces matérielles : «Je veux dormir et manger : un point c'est tout.» (p. 253) Enfin, c'est surtout au château de La Brenta qu'il trouve un havre de tranquillité ; il y passe «plusieurs jours dans les voluptés de la paix» (p. 266). Mais il le quitte nuitamment en franchissant les hauteurs du Cappezone. Il trouve refuge dans une forêt très dense qui ressemble à un labyrinthe (p. 362), puis dans une bergerie dissimulée dans les herbes (p. 378).

Néanmoins, ces haltes sont toujours provisoires. Angélo repart, à pied ou à cheval, à travers l'Italie en guerre. Mais il ne suit guère les grandes routes ; il leur préfère les chemins et les sentiers, les sous-bois et les collines. Sa marche est toujours soumise aux aléas des événements : « A chaque instant, un obstacle imprévu le forçait à changer d'intention. » (p. 443) L'espace ouvert, dans lequel il s'élance, se fragmente et se divise en d'innombrables parcelles à travers lesquelles Angélo zigzague au gré des circonstances. Angélo a pour destin de sans cesse cheminer. Au début du roman il part de Turin pour combattre les Autrichiens et entre ainsi dans l'espace de l'aventure. A la dernière page, il quitte de nouveau Turin pour s'exiler en France et sort de cet espace. Mais sa longue errance n'a abouti qu'à un échec : défaite des armées italiennes au plan collectif, trahison de ceux qu'il aime au plan personnel. Il a perdu toutes ses illusions.

Ainsi, tout converge, dans *Le Bonheur fou*, pour donner une impression de dynamisme. La linéarité du récit, qui suit à de rares exceptions près la chronologie des événements et se trouve ponctué d'indications temporelles, lui assure un déroulement régulier sans arrêt ni rupture. L'enchaînement qui estompe les frontières entre les épisodes contribue à son tour à assurer cette continuité. La rapidité du tempo et l'utilisation exclusive du récit sommaire où s'intercalent de brèves scènes renforce ce dynamisme temporel. A ce cheminement dans le temps correspond une traversée de l'espace : Angélo va d'aventure en aventure et parcourt en tous sens le nord de l'Italie ; démarche incessante où la halte reste provisoire. Espace de la désillusion, où il erre tantôt aidé par les femmes, tantôt trahi par elles. Espace de l'échec, où il perd ses espoirs de voir un jour la liberté s'épanouir. Espace de la tragédie, où il tue son frère de lait. Le temps de l'héroïsme est passé, reste l'amour de Pauline. Pourtant, n'a-t-il pas connu le bonheur à courir ainsi d'un lieu à un autre et à vivre la succession des instants ? Bonheur précaire, mais intense et fou.

## NOTES

1. Robert Ricatte a dit là-dessus tout ce qu'il fallait dire dans sa notice (Giono, *Œuvres romanesques complètes*, IV, Paris, Gallimard, Bibliothèque de la Pléiade, 1977, pp. 1519 et sq.).

2. Les indications de pages entre parenthèses renvoient à l'édition suivante : *Le Bonheur fou*, Paris, Gallimard, 1957.

3. Voir p. 60.

4. Voir les indications temporelles aux pages 324, 327, 334, 338, 340, 341, 349.

5. Voir pp. 353, 361, 364, 365, 370.

6. Voir pp. 387, 397, 403, 407.

7. Pp. 426-434.

8. R. Ricatte, *op. cit.*, p. 1523.

9. Cité par R. Ricatte, *op. cit.*, p. 1552.

10. *Le Bonheur fou*, p. 195 et p. 219.

11. Je suis moins sévère que R. Ricatte envers Lecca (p. 1548).

# L'ESPION ET LE PROCUREUR

## par Marcel Neveux

L'Espion et le Procureur ne sont pas seulement des personnages romanesques, mais aussi «l'instance» du romancier, et même, très concrètement, des «instances» du romancier. Mais qu'on me permette de m'expliquer d'abord sur «l'instance». J'ai toujours été intrigué par l'usage de ce mot dans des disciplines anthropologiques. Sauf erreur, c'est Freud qui en lança la mode, en décidant d'appeler «instances» les substructures de l'appareil psychique, dans son ouvrage de 1923 *Le Moi et le Ça*. Sans doute la référence judiciaire n'était pas étrangère à la dénomination. Lesdites «instances» étaient, en effet, de niveau différent et leurs rapports suggéraient une hiérarchie, la plus haute, le surmoi, jouant un rôle normatif. D'ailleurs, vingt-trois ans plus tôt, dans *La Science des rêves*, Freud avait déjà parlé de la censure comme d'une «instance», et l'expression puisait évidemment sa force dans l'allusion à un tribunal, qui aurait à connaître de certaines poursuites, ou «instances». Pourtant, dans *Le Moi et le Ça*, la connotation judiciaire n'était plus guère qu'une survivance allusive. Il me semble que le mot devait son élection à l'avantage un peu louche de l'ambiguïté. Il ressemblait assez à substance et en différait assez pour que, d'une part, le lecteur soucieux de clarté se sentît en droit d'imaginer les trois composantes de «l'appareil psychique» comme les trois personnes d'une nouvelle Trinité, ou, mieux, comme les trois protagonistes d'une tragédie familiale, et que, d'autre part, Freud pût échapper au reproche d'hypostasier les ingrédients de la Psyché.

La fortune du mot fut assez grande, peut-être pour cette raison suspecte, et l'on retrouve «l'instance» dans le vocabulaire de la linguistique ou de la critique littéraire. Cependant, on peut craindre qu'elle ait perdu, au fil des emprunts, la pertinence qu'elle devait, pour une faible part, à l'étymologie, et, pour une part plus grande, à des usages administratifs bien attestés. J'avoue que je ne sais pas toujours très clairement de quoi l'on veut parler aujourd'hui quand on parle de «l'instance». Cet affaiblissement de sens m'a donc fait reculer devant le seul titre convenable de cette communication. Je craignais un peu qu'on n'allât imaginer, dans «l'instance du romancier», une vague subjectivité sans contour, ou encore une «voix». Car c'est très précisément d'une présence du romancier que je voudrais parler, et d'une présence qui est à la fois imminente et en surplomb, comme celle que le verbe «insto» peut suggérer.

On peut concevoir de bien des manières «l'instance du romancier», surtout si le mot romancier désigne par synecdoque la personnalité totale de Giono, et est censée valoir pour nommer chacune de ses manifestations («le romancier fit un voyage en Écosse», «le romancier cueillait-il lui-même ses olives?»). L'instance qui vient aussitôt à la pensée est l'«autobiographie». Ce n'est pas de celle-là que je veux parler. D'ailleurs, l'autobiographie est toujours difficile à isoler et à doser, soit que l'invention altère la confidence, par une erreur narcissique bien connue, soit que la confidence enrichisse l'invention, par une nécessité de sympathie. Dans ce dernier cas, l'autobiographie comme instance perd même toute limite définie, puisqu'elle inclut les confessions déguisées ou transposées. Il faut donc renoncer à en faire un trait discriminatoire. Naturellement, il n'est pas question de nier l'intérêt des travaux qui essayent d'éclairer une œuvre par l'histoire de l'auteur. Mais cette tâche n'est pas de ma compétence.

Je voudrais, pour ma part, décrire une instance qui est plus rare, peut-être plus proprement gionienne, plus facile sans doute à délimiter que l'instance autobiographique, mais sûrement assez difficile à caractériser. C'est la présence d'un romancier dans son roman pareille à celle d'un berger devenu mouton parmi ses moutons, ou, pour garder quelque dignité esthétique à la comparaison, pareille à celle de Vélasquez parmi les onze figures des *Ménines*. De même que le peintre s'est mis dans le tableau qu'il est en train de peindre, de sorte que ses dix modèles sont devenus onze, de sorte qu'il réussit à entrer dans la surface interdite de la toile, de même le romancier, mais le romancier comme tel, et tenant sa plume comme Vélasquez son pinceau, réussit parfois, par un tour de force ontologique, à se glisser entre les pages de ses livres. On aura remarqué de Giono affectionnait la formule : «portrait de l'artiste par lui-même», mais je ne sais si l'on a toujours observé que l'expression correspondait chez lui à un projet original et secret.

Si, par hypothèse, on admet qu'on puisse appeler instance la présence vivante de l'auteur parmi les vivants qu'il crée, on conviendra aussitôt que l'intance du romancier est nulle dans la plupart des livres qu'on distingue comme «romans» véritables. Ce n'est ni une question de discrétion ni une question de modestie. L'absence du romancier est la condition de crédibilité du roman. Il faut qu'un roman ait l'air de n'avoir pas été écrit pour qu'on entre franchement dans le jeu de l'illusion romanesque. Malgré l'extrême soin du peintre à reproduire les traits des personnages et la forme exacte des choses, la figure de Vélasquez dans les *Ménines* est un démenti de réalité, un aveu de simulacre. La règle générale des romanciers est qu'il faut se garder de jouer un pareil tour aux lecteurs. L'œuvre doit dissimuler sa naissance. Gérard Genette le remarque très justement à propos du temps réel de la composition d'un livre : «une des fictions de la narration littéraire, la plus puissante peut-être, parce qu'elle passe pour ainsi dire inaperçue, est qu'il s'agit là d'un acte instantané, sans dimension temporelle». Faut-il comprendre que les phrases d'un ouvrage, qui se tissent en forme temporelle, se donnent comme émanant d'une source unique et ponctuelle, c'est-à-dire d'une création ? Il faudrait plutôt dire, malgré le saugrenu de la formule, que le temps de l'écriture se donne comme n'ayant jamais «eu lieu», et que le sujet écrivant conserve, au regard de la chose écrite, la discrète universalité du sujet transcendantal. Gérard Genette range parmi les exceptions le cas du *Tristram Shandy* de Sterne. Le romancier passe et repasse avec beaucoup d'insolence à travers la limite qui sépare l'écriture du roman et le roman comme chose écrite. On pourrait penser aussi à d'autres cas paradoxaux comme *Jacques le fataliste* ou l'*Histoire du roi de Bohême et de ses sept châteaux*. Un acrobate comme Nodier aime à venir jongler à la frontière du temps et de l'espace dans lesquels il écrit et du temps et de l'espace diégétiques où son écriture fait vivre Don Pic et le fidèle Breloque. Mais ces mystifications sont parfaitement perçues comme des tricheries, des infractions à la loi romanesque, et ne doivent d'être divertissantes qu'à la loi qu'elles transgressent. Enfants nous avons tous été irrités ou chagrinés par des intrusions plus discrètes, mais cependant incongrues. Profitant d'une interruption du cours romanesque, il arrivait qu'un auteur sautât dans un blanc entre deux chapitres, et vînt faire parade avec impudence, par un de ces titres programmatiques, en forme de tambour, comme les affectionnaient Alexandre Dumas ou Jules Verne : «chapitre XXI, dans lequel l'auteur demande à son lecteur encore un peu de patience avant que le héros ne se tire du mauvais pas où nous l'avons laissé». Il y avait aussi ces petits chiffres placés comme des exposants au bout d'une phrase ; ils signalaient un arrêt arbitraire du mouvement narratif, pareils au pouce levé d'un joueur au milieu d'une partie, et, en bas de page, l'écrivain se croyait autorisé à vous tenir un petit discours instructif et assommant. Ces exhibitions, qui peuvent amuser des adultes, sont difficilement supportées par un enfant parce qu'il est «bon public» et qu'il tient à la *vérité*. Elles rompent l'illusion romanesque et sont ressenties comme des frustrations, semblables à un réveil avant la fin d'un rêve. En somme, plus le romancier se donne pour ce qu'il est, un inventeur, plus son roman paraît se jouer de nous et, en quelque sorte, nous mentir ; mais, s'il a la politesse de mentir constamment, alors son roman paraît vrai.

On ne trouvera chez Giono ni l'effronterie de Sterne, ni les cabrioles de Nodier — sauf pourtant dans *Noé*, qui est la tentative délibérée de mêler le temps et l'espace romanesques au temps et à l'espace de la création romanesque. Giono ne se donne pas non plus le droit d'apostropher son lecteur — sauf pourtant dans *Noé*, qui est une longue apostrophe. Mais je mets à part ce livre dans lequel l'instance disparaît «par excès» et fait place à une présence ostensible ; il n'y a même qu'un personnage dans *Noé*, et c'est l'auteur de *Noé* ; car les autres ne sont que des figures inchoatives que l'écrivain ne laisse pas sortir de lui-même, comme un Dieu qui ne prononcerait pas le «fiat» et garderait ses créatures à l'intérieur de l'acte qui les porte, comme de purs possibles. Je choisis de parler plutôt des livres dans lesquels on ne s'attend pas à rencontrer un romancier mêlé à la troupe de ses personnages, comme *Le Chant du monde*, ou *Le Hussard*, ou *L'Iris de Suse*, et, j'espère le montrer, beaucoup d'autres encore. Or, s'il faut que l'écrivain fasse violence aux formes de l'espace et du temps pour faire communiquer le pays d'où il écrit et le pays de ses créatures, les romans de Giono ne portent pas vraiment la trace de l'effraction, et, par conséquent, l'illusion romanesque est sauve. Tout au plus, si l'on est un peu physionomiste, pourra-t-on repérer quelques clandestins ; ils demeurent aux confins des deux pays et leur présence indique la frontière proche.

Si les habitudes du langage de la critique le permettaient, plutôt que d'emprunter au vocabulaire de la musique et de parler d'un «thème du Procureur» et d'un «thème de l'Espion», je préfèrerais m'inspirer du vocabulaire occultiste et décrire deux phénomènes de hantise. Car l'Espion et le Procureur sont des revenants, qui passent d'un livre à l'autre pour y agiter leurs chaînes. On les reconnaît comme tels, j'essaierai de le faire sentir, à une fréquentation capricieuse, impromptue, et d'une certaine façon nocturne, car leur sugissement provoque une légère mais tenace impression d'irréalité, comme l'intercalation d'un fragment onirique dans un monde jusque-là solide.

Premier fantôme, ou phantasme : un homme est assis devant une table chargée de livres et de papiers. Une lampe de bureau, munie d'un abat-jour, fait autour de lui une île de lumière cernée d'ombre, d'une ombre de plus en plus noire vers la périphérie, de sorte qu'on distingue mal les contours de la pièce. On comprend pourtant qu'elle est de grande dimension. Elle appartient d'ailleurs à une maison vaste et plutôt délabrée, une sorte de manoir. La grande pièce est désordonnée. Est-ce une bibliothèque ? Aux murs luisent faiblement des reliures. Est-ce un cabinet d'histoire naturelle ? Sur les meubles et les étagères, des échantillons de minéraux, des végétaux secs, des planches botaniques, de petits animaux naturalisés, principalement des oiseaux. La pénombre multiplie le fouillis. L'homme assis a cinquante ou soixante ans. Au moment qu'il a choisi pour se manifester, il reçoit un ou deux personnages qui, eux, nous sont déjà connus. Ils sont plus jeunes que lui, parfois très jeunes. Ils viennent d'entrer dans la grande maison, non sans soulagement, car ils étaient aux prises avec le double péril d'une aventure mal engagée et d'une tempête impitoyable. L'homme à la lampe les écoute avec une attention bienveillante, non dénuée d'une certaine ironie, disons, paternelle. Il sait écouter. mais il est aussi fort disert ; il va bientôt tenir à ses hôtes un discours philosophique original. Quelque générales qu'en soient les idées, ce discours s'applique miraculeusement à la situation des visiteurs. Car l'homme à la lampe sait parfaitement à qui il a affaire. Par la fréquentation des livres, la méditation solitaire et l'observation de la nature, il a acquis une «profonde connaissance du cœur humain». Il devine tout des jeunes gens venus s'abriter chez lui. Quand, s'approchant de la table, ils sont entrés dans le rond de lumière, ils se sont livrés à un appareil radiographique auquel rien n'échappe, ni leur présent, ni leur passé. Ni leur avenir, car l'homme à la lampe sait leur destin comme s'il était leur providence.

Pourtant, cet homme savant ne fait pas profession de dire l'avenir. Son métier serait plutôt de guérir. Disons qu'il est thérapeute ; soit un médecin en délicatesse avec la médecine, soit un guérisseur qui exerce publiquement son art sur les marges officielles, soit un rebouteux occasionnel qui fait profiter les éclopés de quelques vieux secrets, soit enfin un homme simplement habile à panser les plaies morales. Il faut ajouter que, dans tous les cas, ces thérapeutes sont résolument psychosomaticiens. Enfin, entre leur théorie médicale, leur familiarité avec la zoologie ou la botanique, et leur aptitude à lire dans les âmes, il existe un lien dont l'intelligibilité n'est jamais clairement établie, mais dont la fiction exige que nous leur fassions crédit. C'est un postulat qu'on ne saurait refuser sans se dérober à une convention respectable : celle qui institue l'autorité péremptoire du maître de la fiction.

On reconnaîtra sans peine ce fantôme sous ses avatars. Il est le Toussaint du *Chant du monde*, il est le médecin rondouillard du Chapitre XIII du *Hussard*, il est le Casagrande de *L'Iris de Suse*. Mais, si l'on passe sur quelques détails, on le reconnaîtra aussi dans le Marquis de *La Promenade de la mort*, au milieu de ses oiseaux empaillés ; ou dans «l'écrivain» Noël Guinard des *Fragments d'un paradis*, ainsi d'ailleurs que dans le capitaine du même roman, ce capitaine étant un zoologiste spécialisé dans la tératologie des fonds marins ; il est aussi un curieux guérisseur, apte à soigner les troubles consécutifs à la manducation d'oiseaux vénéneux. Il est possible encore de le reconnaître dans le fugace Monsieur Albert, des *Grands chemins*, «cultivateur de faisans» et adepte de l'euthanasie. J'ai appris avec plaisir, dans les notices de Luce Ricatte et de Janine et Lucien Mialet, que Monsieur Albert ne faisait probablement qu'un avec le marquis d'Aulan de la *Chute de Constantinople (La Promenade de la mort* est l'un des fragments subsistants de la *Chute de Constantinople)*. Double et réciproque confirmation, Monsieur Albert prêtant sa lampe aux vieux marquis, et celui-ci prêtant à celui-là son goût pour la zoologie (il a, en effet, entrepris de constituer une sorte de parc naturel avec les bêtes sauvages indigènes).

J'accorde que le décor varie parfois beaucoup. S'il est vrai que le palais des évêques de Villevieille, que la grande demeure affaissée du médecin anonyme, que le château branlant du marquis, que le manoir de Quelte, et même la grande maison bourgeoise, «avec ses tours et ses détours», de Monsieur Albert, ne manquent pas de points communs, on pourra s'étonner, en revanche, de voir figurer dans ma liste les deux marins de «l'Indien». Je répondrai seulement que la circonstance du voyage sur mer est impérative et absolutoire. D'ailleurs, si le château manque, du moins la lampe est-elle présente dans *Fragments d'un paradis*, et elle dessine, dans la soute encombrée où règne le magasinier, la plage légitime de clarté, tout en faisant vivre les ombres périphériques par la vacillation de la flamme du pétrole. La lampe est signalée chez Toussaint, chez Monsieur Albert, chez Casagrande. On ne la trouve pas chez le marquis naturaliste de *La Promenade* ; c'est qu'elle est éteinte, la Bioque étant venue en visite au milieu de la journée. Le médecin du *Hussard* n'a pas non plus son luminaire ; cependant, l'éclairage parcimonieux d'un feu de bois, qui fait danser les ombres, fournit un excellent équivalent.

Mais ce qui varie le moins d'un fantôme à l'autre est une propriété étonnante et que je crois essentielle. Tous ces sages dans leur lumière tremblante entourée de nuit, ont une incroyable lucidité et une non moins incroyable efficacité, soit qu'ils tissent ensemble les fils de destinées assorties, soit qu'ils tranchent le fil d'une vie parvenue à son terme. Je ne prendrai qu'un exemple, celui de Monsieur Albert, personnage discret, aux brèves intermittences, mais dont la fonction est démiurgique. C'est lui qui commande à distance la mise à mort amicale de l'Artiste par le Narrateur. Avec une bonté désabusée, ainsi qu'une exceptionnelle pénétration psychologique, il ordonne au Narrateur de participer à la chasse à l'homme et de prendre un fusil. Or, on peut se demander d'où il tient, lui qu'on aperçoit à peine dans quelques pages des *Grands Chemins*, tout ce savoir et tout ce pouvoir. On jurerait qu'il était là, mais dans les coulisses, depuis le début de l'histoire, qu'il a tout vu, tout entendu, et qu'il a, de longue main, prémédité la conclusion pertinente.

Je voudrais maintenant parler avec quelque détail du cas atypique d'*Un Roi sans divertissement*, puisque j'ai donné à ce premier fantôme le nom de Procureur. C'est à bon droit qu'on me reprocherait d'avoir pris cette décision contre toute logique. On m'accordera pourtant que l'appariement de l'espion et du procureur fait moins fortuit que la rencontre d'un espion et d'un guérisseur. Et puis, mais ce n'est pas la principale raison de mon choix, j'avais un compte à régler avec Giono, à qui j'en voulais un peu de m'avoir longtemps mystifié avec un personnage trop déguisé. Je dirais presque que le Procureur de la Chronique est un contre-emploi. J'avais toujours été frustré de ne jamais trouver dans *Un Roi* la grande scène du clair-obscur, avec conciliabule serré du héros et de son destin. Or, le Procureur, si l'on veut bien considérer l'homme et non le magistrat, était éminemment désigné pour le rond de lumière, pour le décor studieux, pour les anticipations tragiques. Il avait le poids, l'âge, le savoir. Il nourrissait pour Langlois l'amitié adéquate. Il manquait donc très injustement au «profond connaisseur du cœur humain» un attribut qui lui revenait de droit. Fallait-il croire que Giono avait privé le Procureur de ses insignes dans le seul but de décevoir les lecteurs candides? Par bonheur, je me suis souvenu du film de François Leterrier; et l'édition de la Chronique procurée par Luce Ricatte, dans les *Œuvres romanesques complètes,* nous fournissait obligeamment le scénario intégral qu'écrivit Giono en 1963. J'ai eu la joie d'y découvrir aussitôt mon Procureur dans son halo emblématique. Joie qui se doublait d'une satisfaction intellectuelle. En effet, si j'avais pu déduire la scène pour ainsi dire *a priori,* c'était qu'un lien de nécessité allait du Procureur à la lampe, et finalement du Procureur aux autres sages sous leur abat-jour. C'était donc aussi et surtout que le fantôme que j'essaye de décrire avait autant de consistance qu'en peut avoir un vrai fantôme et n'était pas une vaine chimère de mon imagination.

Langlois arrive donc chez le Procureur à la nuit close, et dans la tourmente de neige prévisible. Il frappe de la botte, sans descendre de cheval, à l'huis d'une grande maison noire. Un groom porteur d'un fanal vient ouvrir. On aperçoit un bel ameublement et des bibliothèques dès le vestibule. La lumière, à l'intérieur (c'est une prescription formelle du scénario) «doit être composée d'ombres», ce qui signifie, à l'évidence, qu'il faut respecter des stagnations de nuit dans les recoins et sur le pourtour de l'image, la lumière centrale n'étant que la limite d'un dégradé d'obscurité. Langlois franchit le vestibule et frappe à la porte du fond. Elle donne sur une grande pièce. Dans la cheminée brûlent des bûches, et le manteau monumental est couvert de livres. L'éclairage de cette pièce, stipule encore le scénario, «doit être intelligent». Il suffit d'un peu d'intelligence pour comprendre ce qu'est un éclairage intelligent : une clarté non pas profuse et partout égale, mais distribuée de façon à n'usurper point trop la part des ténèbres. En d'autres termes : sur le bureau une lampe bouillotte, en bronze doré avec une colonnette supportant les bras de lumière et recouverte d'un abat-jour. Ces lampes étaient encore à la mode sous Louis-Philippe. Le Procureur se lève péniblement, car, détail nouveau, il est podagre. Il se laisse tomber dans un fauteuil. On fume, l'un une pipe, l'autre un cigare.

Cette séquence du scénario est enfouie dans le non-dit de la chronique, page 476 du troisième volume de la Pléiade, entre le premier et le deuxième paragraphe. Ainsi les choses sont nettes. Une difficulté subsiste pourtant : la profession. Que vient faire un Procureur parmi les thérapeutes ? L'objection tombe si nous portons notre attention sur le caractère du personnage. La profession n'est pas ici un trait révélateur : le Procureur n'est pas ou n'est plus un accusateur. Saucisse lui fait d'ailleurs grief de ne pas faire assez de «procurements» ; et, de fait, nous voyons bien qu'il est plus enclin à excuser qu'à accuser. Il a, de surcroît, toutes les dispositions morales d'un thérapeute. Son expérience de la vie, sa zoologie à lui, qui était la science des monstruosités morales, l'ont conduit à une générosité désabusée. Les narrateurs répètent à l'envi qu'il est un psychologue pénétrant. Les journaux du Dauphiné impriment qu'il est un «amateur d'âmes». Enfin il a pris à tâche, sans grande illusion, mais par la «bonté égoïste» qu'il partage avec ses pareils, de guérir Langlois de son ennui.

Si l'on trouvait l'attribut thérapeutique trop peu marqué, cette carence serait compensée par le développement exceptionnel d'un autre attribut auquel je n'ai fait jusqu'ici qu'une allusion trop brève. Et là est la raison véritable pour laquelle j'ai fait de lui l'éponyme de cette première collection de fantômes. Le privilège du Procureur, privilège qu'on trouvait déjà chez Toussaint, ou chez de plus modestes lampadophores comme Noël Guinard, et qu'on trouvera plus tard chez le médecin anonyme, et chez Monsieur Albert, est une lucidité suréminente. Chacun de ces sages détient ou contient une vérité qui échappe aux autres personnages des différents romans. Disons que le Procureur est la *Conscience*. Héros, comparses et narrateurs se débattent avec des bribes de sens. Mais l'homme à la lampe dispose de la vérité d'autrui et de la vérité des rapports de chacun avec tous. Or c'est dans *Un Roi* que la figure de la Conscience est la plus complètement dessinée. Probablement parce que ce livre avait besoin de beaucoup de ténèbres, mais qu'il fallait laisser au lecteur une lueur dans la nuit, celle d'une intelligibilité possible. Le Procureur est l'incarnation de ce postulat d'intelligibilité. Donc, s'il n'a pas à vrai dire un rôle déterminant dans la Chronique, il a une *fonction* : c'est en lui que le désordre se totalise. Il surplombe le roman de telle manière que le belvédère qu'il occupe est le point de vue auquel il faut se placer pour que les lignes de l'histoire s'organisent en un dessin déchiffrable. Vus de tout autre poste d'observation, de la terrasse aux arnicas où s'assemblent les vieux fumeurs de pipe, par exemple, les événements se réduisent à une agitation dénuée d'unité. Les personnages du drame, comme les narrateurs successifs (le mystère est fait de leur incompétence), sont engloutis dans une action dont ils ne perçoivent ni l'ensemble ni la continuité. Le Procureur seul tient dans ses mains le fil conducteur qui va du hêtre fatal à la chasse au loup, de celle-ci au mariage de Langlois, de celui-ci au suicide. Depuis l'épisode de la chasse, il sait que le mal de Langlois résiste aux médecines connues ; depuis la fête de Saint-Baudille il a abandonné Langlois à la nécessité. Mais n'est-ce pas encore trop peu dire ? Dès avant qu'il ne commence, le roman est achevé dans l'esprit du Procureur. Nous ne sommes pas trop surpris d'apprendre qu'il partage avec le gendarme un mystérieux passé de familiarité. Que pourrait bien signifier ce passé commun sinon que, hors du temps diégétique, Langlois et le Procureur sont coéternels l'un à l'autre ?

Appelons les choses par leur nom. Le Procureur est évidemment Giono lui-même, non pas l'individu, mais le romancier assis à sa table, devant l'œuvre en chantier. Qui d'autre pourrait être la conscience du roman dans le roman sinon le sujet pensant et écrivant qui, dans l'automne 1946, raconte une histoire vieille d'un siècle ? Et qui, pour entrer dans son histoire, est contraint de «s'antidater» d'un siècle. Comme il s'antidatait ou se travestissait pour devenir guérisseur à Villevieille, marin à bord d'un navire océanographique, ou plus tard médecin bedonnant, ou «cultivateur de faisans». Dans tous ces personnages, nous devinons le même écrivain passe-muraille, évadé du monde réel. Ce prodige ontologique s'avère déjà assez dans l'équivoque sur le mot «écrivain» à propos de Noël Guinard. Car s'il est vrai que celui-ci a un droit intra-romanesque au titre d'écrivain (voir la notice d'Henri Godard), il est en même temps et surtout le double d'un écrivain en rupture de réalité et devenu fictif (j'aimerais pouvoir dire : passé chez les fictifs). Il partage avec le Capitaine la faculté de lire dans «l'interligne» et de connaître ce que tout l'équipage ignore : la finalité de l'exploration et même la destination ultime du voyage.

Mais on trouvera, dans l'œuvre de Giono, des confirmations qui me semblent plus éloquentes encore : je veux parler des textes où Giono parle de l'écrivain Giono. Ainsi, dans *Voyage en Italie*, ayant pris livraison à Padoue des six gros volumes d'une histoire de la Révolution de 1848 par un prétendu Paolo Pardi, Giono emporte avec gourmandise son recueil des passions humaines (qu'il compare au Catalogue de Saint-Étienne), et l'image qui vient à sa pensée est celle d'un rond de lumière, comme si c'était l'illustration la plus naturelle du bonheur d'imaginer : «il me tarde d'être à l'hôtel, ou n'importe où, *sous une lampe*, pour me plonger éperdument dans mon Catalogue des Armes et Cycles.» Ainsi, déjà dans *Noé* : Giono est mis en appétit de créer par des photos que lui a laissées Crom (Crommelinck fils). Il veut composer sans tarder de petits poèmes pour commenter les images. Mais quoi d'autre qu'un rond de lumière pourrait fournir son tremplin à l'essor de l'inspiration ? «Tous ces paysages extraodinaires (...) composaient, vus les uns après les autres *sous ma lampe cernée par la nuit*, un immense pays irréel.»

Pourtant voici une autre lampe, également intime et privée, qui pourrait suggérer une autre identification. Elle se trouve dans *Jean le Bleu*, au chapitre précisément intitulé : «Oisellerie». Nous tombons sur l'association, en quelques lignes, de plusieurs ingrédients du phantasme, mais ordonnés autour du Père : «Dès la nuit tombée, j'allais m'asseoir près de l'établi de mon père. Il allumait sa haute lampe de cuivre. Puis il dépendait les cages. Il avait cinq cages pleines d'oiseaux. » Il faut rappeler que, dans le chapitre précédent, la même haute lampe de cuivre éclairait les visages du Père et de l'Anarchiste. L'enfant écoutait les deux hommes parler de Jean Grave, de Proudhon, de Bakounine. L'hypothèse me paraît plausible d'une association précoce de la nuit, de l'éclairage artificiel, de l'oisellerie et des grands voyages de l'imagination. Les éléments de ce tableau syncrétique ont pu devenir assez parents pour produire ce que la vieille psychologie appelait «l'effet de rédintégration». Mais si le passage de *Jean le Bleu* que je viens de citer a le mérite de jeter un peu de lumière sur le décor ornithologique reproduit ou anamorphosé plus tard autour du Marquis d'Aulan, de Monsieur Albert ou de Casagrande, il pourrait nous laisser perplexes sur la véritable identité des sages auréolés de clarté. Il n'est pas impossible pourtant de lever la difficulté si l'on suppose une identification de Jean et d'Antoine Giono. Supposition qui n'est ni gratuite ni inconséquente. Car l'écrivain, quand il s'assied à son propre établi d'imagier, tend à reproduire avec ses personnages les rapports que son père entretenait avec l'enfant qu'il était. Le Père imaginaire reçoit Tringlot, ou Angelo, ou Antonio, dans la maison des origines, tout comme Jean Giono se rappelle avoir été accueilli dans l'atelier d'un père que la mémoire pieuse a rendu imaginaire.

Nous en aurons fini avec notre première série phantasmatique si nous pouvons répondre à la question : à quoi reconnaît-on un vrai Procureur ? Car, enfin, il y a d'autres lampes et d'autres tables encombrées de paperasses chez Giono. Le vrai Procureur, à mon sens, se distingue en ce qu'il suscite, dès qu'il apparaît (n'oublions pas que c'est un fantôme), un très léger scandale, une toute petite réprobation intellectuelle, comme s'il contenait la menace d'une subversion de la logique. Il fait remonter à la mémoire le vague souvenir d'apories célèbres ou de ces objets vertigineux, qui mettent la raison et l'œil dans l'embarras, et qui sont à leur manière des apories de la perception. La Conscience qui contient le roman sans pour autant cesser d'appartenir au roman paraît renouveler une difficulté logique qui tourmentait Cantor. A prendre en un sens physique le rapport familier de contenant à contenu, nous ne pouvons manquer de ressentir une certaine gêne, imperceptiblement onirique, quand un livre nous donne à imaginer le prodige d'un contenant qui se reverse dans son contenu : ainsi la soudaine métamorphose d'une grande pièce illustrée par une lampe centrale, qui se révèle être une autre pièce illustrée par une autre lampe, et dans laquelle justement des travaux d'alchimie littéraire sont en train d'engendrer la première. Nous pensions être à Villevieille, chez Toussaint, et nous voilà à Manosque, chez Giono, et tout le mobilier du bureau dans lequel Giono élabore son Toussaint et son Villevieille s'écoule dans la vaste salle imaginaire du palais imaginaire des évêques. Autour du rond de lumière pris comme centre, le monde a soudain tourné et nous sommes passés, comme Alice, de l'autre côté du miroir. L'axe lumineux seul est demeuré lui-même, mais la lampe qui diffusait la lumière n'est plus la même lampe, ni la table qui portait la lampe, ni la maison, ni le monde. Métamorphose qui évoque aussi l'écœurant ruban de Mœbius, dans lequel le recto et le verso ne sont plus tenus à se tourner le dos mais communiquent sans discontinuité et appartiennent à la même surface courbe. Nous pensions être avec Tringlot sur les alpages, ou avec Langlois dans le village apeuré, ou avec Matelot sur les chemins pluvieux, et le cours du récit nous conduit, sans qu'aucune rupture le laisse prévoir, en un lieu que nous reconnaissons comme son point de départ. Non pas comme son début narratif, mais comme le lieu non romanesque où s'engendre le roman. La fiction, par une sorte de torsion sur elle-même, nous a fait passer, du recto lisible au verso sur lequel s'inscrivent, tracés par une plume connue, les signes que nous étions en train de déchiffrer.

En termes moins imagés, je dirai que l'instance du romancier se repère à une ambiguïté ontologique. Les personnages qui sont les doubles de l'écrivain sont «doubles» au sens strict. Hommes de la frontière, ou des marches, ils participent de deux natures, occupent deux espaces et déploient leur existence dans deux temporalités. Si bien que le pointillé lumineux des lampes, d'un roman à l'autre, assure la continuité *imaginaire* du réel et de l'imaginaire, tout en dessinant le démarcation réelle de l'imaginaire et du réel. Cette démarcation est le défi continuellement lancé à la rêverie, et infatigablement relevé par un romancier qui ne veut pas désespérer de réaliser l'imaginaire en s'y réalisant imaginaire.

Mais voici une deuxième instance, signalée par un nouveau décor et figurée par le fantôme de l'Espion. Soit une ligne d'arbres à la verdure tendre et au feuillage gracile. Des saules, de préférence. Il y a des chances qu'un voyant invisible se trouve de l'autre côté de la ligne.

Mais deux mots sur le saule, d'abord. Dans la botanique cordiale de Giono, le saule est une essence privilégiée, à l'égal du hêtre. Parmi les multiples fonctions qui lui sont dévolues (il est l'arbre de la grâce, du repos, l'annonciateur de la belle saison, l'arbre tutélaire des rois-chevaliers et des hussards chevaleresques), il en est une qui se distingue par sa permanence et sa singularité. Le saule est l'arbre du seuil. On jurerait un jeu de mots sur vimen-limen, viminal-liminal. Le seuil marque un départ entre l'en-deçà et l'au-delà. Le saule a donc la fonction de séparer.

Il sépare comme un rideau. Derrière les saules s'étend un royaume arcadien, peuplé de femmes peu ou point vêtues, bergères ou aristocrates : Kalidassa (de *Naissance de l'Odyssée*), Hélène (de *Manosque des plateaux*), Aurélie (de *Jean le Bleu*), Angèle (d'*Un de Baumugnes*), Gina (du *Chant du monde*), la lavandière (du *Bonheur fou*), et Pauline (d'*Angelo*), celle-ci désirable, mais vêtue de pourpre.

Il sépare aussi comme une frontière : vimen-limes. Il est dit «lisière» dans *Le Chant du monde*. Il est la limite au-delà de laquelle commence l'aventure («je t'attends au saule», dit Firmin à sa bonne amie, le matin de l'enlèvement). Il est la borne que Madame Numance s'est prescrite dans ses promenades («il y avait, entre les peupliers, un très vieux saule, gros comme un dindon ; c'était la limite qu'on ne dépassait pas ; au-delà, la route devenait sauvage»). Il est le terme sur lequel achoppe l'ambition des dynastes dans *Le Moulin de Pologne* («leurs frontières butaient un beau jour sur une haie de saules infranchissable, ou sur le requiescat in pace»).

Le fantôme de l'Espion qui hante les marges est donc fortement sollicité par la ligne des saules. Rideau ou frontière, le saule fournit un observatoire à Gygès, soit qu'il regarde «derrière le voile des saules» quelque beauté en négligé, comme Albin extasié par l'apparition d'Angèle, soit qu'au-delà du monde quotidien un mystère plus métaphysique l'absorbe.

On me permettra de renvoyer à un inventaire (tout juste esquissé) publié dans le numéro de décembre 1982 de la revue *Études littéraires*. J'ai compté un nombre considérable de «voyeurs» dans l'œuvre de Giono et je ne voudrais pas vous en imposer la liste fastidieuse, ni vous détailler la litanie des vingt-cinq végétaux à vocation cryptique, ni analyser par le menu les modes de l'espionnage gionien avec leurs variantes. Je ferai simplement observer que si le personnage du Procureur est toujours plus ou moins spécialisé dans sa fonction de Conscience à la fois immanente et transcendante, de sorte qu'on peut le considérer comme détenteur d'un mandat permanent, en revanche le rôle de Gygès peut être tenu par n'importe qui. C'est l'opportunité qui commande. Brusquement, le plus modeste des comparses se trouve désigné, parce que la situation est propice. On remarquera, toutefois, que le rôle d'espion est préférentiellement confié à des «narrateurs», principaux ou occasionnels, peut-être parce que les scènes d'espionnage sont de plus haut goût quand elles sont rapportées par un *discours* que par un *récit*, ou peut-être tout simplement parce que Gygès est le seul à pouvoir dire ce qu'il a vu. On aura donc affaire, dans cette seconde instance, moins à l'étude d'un personnage qu'à l'examen d'une situation récurrente. Et, s'il y a quelque constance dans les retours du deuxième fantôme, elle se trouve du côté du langage (stéréotypes, pléonasmes obsessionnels) et du côté du décor, plutôt que du côté de la psychologie. Mais, par là-même, les occurrences de l'Espion, à cause de leur nombre, de leur diversité, mais aussi de leur distribution régulière d'un bout à l'autre de l'œuvre de Giono, posent un problème plus déroutant encore que les retours du Procureur.

J'appellerai ici Espion, ou parfois Gygès, tout personnage que Giono met en position de «voyeur», c'est-à-dire de voyant invisible. Or, chose digne de remarque, Giono insiste presque toujours sur la circonstance de la cachette ou sur les manœuvres par lesquelles l'Espion organise son invisibilité, comme si la perception inaperçue gagnait une modalité qui en augmente infiniment le prix. Je renvoie ici aux innombrables scènes de «guette» (d'Albin, de Panturle, de Jean le Bleu), mais aussi aux ruses déployées par Frédéric II dans *Un Roi*, pour maintenir M. V. dans son «collimateur», des heures durant, tout en demeurant inaperçu. Je renvoie surtout aux textes qui soulignent, de façon parfois redondante, l'invisibilité de l'espion. On en trouvera dans *Le Moulin de Pologne* : «Je réussis à me placer assez près de Julie pour bien la voir, et assez dissimulé pour n'être pas remarqué»; dans *Les Récits de la demi-brigade* : «ayant trouvé une légère éminence, à l'abri de laquelle je pouvais, moi ausi, voir sans être vu, je fis sentinelle»; ou, toujours de la bouche de Martial : «J'essayais de voir avant d'être vu, mais les carreaux étaient sales et embués»; dans *L'Iris de Suse* : «j'étais caché derrière la vigne vierge; elle ne pouvait pas me voir mais je la voyais.» Lorsque la locution «sans être vu» (ou une autre équivalente) n'est pas employée, c'est que le hasard a fourni à l'espion l'aubaine d'une invisibilité providentielle (la «niche d'ombre» de Maurras, dans *Colline*, les osiers de Maillefer dans *Jean le Bleu*), ou qu'une impunité parfaite lui est assurée par la distance (Titus-le-long et sa longue-vue dans *Ennemonde*, Louiset et ses jumelles dans *L'Iris de Suse*), ou par une obscurité inviolable (Tringlot dans la cathédrale de Villard). Toute cette rhétorique de l'invisibilité, qui m'a paru relever d'un «complexe de Gygès», induit naturellement une hypothèse plutôt désobligeante. Mais, au moment où le soupçon nous traverse l'esprit, quelque chose nous dit qu'il est mal justifié.

C'est ainsi que, trop attentif au sens de ces trois petits mots, «sans être vu», et pensant à juste titre qu'ils font un tout avec le complément du verbe désirer (l'espion désire voir-sans-être-vu), on attribuerait à Giono, dans un premier mouvement, le désir de dissimulation qu'on a observé chez son espion. On serait ainsi orienté, soit vers une imputation de «voyeurisme» pervers, autrement nommé scoptophilie, soit vers le soupçon de l'indiscrétion ou de la «curiosité» vulgaire, disposition plus innocente mais totalement insignifiante. Accusations tout à fait arbitraires, reposant sur une confusion. L'erreur est de croire que ce qui est vrai du personnage de l'espion est vrai aussi de l'instance du romancier. Il est incontestable que l'Espion désire voir et désire ne pas être vu pour mieux voir ; ou que Gygès désire voir et profite de son apanage d'invisibilité qui est *gratifiant pour lui*. Mais l'invisibilité n'est nullement désirée ni désirable par le sujet véritable, qui s'est incarné dans l'Espion fictif. Ce sujet véritable, qui est le romancier en train d'écrire un livre, souhaite seulement voir, et, d'autre part, est entièrement soustrait au regard de ses créatures ; ou, s'il est Gygès, son invisibilité ne saurait être gratifiante ; elle serait plutôt la malédiction de l'écrivain, condamné à demeurer à l'orée de la fiction, ou à n'y entrer que par de faux-semblants. Le vrai regard, qui passe par l'œil de l'Espion, n'a pas beaucoup de précautions à prendre pour n'être pas regardé : il n'appartient pas au même monde que les personnages qu'il observe et qui émanent de lui. Il est sur le bord transcendantal du roman, du côté où la fiction prend sa source. Mais naturellement, puisqu'il a formé le projet impossible d'aller vivre parmi ses héros, il faut bien qu'il fournisse à ses fantômes les ressources fictives de son invisibilité réelle, et qu'il leur fournisse les ruses et le caractère qui rendront plausibles son occultation et son absence. En somme, le voyant, qui est invisible par nature, doit se faire représenter dans le roman par des voyeurs invisibles par goût.

Je me suis longtemps demandé d'où venait que les voyeurs gioniens n'étaient jamais débusqués, et d'où ils tenaient la tranquille assurance qu'ils avaient de leur invulnérabilité. Certes, en de rares occasions, il arrive qu'ils soient surpris et qu'ils deviennent tout à coup visibles ; mais c'est toujours par l'intervention d'un espion qui leur demeure caché, donc de rang supérieur dans la hiérarchie. Il fallait que le vrai Gygès confondît un pseudo-Gygès, ou bien il avait plu à Giono d'investir de la fonction d'Espion un nouveau personnage, pour qu'il se donnât à lui-même une nouvelle perspective sur sa créature, comme c'est le cas dans les marivaudages «visuels» du Besson et de Gina, d'Angélo et de Pauline, de Thérèse et de Madame Numance. En fait, l'Espion jouit d'un privilège exorbitant du droit commun à l'invisibilité. Les fourrés, les rideaux, les lucarnes, les portières de diligence (et même les saules), seraient des observatoires bien précaires pour Thérèse, pour Martial, pour Melville, pour Panturle, pour Maillefer, s'ils n'étaient garantis du dehors par une parfaite, par une originaire invulnérabilité. Le romancier, du bord extérieur de son roman, leur communique, sous forme de clandestinité certifiée, sa propre disparition. L'Espion jouit donc par délégation d'une impunité surnaturelle, comme le Gygès de *La République*, «égal aux dieux parmi les hommes».

Il suffit, pour en avoir une présomption suffisante, de relire «Sylvie» dans *Solitude de la pitié*. Les dernières lignes de la courte nouvelle contiennent quelques mots qui font dresser l'oreille : «Elle ne me voit pas. *Elle ne peut pas me voir.* Elle ne me verra *jamais*. Moi, je la vois.» L'absence de réciprocité entre Jean, le narrateur, et la jeune fille qu'il contemple, ne saurait être exprimée en termes plus frappants. «Elle ne peut pas me voir» : l'impossibilité qui est ici exprimée n'est pas contingente, provisoire, réparable. C'est, à mon sens, une impossibilité absolue, ou, si l'on préfère, une nécessité négative, c'est-à-dire telle que la contradictoire serait absurde. D'ailleurs, l'adverbe «jamais» le dit très clairement. L'invisibilité de Jean est le lot de l'écrivain, le triste destin de l'écrivain. Soyons plus clair. Jean, dans cette nouvelle, est l'écrivain qui présentement écrit la nouvelle. Car en toute rigueur le seul être appartenant au récit que Sylvie ne peut percevoir, le vent dût-il, par une bourrasque, entrouvrir la touffe d'herbes qui le dérobe prétenduement, c'est l'auteur de la nouvelle, qui s'est subrepticement avancé jusqu'à la lisière de la fiction. Sylvie peut voir son ouvrage (elle «fait le bas»), le frelon qui tourne autour d'elle, ses brebis et les oliviers, et les scabieuses. Mais Jean est un transfuge de l'en-deçà. Il n'existe que comme regard, et ce regard vient d'ailleurs, ayant traversé la glace sans train qui sépare les créatures de leur créateur.

L'Espion est donc une autre instance du romancier. Si cette hypothèse est vraie, il faut s'attendre à une analogie structurale entre les modes d'existence romanesque du Procureur et de l'Espion. Pourtant, les manifestations de celui-ci ne s'accompagnent pas de ce très léger tremblement du réel ni du sentiment d'étrangeté qui signalaient les manifestations de celui-là. Gygès est plus discret ; il ne surgit pas armé de tout son attirail d'écrivain et environné de son décor studieux. Aussi ses visites compromettent-elles moins la solidité du monde. Il reste cependant qu'à la réflexion, l'Espion participe de la nature hybride du Procureur. Je disais que l'homme à la lampe entretenait un double et inconcevable rapport avec la fiction parce qu'il dérangeait l'ordre tranquille de nos idées d'inclusion et d'exclusion. Examinons un peu cette étrange limite sur laquelle s'embusque l'Espion, et que j'ai figurée par une ligne de saules. Où croissent donc ces saules ? Dans quel monde ? Force est bien d'admettre qu'ils sont ici et en même temps ailleurs. La limite qu'ils tracent a ceci de particulier qu'elle est dans le paysage qu'elle limite. Et Gygès, enfoui dans le feuillage limitrophe, est par conséquent à la fois dans la fiction et hors de la fiction. Toutes les mesures qu'il prend et toutes les ressources que Giono lui prodigue pour sa sauvegarde d'espion, sont destinées à le placer «hors du champ». Il n'en demeure pas moins dans le champ romanesque qui s'ouvre dans l'écriture de l'écrivain et dans la lecture du lecteur. Le paradoxe de Gygès répète le paradoxe de l'homme à la lampe et notre sentiment se confirme que le fantôme de l'Espion est le même que le fantôme du Procureur, ou plutôt qu'ils sont deux variantes de l'instance du romancier. La haie de saules marque dans le jour la même frontière que signalait dans la nuit la scintillation des ronds de lumière, et le regard qui s'évade du champ perceptif, tout en restant dans le champ romanesque, appartient au même sujet qui, du dedans de la fiction, pensait la fiction.

Maintenant, si nous prêtons un peu d'attention à la qualité commune des expériences de Gygès, nous y trouverons presque constamment l'association contradictoire de l'espoir et de la désillusion, de la promesse et de la dénégation. Les secrets que l'Espion prétend surprendre sont des prodiges évanouissants. Tantôt ce sont des beautés qui fuient vers les saules, et leur manège n'est pas toujours une coquetterie virgilienne, car il arrive qu'elles disparaissent pour toujours. C'est le cas d'Hélène surprise, nue, par Joselet, et qui se jette dans le Largue pour s'y noyer. Tantôt, c'est le présage d'une révélation infiniment précieuse, qui, hélas, reste sans suite. Ainsi Aurore voit surgir du rideau de verdure, dans le petit matin, la tête d'un cerf, et c'est comme si un grand secret panique allait s'ouvrir ; mais le rideau se referme, le cerf ne reviendra plus et le grand secret est redevenu hermétique. Parfois les espions attendent la solution d'une énigme, comme «les trois hommes courageux» de *Naissance de l'Odyssée*, ou les fumeurs de pipe d'*Un roi sans divertissement*, ou le narrateur bossu du *Moulin de Pologne*, mais la clarté espérée fait vite place aux ténèbres, et la maison d'Ulysse, ou le labyrinthe de Langlois, ou la figure disgrâciée de Julie, demeurent indéchiffrables.

La plus parlante de ces situations de frustration est sans doute la «guette» amoureuse : c'est la promesse non tenue d'un bonheur qui, tout à la fois, se propose et se refuse. On en a un exemple dans la première partie d'*Un de Baumugnes*. L'image d'Angèle à demi-nue laisse à Albin la brûlure d'une remords irréparable, celui de l'occasion perdue. Un exemple moins appuyé est offert par l'admirable biographie conjecturale et fantaisiste de Melville. L'écrivain a longtemps épié Adelina White et ne la joint enfin que pour la perdre. Quant à Angelo, il a vu à travers les branches des jeunes saules la femme que les dieux paraissaient lui destiner, mais il comprend aussitôt que la promesse des saules est trompeuse, car l'unique femme qu'il aurait pu aimer ne peut lui appartenir.

J'ai cru longtemps que ces apparitions de l'amour, aussitôt éclipsées, étaient l'allégorie d'une érotique gionienne. On peut, avec plus de vraisemblance, les rapporter à une disposition presque fatale chez le créateur de fictions et qui trouve chez Giono sa forme littéraire la plus immédiate. L'accent ne doit pas être mis sur la fatalité du désenchantement amoureux, mais sur la nature forcément déceptive d'un désir qui est désir d'imaginaire. Car si l'on admet que Gygès est bien Giono romancier, et si le saule est la figuration d'un seuil idéal mais infranchissable qui sépare l'écrivain de ses créatures, on conçoit aisément que l'élan portant le premier vers les secondes rencontre le vide, et que le saule, lieu de leur naissance, soit aussi le lieu où elles s'avèrent chimériques. Aussi n'est-on pas surpris qu'à cet arbre nostalgique soit associée dans *Angélo* la valse de Brahms en la bémol majeur, connue populairement sous le titre «Les Regrets». Le saule et ses répétitions répètent au romancier qu'il est condamné à rester sur le bord de ses rêves. Gygès tend en vain les bras vers de merveilleuses créatures. Elles ne voient pas même son geste, car elles ne sont ni de son temps ni de son pays.

En revanche, on note aussi chez l'Espion une avidité de voir, une sorte d'appétit vorace, exprimés souvent par des formules d'une force inattendue. Cette convoitise qu'on voit briller dans les yeux de Gygès est d'autant plus surprenante qu'on a écarté l'hypothèse de la scoptophilie pathologique. Rappelons-nous l'émotion de Panturle à la lucarne, le regard non pas captivé, mais capté, confisqué par les seins nus d'Arsule ; dans son égarement, il n'est plus maître de ses mouvements, il renverse les meubles et manque de se casser la jambe dans l'escalier. En apparence : scène de rut avec menace d'apoplexie. Rappelons-nous aussi la gloutonnerie de Frédéric II, qui ne peut pas quitter des yeux le lycanthrope, qui se saoûle du spectacle de la lycanthropie. Il est emporté par une passion si nouvelle et si immodérée qu'il en est lui-même stupéfait et honteux. Rappelons-nous encore la fébrilité du narrateur du *Moulin de Pologne*. Il devine qu'il y a quelque chose d'obscène dans sa curiosité, mais le diable, qui s'est enchevêtré aux générations des Coste, est le maître de son regard, et, n'était le froid, il serait resté dans sa contemplation «jusqu'à la fin du monde». Rappelons-nous enfin le phantasme du petit Bruno dans *Hortense*. Il voudrait qu'un sortilège le rendît invisible pour exercer sur son frère rustaud et faraud la «violence» de son regard.

Si l'on veut, là encore, interpréter correctement ces symptômes inquiétants, il faut se rappeler que la convention romanesque impose un décalage psychologique entre Giono, voyant réellement invisible et son fantôme, voyeur fictivement clandestin. Le romancier doit confier son mandat à des personnages dont la concupiscence oculaire soit rendue vraisemblable par quelque trait moral dont il est lui-même indemne (pour autant qu'on puisse en juger). Le véritable regard qui passe par les yeux de tous ces avides c'est toujours celui de Giono, penché sur le manuscrit, et s'il exprime une avidité, elle est d'une qualité très différente. Sans doute le romancier est-il «fasciné» ou «hypnotisé» (les deux mots figurent dans les épisodes de la filature de M. V. par Frédéric II et de la guette fiévreuse du *Moulin de Pologne*), mais par sa propre création. Son avidité n'est que le désir d'assister à l'épiphanie du romanesque au milieu du quotidien. Deux textes anciens, l'un de *Naissance de l'Odyssée*, l'autre de *Jean le Bleu*, contiennent un mot significatif, «émerger», pour décrire le surgissement, dans la monotonie du monde, d'une merveille qui n'est pas d'ici : «Kalidassa émergeait des herbes», la petite Anne «émergeait du monde». (Inutile de souligner la force et la précision du deuxième complément.) L'écrivain guette donc passionnément l'émergence, dans le monde où il vit, d'un monde où il ne vit pas, mais qui pourtant est le sien et dans lequel il installe son double, invisible, pour jouir du point de vue du Dieu de Berkeley. La passion de créer peut être aussi violente que la passion érotique, et il n'est pas surprenant que la première emprunte sa rhétorique à la seconde. C'est pourquoi je vois dans les paroxysmes de Gygès une raison de plus pour l'identifier à Giono romancier.

Il resterait à expliquer une association qu'on ne peut tenir pour fortuite : celle de l'Espion et du saule. Quand le saule est là, l'Espion n'est pas loin ; et réciproquement, quand l'Espion paraît, il n'est pas rare qu'il ait un saule à sa portée. Y a-t-il un moyen de motiver ce végétal arbitraire ? Le projet de dissoudre un arbre très concret avec quelques acides conceptuels me laisse sans courage. Il y a bien, pour ceux qui voudraient psychanalyser le saule, la ressource d'une vague convergence entre la III<sup>e</sup> *Bucolique* de Virgile, le *Cas de conscience* de La Fontaine (*Fables*, IV, 4), une scène de l'*Ingénu* (chapitre III), quelques phrases de Bachelard (*L'Eau et les rêves*) sur les rivières et les plantes uligineuses, et sans doute bien d'autres textes, galants ou non. Des esprits audacieux pourraient y voir un encouragement à changer, par volatilisation, une essence végétale en essence intelligible. Ils verraient peut-être dans le saule un symbole universel : car le saule, aimant la berge des rivières, induit le bain, qui induit la nudité, qui induit le voyeur. Mais, d'une part, je ne sens pas la vérité de cette symbolique et, d'autre part, elle fournit une herméneutique sommaire qui n'est pas congruente au sens composite du saule gionien.

Dirons-nous que le saule est un relais analogique entre l'imagination et l'imaginaire ? L'œil qui devine un au-delà de fiction à travers les saules ne serait-il pas l'œil qui traverse la surface du papier ? Cette surface, couverte de ses guirlandes pseudo-périodiques de boucles, de jambages et de hampes, ressemble assez, après tout, à l'écran garni de formes répétitives mais capricieuses, que peut offrir un rideau de verdure. Mais, à force de pourchasser tous les termes d'une métaphore naturelle, le poids de l'analyse nous fait descendre au niveau des allégories disponibles à tout usage. Pourtant, je ferai remarquer que la feuille de papier n'est feuille que par un trope, et que Walt Whitman que Giono admirait tant dans sa jeunesse, avait saisi cette catachrèse pour ainsi dire au nid, dans son titre : *Leaves of grass*. Pourquoi pas alors, sous le titre «Leaves of willow», une traduction anglaise d'une anthologie de Giono ? Titre pertinent, en effet, si le saule est pour lui le référent originaire et privilégié de la feuille, même quand elle devient papier. Mais la question revient : pourquoi cette préférence singulière ?

Toute expérience humaine est à la fois universelle et singulière, c'est-à-dire comporte une part d'intelligibilité et une part d'obscurité. Le premier fantasme contenait quelques éléments en eux-mêmes obscurs : le métier de guérisseur, le décor ornithologique, la grande maison délabrée. Des rapprochements avec d'autres textes fournissaient — mais fortuitement — un moyen de réduire quelques-unes des singularités et de limiter la part de l'obscurité. Mais peut-on tout réduire et tout éclairer ? La réponse négative va de soi. Le cas du deuxième fantôme pose un problème d'idiosyncrasie botanique, indiscernable du problème général des philies et des phobies dont le mélange fait la variété des goûts et des couleurs. Il n'est pas impossible qu'une étude attentive de toutes les traces, écrites ou non, laissées sur cette terre par Jean Giono permette d'éclairer un peu sa dendrophilie privée. A la condition, toutefois, d'admettre comme axiome que l'obscurité du passé le plus lointain ait le pouvoir d'éclairer l'obscurité ultérieure. Je signale à tout hasard quelques textes qui pourraient mettre sur une piste : un court passage de *Naissance de l'Odyssée*, «Les larmes de Byblis» (dans *L'Eau vive*), et le délire éthylique de Janet dans *Colline*. Ces textes sont dans le premier volume des *Œuvres romanesques complètes*, respectivement page 113, 125-126 et 142. Pour ma part, je n'ai ni le goût ni la compétence qu'il faut pour ces travaux spécialisés. Et je me demande si, poursuivant le voyeurisme viminal jusqu'à quelque forfait enfantin ou jusqu'à quelque scène primitive, nous ne nous exposerions pas, nous qui traquons le voyeurisme, au flagrant délit de voyeurisme.

Restent sûrement d'autres obscurités. Mais s'il subsistait une possibilité de doute quant à l'identité véritable de l'Espion et du Procureur, elle pourrait bien être levée par un texte quasi providentiel que je veux citer pour finir. On y voit les deux fantômes se rejoindre en regagnant tous deux simultanément leur lieu d'origine. Le Procureur, romancier devenu personnage, l'Espion, personnage devenu pour un temps romancier, devaient bien finir, dans leur mouvement inverse, par se rencontrer dans le bureau de l'écrivain. L'événement s'est produit dans *Noé*. On se souvient que Giono, sous sa lampe, mis en appétit par les images de Crom, attendait la naissance imminente d'un «immense pays irréel». Le romancier est donc assis à la table du Procureur, et les personnages de *Noces* sont sur le point de paraître. Or, voici que le Procureur devient Gygès : «Et maintenant que je les ai tous sous les yeux (l'astuce du photographe m'ayant placé derrière le prêtre, face à l'assistance, *comme si j'étais Dieu* et que *je regarde par le trou de serrure* du tabernacle), *je ne perds pas une miette de ces noces* [...] Je n'ai qu'à promener ma loupe de visage en visage pour visiter la plus extraordinaire ménagerie.»

A supposer que je sois parvenu à montrer que l'Espion et le Procureur sont des instances du romancier, il me faut préciser (c'est-à-dire limiter) la portée de cette communication. Elle ne résout un problème que pour en poser d'autres. En effet, si l'on voit assez bien *comment* le romancier Giono se fait personnage de roman, la question de savoir *pourquoi* n'a été que partiellement abordée. En outre, il semble bien que l'homme à la lampe et Gygès, s'ils sont jumeaux comme instances du même écrivain, ne sont pas des jumeaux vrais. Je veux dire qu'il faudrait faire correspondre à la dualité de leur mode d'apparition et de leur rôle, une dualité de fonction. Je ne peux que suggérer ici, et comme pure hypothèse provisoire, que les deux instances pourraient représenter deux versants de la création romanesque, ou deux moments de cette création, l'un diurne, l'autre nocturne :

«Mais rendre la lumière
Suppose d'ombre une morne moitié.»

Le premier fantôme compose le roman à partir de la pénombre bachelardienne qui palpite autour de la lampe ; le second jouit de l'émergence des créatures venues de la nuit. Ainsi, le premier illustrerait plutôt le moment de l'écriture, et, comme il convient de ne pas oublier que le romancier est à lui-même son premier lecteur, le second illustrerait le moment de cette lecture première qui achève et vérifie les réussites de l'imagination. En d'autres mots, après l'instance poétique, l'instance poématique.

Quoi qu'il en soit, les deux instances disent la joie de la création. Certes Giono n'est pas le premier inventeur de mondes qui ait tiré un grand bonheur de l'opération inventive. Mais il est l'un des rares qui aient su faire de cette joie un objet romanesque. Il ne se résignait pas à l'idée que cette joie restât devant la porte du roman ; infatigablement il a tenté de forcer le seuil pour qu'elle illumine le dedans même de la fiction, devenant ainsi le plus romanesque des romanciers.

# CALMAR OU GIGOT :
## MYSTÈRE ET MYSTIFICATION CHEZ GIONO

### par Suzanne Roth

« Que seriez-vous si vous n'étiez mystère ? » demande la jeune Parque de Valéry,

« ALLEZ !... Que tout fût clair, tout vous semblerait vain ». Mais c'est aussi le Tentateur qui murmure à Éloa :

« Moi, j'ai l'ombre muette, et je donne à la terre
La volupté des soirs et les biens du mystère. »

Giono, qui use tant de l'obscurité[1], nous propose-t-il sataniquement un miroir aux alouettes, une forme attrayante du vide, ou suggère-t-il, dans ses jeux avec l'indéchiffrable, la présence d'une vérité, essentielle et indicible, qu'il nous appartiendrait de reconnaître, à défaut de la décrypter ?

Son œuvre même offre à notre réflexion deux images qu'on peut considérer comme deux cristallisations du mystère et de ses modes. La première est celle du calmar surgi de l'abîme dans *Fragments d'un paradis*, la seconde celle du gigot de Langlois dans *Un Roi sans divertissement* : « Je comprends tout, se dit-il, et je ne peux rien expliquer. Je suis comme un chien qui flaire un gigot dans un placard. » (III, 485)[2].

Partons du calmar pout tenter d'établir une typologie sommaire des mystères gioniens, des moins obscurs aux plus déconcertants. Et notons d'abord, à propos de ce calmar, la parenté de l'épisode où il apparaît avec une nouvelle de Kipling, *Un fait*[3]. On sait le goût de Giono pour Kipling, attesté en ce qui concerne *Le Livre de la jungle* ou *Kim*[4], et dont il n'est pas interdit de penser qu'il a pu s'étendre à d'autres œuvres. En l'occurrence, ce monstre des profondeurs rejeté à la surface par une éruption sous-marine, sa blancheur éclatante sous la croûte d'algues et de coquillages, la violente odeur de musc qu'il répand sont bien des éléments présents dans le récit de Giono[5]. Mais il n'est pas question de multiplier ces rapprochements ou d'y chercher une quelconque source. Il s'agit simplement de désigner une parenté de l'imaginaire, de rattacher Giono à une famille possible et d'éclairer par là, si faire se peut, certains aspects troublants de l'utilisation du mystère. Car Kipling a lui aussi un penchant pour le secret, pour le chiffre réservé aux initiés, pour la communication sans paroles. Nous aurons l'occasion d'y revenir.

Le calmar donc pourrait figurer au premier degré du mystère, avec le «buisson ardent» de *L'Iris de Suse* ou le choléra du *Hussard sur le toit*. Il s'agit de symboles d'un genre usuel, non pas, certes, totalement interprétables, ce qui les réduirait à de plates allégories, mais interprétables cependant. S'ils tolèrent les suggestions, les possibles divers, les supputations personnelles, leur élucidation est favorisée par la convergence des signes, et reste cohérente. A la différence de Langlois devant son métaphorique placard, si nous comprenons sans phrases ce qu'ils peuvent signifier, et même que nous n'épuiserons pas leur signification, nous pouvons aussi tenter de les expliquer.

Dans la même zone de mystère s'inscrivent les personnages et leur comportement. R. Ricatte a fort pertinemment montré que les «vides du récit» permettent parfois de reconstituer une psychologie, mais peuvent aussi bien renvoyer à un «mythe intérieur» ou à une signification métaphysique[6]. De quel «os mafflu» exactement s'est débarrassé Murataure ? On peut à peu près le saisir : de l'ordinaire de la vie, du quotidien, du «normal». Et si Giono ne le dit pas, c'est peut-être pour que nous allions au-delà de l'interprétation logique des rapports obscurs qui unissent la baronne et cet homme-rousserolle, jusqu'au sens profond, présent et voilé, de tout le roman.

Car c'est délibérément que Giono choisit de «ne pas dire». En témoignent les variantes, qui éclaireraient largement l'histoire de la baronne, si énigmatique dans le texte définitif. De la même manière, l'auteur gomme un rapprochement trop limpide entre le «buisson ardent» et le trésor de la cache (VI, 523 et variante 1081). Ainsi encore il substitue à M. Voisin d'*Un Roi sans divertissement*, qui nous invitait trop lisiblement à voir en lui notre prochain, notre semblable, notre frère, la discrète initiale de M. V. Il est clair que Giono ne veut pas livrer une interprétation qui serait forcément limitative, mais laisse le champ le plus ouvert possible en rejetant les indices criants : le symbole est préservé par la zone d'ombre qui l'entoure. Il arrive même qu'il dise explicitement son refus des symboles trop appuyés. A propos d'un passage de *Dragoon*, son carnet note : «Cette démolition n'est pas un symbole (le dire)» (VI, 1109).

Giono accentue donc sciemment l'obscurité de ses images, et se défend des interprétations univoques, mais il n'en reste pas moins vrai que, dans un premier temps, si obscurci que soit le sens, il demeure, et nous permet de concevoir des systèmes de signification selon lesquels nous pouvons essayer de le bien concevoir pour l'énoncer clairement.

Un deuxième ordre d'obscurité, tout en supportant la traduction, la rend néanmoins plus difficile, ou plus hasardeuse. Il s'agit de propos dénués le plus souvent de la forme imagée du symbole, et dont l'aspect d'évidence tranquille, terre à terre, quotidienne, suppose un savoir immédiat qu'apparemment nous sommes censés avoir, mais qui nous fait défaut.

Ainsi de certains aphorismes péremptoires que lancent parfois l'auteur, plus souvent les personnages eux-mêmes. Au début de *L'Iris de Suse*, le conteur, rapportant les ruses de Tringlot, commente : «Quand on a fait sept ans de Biribi, et qu'on s'en sort, on se confie volontiers à un certain romanesque.» (VI, 357) Sans doute faut-il comprendre — et admettre : 1. — que le romanesque en question est le sens de l'aventure, la jouissance du danger[7]. 2. — que sept ans de Biribi en ont donné à Tringlot le goût, et l'usage. 3. — qu'on peut généraliser l'expérience. Le raisonnement est possible, mais discutable, et ce qu'implique surtout la formule, c'est que, pour peu qu'on appartienne au *happy few* des lecteurs, on ne peut se méprendre sur le sens de certains instincts «héroïques», sur un certain niveau d'âme.

Cette sorte de mot de passe est surtout fréquente entre les personnages, et, comme ils sont par définition doués de la pénétration nécessaire, l'obscurité se fait alors plus grande et plus désinvolte, dans une espèce d'oubli ou de mépris du lecteur. «Il faut toujours couper la chique à quelqu'un si on veut que ça s'arrange», dit Louiset après avoir arrêté la débandade des moutons. Et Casagrande : «Le sang, qu'on boit à la veine jugulaire des autres, a besoin d'une précision mathématique.» (VI, 438 et 447) Tringlot est ici supposé participer spontanément à une sagesse immémoriale, celle de Louiset, ou à une connaissance métaphysique profonde, au sens du monde que possède Casagrande, l'une et l'autre postulant l'existence d'un univers réglé, connaissable, décryptable pour les amateurs.

Mais si le lecteur prétend entrer dans le détail, que signifie au juste cette chique à couper, et de quelle «précision mathématique» s'agit-il ? La fouine aurait-elle un squelette plus «précis» que le hérisson ? Ou faut-il entendre que le crime a des lois plus subtiles que le monde ordinaire ?

Les dialogues offrent en abondance ce genre d'affirmations arbitraires présentées comme des vérités d'évidence. Citons Louiset, racontant le baron à Tringlot : «Je l'ai connu; il est mort. De quoi ? Ça s'imposait. Il y a des gens comme ça.» (VI, 385) Ou la presque stichomythie du dernier échange entre Casagrande et la baronne :

> «Voilà un uniforme que je connais bien, dit Casagrande d'une voix un peu rauque.
> — Dans lequel j'ai toujours perdu, Octavio!
> — Glorieusement, et avec quel brio!
> — C'est fini. Je fuis. Rassurez-vous.
> — Je ne m'y risquerai pas. Vous avez dû déjà tirer des plans sur la comète.
> — Ni sur la comète, ni sur la lune. Cette fois, Octavio, c'est pile ou face.
> — Alors, tu vas encore tricher.
> — Sans doute, mais contre moi : comme d'habitude.
> — Méfie-toi, Armide!
> — Tu m'as déjà appelée Armide, Octavio, et avec une certaine *furia*, même *francese* pour un gentleman des États du pape.
> — Il ne s'agissait alors que de saluer un certain tour de main, mais du moment que tu touches à la grande magie, méfie-toi, Armide.
> — Qu'appelles-tu ''grande'', Octavio?
> — Une muscade qui ne passe pas, c'est très grand, Jeanne, tu verras.
> — Je ne verrai rien.
> — Si tu fermes les yeux!
> — Ils seront ouverts, dit-elle.» (VI, 508-9)

Certes, chaque lecteur peut avoir ici sa propre interprétation, et la croire irréfutable. Mais ce qui est frappant surtout, c'est la distance entre le ton de certitude renforcé par la brièveté, la formulation en maximes, et le peu d'appuis que donne à la compréhension réelle ce texte opaque.

Certaines répliques défient plus insolemment encore l'élucidation. Quand le narrateur de *La Mission*, dans *Les Récits de la demi-brigade*, dit au vieillard de l'auberge qu'il montait un cheval de poste, la réponse a de quoi interloquer : «De poste! (il sembla se parler à lui-même). Les chevaux n'ont pas de mémoire.» (V, 59) Sans doute le lecteur devrait-il comprendre de quelle mémoire pourrait faire preuve ce cheval et lui manque-t-il un certain aigu de perspicacité. Car tout (et d'abord le fait même qu'il ait retenu la formule) suggère que Martial suit parfaitement la pensée de son partenaire-adversaire. Le lecteur égaré se trouve donc ravalé au rang du «pignouf» qui paraît dans le même récit et qui ne parle juste, ne prononce les mots de passe que parce qu'il a des instructions précises.

> «Tout ce qu'il venait de dire [souligne Martial] était sans grand intérêt (c'est pourquoi il me l'avait dit). Sauf l'"à moins que...". C'est également pourquoi il avait été chargé de me le dire, car il n'avait pas figure à se servir de l'"à moins que" de son propre chef, avec tant d'à-propos.» (V, 56)

Cette glose sur un simple mot, et la délectation qu'y trouve manifestement Martial, supposent qu'on saisisse au vol les moindres signes, qu'on les devine, qu'on les attende. Martial est si fort à ce jeu qu'il est capable même de simplifier la tâche du «pignouf» : aisance et jubilation de virtuose.[8]

Mais ce «pignouf» justement, avec son tablier de femme à bavolet, «fanfreluche sur [un] gros corps mal équarri» (V, 55), nous amène à un dernier avatar du mystère, le plus profondément gionien peut-être, le mystère d'allure saugrenue, dérisoire, provocante. Giono, en effet, charge volontiers de sens, plus ou moins obscur, les objets ou les mots les plus incongrus[9]. Que la truffe et le colin-mayonnaise soient investis par Casagrande de la mission d'exprimer sa philosophie, nous l'admettons fort bien, et le monologue intérieur où Tringlot revendique le droit d'avoir ses «mots flambants» à lui, plus vulgaires que ceux de Casagrande, pouvait, comme il le fut, être supprimé pour inutilité (VI, 1077)[10]. Mais l'accumulation, et surtout la disparate, déconcertent par leur effet de rupture comique. Ainsi du sabre de cavalerie brandi par la baronne et que suivent, sans souci d'unité des registres, un squelette d'oiseau, des œufs au lard et du vin sucré : l'Arioste, déjà un peu travesti, se termine en casse-croûte de campagne. Ainsi du repas de *La Mission* : verres en cristal, Marseille de collection, mais fleur en papier[11]. Nous sommes devant ces signes comme l'équipage de l'Indien : «on avait peur d'y trouver une sorte d'enseignement pour lequel on manquait d'intelligence.» (III, 892) Le mystère court comme un furet, changeant de masque à chaque visage, et nous nargue.

Parfois on ne sait plus si l'insolite vient de propos délibéré ou d'étourderie. Le lapsus peut être évident, comme dans ce dialogue de *L'Iris de Suse* :

> «Il ne boite pas?
> — Pas le moins du monde. Il marche comme vous et moi (sauf quand il est seul, et encore! Il y tient tellement).» (VI, 466)

Il est clair que, quand il est seul, l'hôte de *Chez Berthe* continue de boiter, et non de marcher comme vous est moi. On voit moins bien, en revanche, comment un distinguo peut faire «perdre» à M. de Ramusat «son favori gauche tellement il aval[e] précipitamment sa salive (et sa langue).» (V, 50) Et quand Casagrande, capable de monter sur fil d'archal de fins squelettes d'oiseaux, déclare, au moment de visser le couvercle du cercueil qui contient «l'essentiel» de la baronne : «Et Dieu sait si je suis malhabile!» (VI, 516), faut-il y voir une inadvertance de l'auteur ou une intention — mais laquelle?

Le sentiment qui demeure est que nous avançons en terrain miné : on joue *avec* nous, comme avec des partenaires, et on se joue *de* nous. Nous sommes comme Tringlot chez Casagrande, abasourdi par tant d'étrangetés irréductibles : «''Trop'', se dit Tringlot, et il s'enfonça d'un seul coup dans le sommeil, comme un fer rouge.» (VI, 448)[12] Mais le lecteur de Giono ne veut pas s'endormir, il veut savoir à quoi s'en tenir, «faire son compte». Or il ne peut ni ne doit comprendre le mystère, pas plus qu'admirer simplement sa splendeur, car Giono lui impose une distance qui n'est pas respectueuse. Pour comprendre, il faudrait entrer dans le mystère; pour admirer, il faudrait se tenir assez loin. Giono lui met le nez dessus, par des métaphores triviales, ou cocasses, ou incohérentes, puis escamote. Alors que faire du secret entrevu? Ce mystère est-il mystification?

On peut essayer de trouver la réponse dans les œuvres mêmes, en suivant l'usage que font du mystère certains personnages privilégiés, reflets en abîme du narrateur. M. Neveux a montré[13] comment Giono-Gygès, sous les espèces du capitaine de *Fragments d'un paradis*, et de bien d'autres, guette l'émergence du calmar, l'apparition de l'inconnu. L'étrange, ou le monstrueux, sont des remèdes éprouvés contre l'ennui et le capitaine de l'Indien s'en explique lui-même.

Reste à savoir quelle place donner au gigot, ou à son placard. Deux œuvres sont particulièrement riches d'enseignement sur ce point : *L'Iris de Suse* et les *Récits de la demi-brigade*, à quoi nous avons déjà souvent recouru. On y trouve d'abord l'affirmation constante de la saveur du mystère. «Mystère! c'est très bon un mystère», dit Louiset à propos d'Alexandre (VI, 395). Et Langlois dans *La Belle Hôtesse* : «Les mystères et moi nous faisons bon ménage.» (V, 85)[14] De fait, les héros se plaisent à tenir des propos volontairement ésotériques. Tringlot renâcle devant l'obscurité des récits de la baronne : «Je ne comprends pas un traître mot de ce qu'elle raconte. Elle tourne autour du pot.» Mais Casagrande : «Je vais faire pareil.» (VI, 480) Et il s'y emploie. Bien mieux, le même Casagrande se montre puérilement satisfait d'avoir étonné le menuisier qui demandait de quelle couleur devait être le satin du cercueil de la baronne :

> «J'ai répondu royalement : ''Blanc, blanc pur!'' Et j'ai ajouté, comme aurait pu le faire notre arrogante : ''La blancheur ne s'improvise pas, elle commande.'' Il était baba!» (VI, 515)

De même Martial dans *Noël* :

> «''Comment appelles-tu cette bête?
> — Ariane.

— C'est de circonstance'', dis-je en me remettant en selle.
Je les laissai avec ces mots qui ne signifiaient rien et qui allaient les inquiéter toute la journée.» (V, 14)

Mais après tout, est-il bien sûr qu'ils ne signifient rien? Ariane appelle le labyrinthe que le Langlois d'*Un Roi sans divertissement* reproduisait dans les buis et creusait en lui-même, et l'intrigue policière n'est peut-être pas la seule que cherche à débrouiller Martial.

Comme ses héros, Giono emploie délibérément ces expressions oraculaires qu'il dit vides. Leur accumulation donne l'impression d'une extraodinaire concentration de sens. Il agite devant nous des mots de passe, des signes, comme une muleta sur laquelle nous fonçons toujours sans jamais rien voir d'autre. Car nous fonçons. Avec un autre écrivain, nous savons en général si nous avons à faire à un lapsus, à une plaisanterie ou à un symbole. Mais Giono nous oblige à rester en suspens. Qui sait, nous pourrions passer à côté d'un indice important, comme si Martial négligeait le cache-cœur, comme le lecteur innocent passe à côté du hêtre, de ses oiseaux et de ses odeurs couvertes par celle de la boue dans *Un Roi sans divertissement*. L'auteur lui-même indique parfois le fonctionnement de certains rapprochements parlants (la cache et le buisson ardent de *L'Iris de Suse*, le «maintenant j'ai tout» répété...) et nous incite à en chercher d'autres.

C'est ainsi que Marinette procède avec Martial dans *Le Bal* :

«Pour lui [à Marinette] tirer les vers du nez, bernique! Mais si on sait déchiffrer un petit bavardage sans conséquence, on apprend beaucoup. Elle m'a montré le système les premiers temps, puis elle a oublié qu'elle me l'a montré; comme ça, elle est tranquille.» (V, 35)

Mais nous, nous le sommes pas! Nous ne savons jamais si le «petit bavardage» est sans conséquence, ou s'il nous faut le déchiffrer. Nous sommes sans cesse en alerte, à flairer devant le placard. Les héros, eux, ont l'air de lire les signes à livre ouvert : Martial son boléro, Casagrande le sabre de la baronne... Mais l'œuvre offre et dérobe l'interprétation par une sorte de jeu, en une provocation, une esquive de personne à personne, comme celles que mènent Langlois, Casagrande, Tringlot et les autres. Au lieu de boléro, des mots. «Il ne s'agissait toujours que de mots en l'air, mais qui retombaient bien», note Martial (V, 34). Dieu sait s'ils retombent bien chez Giono! Au point que le claquement de la formule tend à faire oublier qu'elle pourrait aussi vouloir dire quelque chose. «La blancheur ne s'improvise pas, elle commande» : belle phrase altière, mais pour quel poids de sens? Et qu'en reste-t-il de plus que l'ébahissement de l'artisan?

«Je fis parler Pourcieux [raconte encore Martial] [...] sur la pluie et le beau temps, en ayant soin de donner à cette conversation l'apparat qu'il fallait pour lui faire comprendre que je voulais beaucoup de pluie et beaucoup de beau temps.» (V, 37)

Si cette pluie et ce beau temps sont les fastes et les roueries du langage, Giono nous en donne en abondance, avec et sans apparat. Et nous partageons la perplexité de Martial : «Marinette avait certainement voulu me mettre la puce à l'oreille. Mais quelle puce? Et à quelle oreille exactement?» (V, 37) Qu'allons-nous faire des bottes du baron, du chapeau à plume de la baronne, du clairon de Marie, des *Comptes faits* d'Alexandre[15], de tout ce joyeux bric-à-brac où, à défaut de gigot, nous flairons une énorme plaisanterie ?

La première hypothèse, déjà formulée, est que les signes ne renvoient qu'à eux-mêmes. Présents et insistants, ils dotent d'intensité le moindre détail, nous obligeant à sentir à chaque instant une densité d'intention dans un monde qui pourrait être vain. L'univers parle et nous allons comprendre, nous approchons le Grand Secret : «*eritis sicut dei*. Mais c'est la parole du serpent et une promesse fallacieuse. En termes gioniens :

> «On me prend pour Dieu le Père et on voudrait que je trouve quelque chose, mais quand il s'agit de me dire quoi, bouche cousue; il n'y a plus personne.» (V, 44)

Autrement dit encore, le gigot ne sort pas du placard. La question est même de savoir s'il y a un gigot, ou seulement un placard. L'allure parodique des signes laisse entendre qu'on se moque de quelqu'un, qu'il y a de la mystification dans l'air. Peut-on sérieusement donner une valeur métaphysique aux bottes du baron, au clairon de Marie ? Nous devrions être comme Adelina White, qui passe au-delà de l'air avec Melville (III, 56), mais nous sommes abandonnés à la lisière, Moïses devant la Terre Sainte. On l'a dit, mieux vaut la chasse que la prise. Giono nous divertit en nous menant de mystère en mystère comme l'enfant des contes qui cueille des fleurs : la plus belle est toujours un peu plus loin dans la forêt. Encore un petit effort, encore un mot-clef, et nous allons être éclairés, franchir la frontière interdite. Mais l'initiateur s'évapore et nous plante là, Casagrande disparaît dans une apothéose indistincte de chevaux blancs, de culottes cramoisies et de chasseurs d'Obéron brandissant des cors de chasse, Giono nous propose une Absente, avec son côté farces et attrapes : on la croit vraie, elle est inutilisable, verrouillée. C'est à nous, les Tringlot, les obscurs, les sans-grade, de la combler avec notre propre imaginaire, de nous mirer en elle. Giono nous fascine comme Casagrande le mulot d'Amérique, c'est-à-dire que nous avons conclu avec lui une espèce de «pacte» : nous acceptons d'être manipulés. C'est le pacte originel de tout lecteur, mais ici plus qu'à l'ordinaire exploité, avoué, revendiqué. On ne nous révèlera pas de vérité sur le monde, la seule vérité étant la nécessité du leurre. Giono nous donne, comme Casagrande à Louiset, «le grand jeu», la «bénédiction» pleine et entière. Mais il sait que nous savons que c'est pour rien, qu'il ne nous masque pas vraiment la mort, que nous avons, comme Louiset, «un petit sourire en coin» (VI, 449).

C'est donc le vide, désigné par R. Ricatte, au-dessus de quoi l'auteur-artiste, ou acrobate, fait des cabrioles, c'est-à-dire de la littérature, pour échapper au vertige. Étrange remède. Revenons pour le commenter à Kipling, et à l'un de ses Trois Troupiers (*Soldiers Three*), Mulvaney, qui, après une nuit de garde étouffante où il a, par la faconde de ses récits, sauvé ses camarades que guettaient le désespoir et l'asphyxie physique et morale, confie au narrateur : «ce qui secourt les autres peut-il nous secourir ? Je vous le demande, monsieur !»[16]

Cette amère constatation et ce retour à Kipling nous amènent à la seconde hypothèse. La nouvelle intitulée *A Matter of Fact* a en effet une conclusion intéressante. Quand les journalistes qui ont assisté à l'agonie du monstre sous-marin entreprennent de raconter ce qu'ils ont vu, ils s'aperçoivent que, dans notre vieux monde blasé, nul ne les croira. Un seul trouve une parade, le narrateur :

> «Raconter le tout comme un mensonge [...] car la Vérité est une dame toute nue, et si par accident elle se trouve arrachée du fond de la mer, il sied à un gentleman ou bien de lui donner un petit jupon imprimé, ou de se tourner le nez au mur et de jurer qu'il n'a rien vu.»[17]

Si donc, pour pouvoir dire la vérité, il faut faire semblant de mentir, peut-être, quand Giono feint de nous laisser deviner qu'il n'y a pas de secret, devons-nous au contraire soupçonner qu'il y en a un, les dénégations, franches ou tortueuses, n'étant que petit jupon imprimé. Ce genre de trucage au deuxième degré serait exactement celui des héros mêmes de l'auteur, en particulier de ceux des *Récits de la demi-brigade*. Sans cesse y apparaissent des «malices cousues de fil blanc», trop naïves pour être authentiques : si des êtres aussi fins ont usé d'un fil aussi blanc, c'est qu'ils entendaient bien le faire découvrir. «Je fis celui qui veut tromper tout le monde» (V, 68), dit le narrateur de *La Belle Hôtesse*. Ainsi on le tiendra pour très dangereux alors qu'il ne sait même pas sur quoi il pourrait tromper, puisqu'il n'a aucune idée de ce qui se trame. Plus loin il constate : «L'hôte et ses acolytes jouaient manifestement un rôle. Ils avaient beau se surveiller, ils se surveillaient trop [...]. Je finis par me dire que le piège était qu'il n'y en avait pas.» (81) On en arrive à ne plus savoir qui est le chat et qui la souris, dans cette histoire obscure dont ce qui ressort de plus clair au bout du compte est cette autre remarque : «Tout le pays était truqué. Les fermes n'étaient plus des fermes, les bois n'étaient plus des bois, les routes n'étaient plus des routes, les enfants n'étaient plus des enfants.» (74)[18]

Au milieu de ces pièges en cascade, comment se défendre? Si l'adversaire étale une réalité trop ostensible, suggérant ainsi que la vérité se cache ailleurs, pour ne pas jouer son jeu il faut refuser cet appât et s'en tenir au premier degré, à l'évident qu'il veut nous faire négliger. Ainsi réplique Langlois : «Je fis celui qui trouvait tout naturel. C'était la seule façon de ne pas donner prise.» (V, 83) A défaut d'une compréhension réelle de la situation, cette réplique donne au moins une supériorité morale, comme l'avoue Zacharie dans *Dragoon* : «Moi, les gens qui trouvent naturel ce qui est extraordinaire, ça m'épate!» (VI, 665)

Mais l'avantage peut aller plus loin, jusqu'à la découverte de cette lettre cachée que le héros d'E. Poe n'aperçoit que parce qu'il évite le leurre d'un premier degré de la subtilité. Quele est donc la lettre que tend et soustrait à la fois Giono dans les ricochets de ses feintes? Car il doit y avoir une lettre, si l'on en croit les raisonnements de Langlois à propos du verdet : «C'est donc un assassin qui a quelque chose à me dire et qui éprouve certaines difficultés à se servir de moyens ordinaires quand il veut correspondre avec un capitaine de la gendarmerie royale.» (V, 22) Quelle est cette chose que l'écrivain-assassin ne peut dire qu'obliquement à ses lecteurs-gendarmes? Quel gigot se cache dans le placard?

Une des épigraphes prévues pour *Un Roi sans divertissement*, puis abandonnée, évoquait le conteur-paysan du *Médecin de campagne* : «On exigeait de son narrateur un merveilleux toujours simple, ou de l'impossible presque croyable. » (III, 1326) Ce merveilleux toujours simple, cet impossible presque croyable étaient déjà bien difficiles du temps de Balzac. Ils sont franchement exclus aujourd'hui. On ne fait plus sortir la marquise à cinq heures, le roman a perdu sa naïveté fondamentale, et J. Decottignies a excellemment analysé les raisons pour lesquelles Angelo ne peut pas incarner la figure traditionnelle de l'héroïsme[19]. D'ailleurs Giono lui-même nous avertit par la voix de Langlois : «Dans cent ans [aujourd'hui donc], il n'y aura plus de héros. » (V, 120)

Mais c'est aussi Langlois qui nous dit du nœud secret de la bergerie que «l'art de tromper y avait été poussé si loin et par des moyens si personnels» qu'il aurait fallu beaucoup de temps pour y voir clair (V, 88). L'art de tromper si personnel de Giono ne consiste-t-il pas à faire croire — et peut-être à croire lui-même par moments — que son placard est vide, que l'héroïsme est mort, que les valeurs romanesques sont dépassées, périmées, ridicules, qu'il ne les peint que comme trompe-l'œil, que tout cela est pure fiction? Mais si le mensonge est bien le dernier avatar de la vérité, il faudrait peut-être réhabiliter, derrière le scepticisme nihiliste et les jeux sur le vide, un certain romanesque «naïf» de l'auteur. Il y aurait quelque chose de piquant et bien dans la manière de Giono, dans ce renversement pascalien du pour au contre par lequel les habiles rejoindraient le peuple, parvenant aux mêmes conclusions pour des raisons toutes différentes. Faut-il rappeler que les *Récits de la demi-brigade* ont été écrits pour *Elle*?

Dans cette perspective, les phrases obscures, les aphorismes fracassants et incompréhensibles n'acquerraient pas un sens plus logique et continueraient de renvoyer à leur propre flamboiement, mais non plus comme masques somptueux du néant. Ils signifieraient simplement ce qu'immédiatement ils suggèrent : que, devant qui les prononce, le lecteur, qu'il soit spontanément sans malice ou résolu par redoublement d'intelligence et compréhension profonde à jouer le jeu de l'auteur, n'a qu'à rester «baba» comme le menuisier devant Casagrande, reconnaissant en toute simplesse et savourant, sans bouder son plaisir, l'existence d'êtres faits pour se mouvoir avec aisance à ces frontières de l'intelligible, dans les marches du merveilleux, capables, comme Laurent de Théus, de «rend[re] le surnaturel paisible et normal. » (IV, 103) Et le narrateur pourrait s'abondonner sans vergogne, à l'abri de ses masques, au pur plaisir rocambolesque de l'invention foudroyante. Les brigands de cape et d'épée, adversaires de Langlois, seraient bien du même sang que les membres du service secret de *Kim*, lâchés dans les mille intrigues de l'Inde.

Car ce qui éclate sans conteste, c'est le plaisir que prend l'auteur à ces jeux, la jubilation du menteur ivre de ses propres facéties, Ulysse qui finit par ne plus savoir lui-même où commencent ses inventions. Et il est clair que cette mystification retorse qui aboutit à se nier elle-même est infiniment plus riche que le mystère ouvertement reconnu et lyriquement exposé. Les irisations, somptuosités et fantasmagories du calmar paraissent un peu simples et à la fois théâtrales à côté des possibilités infinies du simple gigot dans son placard — ou du placard sans son gigot. La vulgarité même de l'image, délibérément choisie, est une élément du jeu. Par elle on échappe

105

au romanesque convenu pour en retrouver un autre, acceptable parce qu'il n'est pas donné platement pour tel. Mystère ou mystification, calmar ou gigot, ce qui est en cause, et ce que Giono sauve en ayant l'air d'y renoncer, c'est la force profonde, la vérité du romanesque.


NOTES

1. Ce thème a déjà suscité diverses analyses. Citons les suivantes, qui ont servi de base à notre étude :
- Jean Decottignies, *L'Écriture de la fiction. Situation idéologique du roman*, P.U.F. (Écriture), 1979.
- Alan J. Clayton, «Sur un procédé descriptif : la table rase annonciatrice», dans *Études littéraires*, Université Laval, Québec, vol. XV, n° 3, déc. 1982.
- Marcel Neveux, «Giono-Gygès», *ibid.*
- Robert Ricatte, «Les vides de la narration et les richesses du vide», *ibid.*
- Marie-Anne Arnaud, *Recherches sur le romanesque de J. Giono et J. Gracq*, thèse dactylographiée pour le doctorat de troisième cycle, université de Dijon, 1984.

2. Nous citons les œuvres de Giono d'après l'édition de la Pléiade, en indiquant le tome en chiffres romains, la page en chiffres arabes.

3. *Un fait (A Matter of fact)*, dans *La plus belle histoire du monde*, Paris, Mercure de France, 1918.

4. Le parapluie du colporteur dans *Un Roi sans divertissement* apparaît comme un reflet de — un hommage à? — celui du Babu dans *Kim*.

5. D'autre part, *Fragments d'un paradis* pourrait devoir quelque chose à *Capitaines courageux* en la personne du coq basque Quéréjéta, proche du cuisinier noir, un peu sorcier lui aussi, qui parle le gaélique et détourne le mauvais sort.

6. *Art. cit.*

7. Une remarque ultérieure pourrait aller dans ce sens : «Son romanesque cocardier (mais il n'arborait que sa propre cocarde) lui tenait lieu de confortable pour l'instant.» (VI, 359)

8. C'est le mot employé par Céline de Théus pour son frère Laurent, virtuose entre tous (IV, 16 et 23).

9. Surtout dans les œuvres de la «deuxième période».

10. Il s'agit de ce que représente pour lui le «borsalino».

11. M.-A. Arnaud a signalé ces effets, et en particulier l'accumulation qui unit, dans *L'Iris de Suse*, la boîte de Launcelot, la petite cousine de Savorgnan de Brazza, les Zoulous et Mlle Porc-Adulte, charmante huppe et image, comme l'a montré J. Charleux, de la baronne elle-même (VI, 502, et J. Charleux : «Le divertissement de Casagrande», dans *Bulletin de l'Association des amis de J. Giono*, n° 16, automne-hiver 1981).

12. Giono s'amuse-t-il lui-même ici de ses propres excès?

13. M. Neveux, *art. cit.*

14. On peut ajouter la remarque de Louiset :
«Si la baronne le savait, elle serait bougrement contente.
— De quoi?
— De cette lueur qu'il faut deviner, et qu'on devine finalement.» (VI, 404).

15. VI, 385, 512, 590, 452.

16. R. Kipling, *Trois Troupiers*, Paris, Nelson, 1926, p. 91.

17. R. Kipling, *Un Fait*, éd. cit., p. 261.

18. Cf. *Noël* (V, 4) : «C'était un paysan et manifestement d'opérette, mais l'opérette n'est pas un délit, elle ne peut être qu'une indication.» Là aussi, ce qui est «manifeste» mérite réflexion.

19. *Op. cit.*

la rhétorique. Renversement qui autorise enfin ce que Nietzsche appelle la *justification esthétique* du monde et de l'existence.

## 1. Affects

Aux sources de toute écriture vous rencontrerez la *curiosité*. Point d'écriture qui n'implique un désir de connaissance et de divulgation du savoir. J'oserai dire, en ce qui concerne Giono, que la curiosité est proprement «l'impulsion» fondatrice. Cela a déjà été observé et je ne ferai que le réaffirmer[2]. L'être gionien est fasciné par l'inconnu : mystère des choses, mystère de l'autre, mystère de soi-même. Je parle évidemment tout autant du romancier que des figures dont il peuple ses récits, soit ces fameux «amateures d'âmes» ou «connaisseurs du cœur humain». J'insiste sur cette dernière expression, textuellement rencontrée dans *Un Roi sans divertissement* et dans *Le Moulin de Pologne*, ainsi que dans *Noé*[3]. Or c'est bien le cas de reconnaître ici l'héritage stendhalien comme particulièrement incontestable et significatif. S'il y eut, parmi les romanciers que lisait Giono, un amateur du «cœur humain», ce fut bien l'auteur du livre *De l'Amour*. Celui dont la vocation remonte aux temps de sa première éducation et aux injonctions du docteur Gagnon. «Mon grand-père m'étourdissait sans cesse du grand mot : ''la connaissance du cœur humain''»[4]. Inutile, à mon avis, de chercher ailleurs l'origine de cette expression si familière à Giono. Nul n'a mieux que Stendhal défini la vocation du romancier philosophe : «Je suis un philosophe, moi», écrivait en 1829 celui qui était alors occupé à rédiger *Le Rouge et le noir* ; et il précisait aussitôt : «J'écris un livre sur les motifs des actions des hommes»[5]. Convenons, pour débuter, d'emprunter cette formule comme définition de la curiosité gionienne.

Non que j'en veuille principalement désigner la source ; je veux plutôt indiquer une communauté de projet, et j'oserai dire : de *méthode*. Un mot qu'on a déjà avancé à propos de Giono, pour signifier (je cite) le «désir de savoir comme méthode du romancier»[6]. Un mot qui, à mes yeux, implique notamment ce trait (commun à Stendhal et à Giono) : l'installation dans le récit même de ces personnages de curieux chargés d'y assumer la fonction du philosophe. Qu'était-ce que l'histoire de Lamiel, sinon le tableau d'une curiosité — l'«unique passion» d'une jeune fille —, incessamment relancée (à l'instar de celle du romancier), sur la nature de l'amour ? Et ce sont ici le «fameux procureur» attaché à la personne de Langlois, et cet obscur homme de loi qui entreprend de raconter les malheurs de la famille Coste ; mais aussi le médecin du chapitre XIII du *Hussard*, et Casagrande dans *L'Iris de Suse*... Dans tous ces livres aussi, ce qui alimente l'intérêt, ce sont moins les événements que les êtres : qui est M. Joseph ? Qui est Tringlot ? Qu'est-ce qui détermine M. V. ? Madame Numance ? La baronne de Quelte ? Et dans le roman du Hussard, faut-il privilégier le thème de l'aventure ou cet inlassable questionnement du héros sur son propre compte ? Un héros qui, en dépit de son jeune âge, ressemble fort au quinquagénaire qui se disposait à écrire la *Vie de Henry Brulard*, remarquant en son for intérieur : «il serait bien temps de me connaître.»

Mais ce qui caractérise cette curiosité, c'est principalement son caractère passionnel : c'est proprement une *impulsion*. Et je la vois, chez Giono, oscillier entre deux pôles, soit la sérénité d'Antonio dans *Le Chant du monde* et la frénésie du cholérique dans *Le Hussard sur le toit*. Dans la passion d'Antonio pour l'aveugle Clara, le désir d'enseigner est un stimulant incomparable. L'aveugle est celle qui ne connaît pas ; celle qui «n'a jamais vu la nuit», qui «ne sait pas où tout ça s'arrête et ce qu'il y a après ça, autour de ça, des arbres et des bêtes». Donner à connaître sera donc la tâche primordiale de l'amant : «conduire Clara à travers tout ce qui a une forme et une couleur», lui dire : «ça c'est ça, touche, voilà comme c'est, tu comprends ?» Inventer, à l'usage de l'aveugle, une pédagogie[7]. Et ses dernières réflexions avant la clôture du récit sont pleines d'optimisme, signifiant qu'en fin de compte nul n'est exclu de la connaissance des choses.

De 1934 à 1951, la passion de la connaissance s'est modifiée : elle est devenue tragique et risque de conduire à la mort. C'est pourquoi elle est, pour lors, incarnée par le cholérique. Le cholérique, prononce le médecin du chapitre XIII du *Hussard*, «est un impatient» ; il n'a cure de survivre et ne regrette ni les êtres ni les choses de la vie. «Il vient de comprendre trop de choses essentielles. Il a hâte d'en connaître plus.» Certes, notre organisme, système de tuyautage et de fils de sonnette, doit nous permettre d'exister en paix. «Si tout cela n'éprouvait rien, ce serait cocagne. Il n'y aurait pas de curiosité, donc pas d'orgueil ; nous serions proprement éternels.» Le choléra n'est rien d'autre qu'un cas extrême, voire une figure de la curiosité, d'une curiosité portée jusqu'à la frénésie ; dans les deux sens du terme (médical et psychologique) : une *affection*, qui, tout à la fois, tourmente et occupe l'être, comme font ces autres remèdes à l'ennui que sont le meurtre ou la vue du sang répandu sur la neige.

Rien ne fait mieux concevoir ce renversement de la passion philosophique que la croisière de l'*Indien*, relatée dans *Fragments d'un paradis*. «Je ne suis pas un philosophe», confie le capitaine, «je m'ennuie, comme tout le monde»[8]. Non qu'on veuille ici récuser purement et simplement la philosphie ; il s'agit bien plutôt d'en réformer la pratique et surtout d'en échanger les motivations. «Telle que j'ai organisé la route que nous faisons», précise le capitaine, «nous avons devant nous l'inconnu». Parlant de ses compagnons les plus proches, il avoue s'être déterminé à les choisir en raison de «la facilité d'accueil qu'ils pourraient faire à l'inconnu». *Accueillir* l'inconnu *comme tel* (au mépris de son élucidation ou de sa justification), c'est faire bon marché de ce que les philosophes ont accoutumé d'appeler la vérité. Sans doute est-ce, en revanche, faire la part de ce que Nietzsche nomme «l'impulsion». Du moins est-ce ce que préconise le romancier Giono, qui, après avoir signalé à quel point il est mû par la curiosité, ajoute[9] :

> «Et vous comprenez que si dans cette curiosité intervenait la vérité, à ce moment-là, je n'aurais plus rien à écrire.»

On ne saurait plus clairement rappeler que la possession éteint le désir. Revenons à l'*Indien* : si l'inconnu, au bout du compte, se donnait à connaître, il n'y aurait plus lieu de naviguer.

Ainsi le navigateur est-il le modèle du philosophe. Par bonheur pour l'un et l'autre, l'inconnu ne se laisse pas entamer, le nom même de la vérité n'est qu'un leurre. Pour parler comme Giono : «il y a un abîme entre la vérité et la vie.»[10]

Lisant cette sentence, je ne puis m'empêcher d'entendre résonner cet autre aphorisme, que son auteur qualifie de «mélancolique» : «Rien n'a de sens», proclamait Nietzsche[11]. L'auteur du *Gai Savoir* signale aussi telle disposition qui affecte toutes les variétés de notre rapport à la réalité, et qui ne fait pas de différence entre l'ordre du savoir et l'ordre de l'action. La *mélancolie* consiste, selon la définition qu'Angelo en forge à son propre usage, à «jouir surtout des bonheurs qu'on n'a pas»[12]. Mais son nom s'applique aussi bien à toute frustration éprouvée dans le domaine de la connaissance. Voyez ce que ressentent, par exemple, les marins de l'*Indien* :

> «On réfléchissait combien il était mélancolique d'avoir vu des couleurs qu'on était incapable de nommer.»[13]

L'impossédable et l'inconnaissable ne font qu'un au regard de la mélancolie. C'est là, pourtant, que s'adresse avant tout le *désir* de l'homme. Témoin le chasseur Actéon, qui, loin de s'en prendre à la très accessible Aphrodite, osa convoiter l'imprenable Artémis. Car le mélancolique assume, cultive, valorise le sentiment de la perte, de la dépossession, du manque sous toutes ses formes.

Cette disposition, le romancier Giono l'investit moins dans la spéculation que dans l'action de ses personnages. La connaissance des choses réside, pour lors, dans les *gestes* que suscite leur approche. C'est donc dans sa pratique du récit que le romancier met en scène le problème de la connaissance, prenant pour thème, non pas la réalité, mais notre situation face à la réalité. Qu'il s'agisse du navigateur, du chasseur ou du joueur, c'est la curiosité, entachée — entravée — de mélancolie, qui atteste la préoccupation du philosophe. Ni la découverte, ni la proie, ni le gain ne le déterminent, mais les aléas de la quête et son improbable issue. Et, comme l'observe l'un d'eux, «sa déconvenue l'alimente»[14].

En tout comportement humain, vous reconnaîtrez donc «le complexe de l'explorateur»[15]. Prenez «l'esprit de prostitution» : vous croyez peut-être que c'est «une affaire de tempérament ou de galette», détrompez-vous et reconnaissez ici comme ailleurs le «complexe de Livingstone», l'attrait de la croisière et la curiosité du rivage où l'on n'abordera jamais.

D'aucuns semblent chercher la mort : songez à ces femmes qui «se jettent du haut des ponts dans des rivières» :

> «Ce n'est pas à la rencontre de l'eau qu'elles vont [...] mais comment résister au plaisir d'aller enfin vers n'importe quoi [...] Ce qui est chouette, c'est le temps qu'on met à tomber du pont.
> Une fois en bas, le plaisir est fini [...].»[16]

Voyez enfin ce joueur qui «hasarde des paquets de billets à la limite de ses poches». Certes, il a beau jeu, mais ce n'est pas pour cela qu'il joue et hasarde sa fortune; il sait, par contre, «qu'à tout beau jeu il y a paille». Donc il «joue gros pour rester sensible»[17]. Volontiers il jetterait «d'un seul coup sur la table» toute la *puissance* qui est la sienne — maison, troupeaux et terres —, «quitte à tout perdre». Car il sait bien, sans l'avoir lu dans les livres de Nietzsche, que «la puissance n'est pas dans la conservation de soi»[18] : autre sentence mélancolique.

La puissance n'est pas davantage dans le but atteint, ni dans le résultat acquis : dans le lièvre, dirait Angelo, enfin attrapé. Elle n'est pas dans la Révolution achevée et reconnue victorieuse. Qu'est-ce donc que la Révolution dans *Le Bonheur fou*, sinon cet objet d'une poursuite infatigable, mais dont le prix tient au refus qu'il oppose à toute saisie ? A tous ces héros impatients de tenir en main le fruit de leurs efforts s'adresse l'exhortation de cette vieille dame :

> «Êtes-vous révolutionnaire, oui ou non ? Si oui, admettez donc une bonne fois pour toutes l'esprit de révolution en général.» [19]

En cet esprit de révolution en général, comment ne pas reconnaître une bonne image de l'esprit philosophique ? Pas plus que la puissance, la connaissance ne réside dans la *possession* des choses. Et si la curiosité constitue le ressort de la fable romanesque, le principal aliment n'en peut être que la mélancolie.

Mélancolique lorsqu'il abandonne l'amour pour la Révolution, puis la Révolution pour l'amour, Angelo ne l'est pas moins quand il échoue à concevoir le choléra ou à se comprendre lui-même. Au fil de leurs expériences de la perte, à la faveur de cette politique de l'échec, les personnages de Giono éprouvent la nature et les conditions de notre rapport au monde. Si on leur demandait, aux uns et aux autres, pourquoi ils font ceci ou cela, ils pourraient fort bien répondre que *c'est pour voir*. Estimant à juste titre qu'en chacun de leurs gestes — de joueur ou de chasseur — ils *questionnent* l'univers qui les entoure, sondent ses dispositions à leur égard. Mais comment pourraient-ils ignorer qu'ils ne vivent pas de *théorie*, mais bien plutôt, comme dit l'un d'eux, «avec des lambeaux de sentimentalisme» [20] ? Sans doute les trouvons-nous souvent bavards, raisonneurs ; mais ce qui domine en eux, c'est, à coup sûr, la *perplexité* : la seule vertu digne du philosophe ; le «sentiment de la limitation de soi» ; donnons-lui son son : l'*ironie* [21].

## 2. Logiques

C'est lui, en effet, le véritable protagoniste ; non point, certes, dans l'ordre de l'anecdote qui se trouve *représentée* , mais dans cet espace *symbolique* où s'exerce la curiosité du romancier. C'est là qu'il installe sa propre passion du réel — son *drame* à lui — ; c'est là qu'il affiche sa disposition mélancolique ; mettant en place — et en œuvre — les instruments d'une saisie perverse de la réalité offerte. — *Logiques* nouvelles.

Foncièrement perverse, à mes yeux, cette théorie du réel que formulait le romancier à propos des *Fragments d'un paradis*. C'est à juste titre qu'on a discerné dans ces lignes et dans ce livre «une sorte de manifeste antiréaliste» [22]. «Il n'y a pas de monde imaginaire», déclare Giono. Et d'annoncer aussitôt une «révolution» dans la «conception du réel» et la «façon de *rencontrer le réel*». Ne nous y trompons pas : nier l'imaginaire, ce n'est pas du tout prôner la réalité positive ; ce qu'on veut abolir, c'est «l'opposition entre le réel et l'idéal». Ce qui est ici enfreint, c'est le principe de contradiction, en vertu duquel l'imaginaire et le réel se définissent comme distincts. L'écriture se dote ainsi d'une logique *différente*, dont l'un des maîtres-mots sera le paradoxe.

S'il est une maxime qu'enfreint à plaisir la parole gionienne, c'est bien l'axiome cartésien qui donne le bon sens comme «la chose du monde la mieux partagée». Avec quelle impudeur il s'écrie que «tout le plaisir est dans les fausses cartes», et que nous n'avons dans la vie rien de mieux à faire que de «détourner les choses de leur sens»[23]. Ainsi s'exprime le vagabond des *Grands Chemins*, qui, sur ce point, n'a de leçon à prendre de personne. :

> «Père et mère, femme et enfants, voisins, voisines, si l'on s'en sert comme il se doit, ça mène à peu de chose. Mais si l'on s'en sert comme on ne doit pas, quel miracle!
>
> C'est le cas de dire : les arbres sont rouges, les truites font leur nid dans les buissons; les montagnes obéissent au moindre mot, se mettent en marche. C'est le seul moyen pour ne jamais être gros-Jean comme devant.»[24]

Voyez comme il se sert lui-même de ce compagnon de route qu'il nomme l'artiste. Celui-là, sous tous les rapports, lui répugne : laideur, air louche, «vilain regard», et le reste : que de raisons pour s'éloigner! D'emblée, il s'en avise : «Il ne me plaît pas»; mais il ajoute : «Je n'ai pas envie de partir». Toutes les péripéties de leur compagnonnage les montrent tels que finalement les définit le narrateur : «ennemis intimes et d'autant plus inséparables»[25]. Et cet exemple n'est pas unique dans l'œuvre de Giono, pour attester combien peuvent être *paradoxales* les relations entre les hommes. Ici, comme souvent, cela finira par un meurtre : «deux coups de fusil en pleine poire», accompagnés de cette moralité : «C'est beau l'amitié!» — Parlerai-je ici d'*ironie*? Suivrons-nous plutôt ceux qui, pour définir cette relation, ont avancé le nom de l'*amour*? Ce qui est sûr, c'est que ce qui se joue entre ces deux êtres est bel et bien de l'ordre du *tragique*[26]. Mais Nietzsche ne nous apprend-il pas à faire dans le tragique même la part de la dérision? Pourquoi cet amour n'entrerait-il pas dans le système d'illusions et de tricheries qui commande l'affabulation tout entière? S'il est vrai que «tromper rapporte», il n'est pas exclu que le vagabond ait, en l'occurrence, réussi à tricher avec soi-même.

En fin de compte, ce qui est «beau», ici, c'est le paradoxe. Pour autant qu'il est, pour son concepteur (comme pour celui qui, dans la fable, le pratique), source de jouissance. A l'opposé du bon sens. Le héros des *Grands Chemins* le sait bien, qui, dans un moment d'euphorie — et de faiblesse —, se plaint :

> «Je suis désespéré d'avoir du bon sens; mauvais outil pour le bonheur.»[27]

Il s'agissait, en effet, de distinguer le vrai du faux dans une histoire que lui racontait l'artiste.

Autant la parole du bon sens est habilitée à séparer le blanc du noir, autant le paradoxe, qui n'ignore pas plus le blanc que le noir, se complaît dans leur confusion. Qu'est-ce que le paradoxe, sinon une version perverse de la contradiction? Les fausses cartes que détient le tricheur ne sont pas le contraire des vraies; les cartes du tricheur sont des cartes perverses où le vrai ne se distingue pas du faux. Ainsi de cet amour pervers, qui ne se distingue pas de son contraire ; ainsi de ce visage de l'artiste, aussi attirant que répugnant ; ainsi de l'être qu'en chacun de ces personnages nous approchons. L'être «luciférien» : non pas le Diable, l'ennemi de Dieu, le mal, l'autre du bien ; mais le mensonge même : l'*indécodable*.

A cette perversion du principe de contradiction correspond une version perverse du principe d'identité.

L'identité, n'est-ce pas le premier et le dernier mot du savoir du romancier ? C'est aussi ce dont se préoccupe l'auteur de *Noé* ; analysant, sur le mode symbolique, le rapport qu'il entretient avec les êtres et les choses qu'il investit — ou qu'il eût pu investir — dans ses récits. Or l'identité ne va pas de soi. La logique n'est pas *dans les choses*. Nietzsche nous l'enseigne, «il n'y a point d'unités dernières durables, point d'atomes, point de monades». Et ce que nous appelons l'être identique, soit l'*étant*, fut tout d'abord «*introduit* par nous (pour des raisons pratiques, perspectivistes, utiles)»[28]. Et si le monde «nous apparaît logique», c'est que nous l'avons nous-mêmes *logicisé*[29]. Le fait est que pour écrire *Un Roi sans divertissement*, il fallut, entre cent drames offerts, «choisir» celui de Langlois, ainsi que les personnages appropriés à ce drame. Mais ce fut pur parti-pris. Voyez plutôt l'étrange situation qu'occupèrent dans sa vision les êtres et les choses dont il fut assailli tout d'abord. Que ce fussent pour lui des objets de connaissance, comme on dit communément, il n'hésite pas à le prétendre. «J'avais», dit-il, «la connaissance automatique de tous leurs drames». Il ajoute : «Je me mettais à les connaître depuis A jusqu'à Z comme si je les fréquentais intimement depuis des années. Je les connaissais même infra et ultra, comme si j'étais non seulement leur contemporain, mais aussi celui de toute la parenté dont ils étaient issus et le contemporain des enfants qui sortiraient d'eux»[30].

De quelle identité, cependant, se trouvaient-ils dotés ? Déjà l'on entrevoit dans ces lignes le péril qui les menace, cet *enchevêtrement* de leurs destins, cette *superposition* de leurs aventures (ce sont les termes que ressasse le texte de *Noé*) : «la monstrueuse accumulation de vies entremêlées»[31]. La vie est faite de «milliers de scènes alignées les unes à côté des autres et les unes sur les autres» ; un chaos d'impressions discontinues, des «mots sans queue ni tête», avec lesquels le romancier doit *faire son compte*.

Quelle est donc cette «connaissance» dont il se targue ? Disons tout de suite qu'elle est, elle aussi, au prix de l'identité, de l'identité même du romancier. Je fais état ici des pages, à la fois délirantes et inspirées, qui nous décrivent l'implantation des choses et des êtres du roman dans l'univers familier et quotidien de l'habitation du romancier. Ici encore, c'est la *superposition* qui, d'entrée de jeu, barre la route à la logique, oblitère les identités : un «monde inventé», qui n'a pas «effacé» le monde réel, mais qui s'y superpose ; le «Café de la route superposé au verger des pêchers» ; les personnages du futur roman s'imbriquant dans les personnes de la famille de Giono. Que si vous lui demandez en quels termes il a pu lui-même connaître M. V., il vous dira qu'en remontant vers l'Archat, son crime commis, celui-ci devait, en fait, traverser non seulement la chambre où travaillait le romancier, mais le bureau sur lequel il écrivait, le traverser lui-même, de sorte qu'à un moment, dit-il, «nous avons coïncidé exactement tous les deux; un instant très court parce qu'il continuait à marcher à son pas et que, moi, j'étais immobile. Néamnoins, pendant cet instant — pour court qu'il ait été — j'étais M. V.; et c'est moi que Frédéric II regardait.»[32]

Sans doute n'est-ce pas par hasard qu'il a choisi M. V., plutôt que tout autre, pour illustrer cette expérience : nul autre exemple n'eût mieux attesté l'inexistence de ce que nous appelons l'*altérité*. De toute façon, criminel ou pas, M. V. incarne l'objet connu, face au sujet connaissant. Or le moment de la connaissance est ici symboliquement représenté comme celui de l'abolition de cette distinction fondatrice. A l'objectivité, légitimement regardée comme la condition du savoir scientifique, succède ce que nous pouvons appeler l'intimité d'une relation *magique*. Et je crois que nous découvrons ici l'acception de ce qualificatif dans l'aberrante analyse du réalisme insérée dans *Noé*.

«Ma sensibilité dépouille la réalité quotidienne de tous ses masques; et la voilà, *telle qu'elle est* : magique : je suis un *réaliste*.»[33]

*Réalisme magique :* la formule s'impose à l'évidence; et comment s'en étonner, si l'on observe ce que déclarait, dans le célèbre *Dogme et rituel de haute magie* (1855), le mage Eliphas Levi :

«Venons à la philosophie.
La nôtre est celle du réalisme et du positivisme.»[34]

Ne croyez pas que je m'apprête à faire de Giono un adepte des sciences occultes, telles que les envisage la mentalité commune. Je note seulement que la grande préoccupation d'Eliphas dans son ouvrage est désignée dès le premier chapitre : la science, «grand mot et grand problème». Et l'on ne peut sous-estimer, dit-il, ces instruments «d'une portée et d'une force incalculables» que sont l'intelligence et la volonté de l'homme. Mais comment oublier leur principal auxiliaire, l'imagination, «que les cabalistes appellent le diaphane ou le translucide»? Prenez cette faculté que l'on nomme *divinatoire* : que manifeste-t-elle, sinon l'activité de l'imagination? Lisons :

«Or qu'on ne se méprenne pas ici sur la fonction que nous attribuons à l'imagination dans les arts divinatoires. On voit par l'imagination sans doute, et c'est là le côté naturel du miracle, mais on voit des choses vraies, et c'est en cela que consiste le merveilleux de l'œuvre naturelle.»[35]

Or ce *regard*, à la fois naturel et miraculeux, ne passe ni par les sens ni par l'intellect. Ce que désigne l'analyse magique, aussi bien que la confidence gionienne, mériterait mieux le nom de *contact* : une relation, non plus d'objectivité, mais de symbiose. Une relation où s'abolit, comme nous l'avons dit, l'altérité du sujet et de l'objet, où se pervertissent les identités.

Quoi de plus pervers que l'identité de Milord l'Arsouille? Identité naïvement confirmée en cette boutade : «Milord l'Arsouille, c'est *quelqu'un*» (c'est moi qui souligne); et aussitôt démentie par ce commentaire :

«Il y a dans la *juxtaposition* de ces deux mots : Milord et Arsouille, un mépris qui est une fortune incomparable.»[36]

Vous le voyez, il s'agit bien de *mots*; de mots juxtaposés, superposés, enchevêtrés, au mépris du langage. Et certes, le langage est la condition du savoir et l'instrument de sa divulgation. Mais nous sommes ici en présence d'une activité d'écriture, d'une connaissance par l'écriture. La richesse («une fortune») de l'écriture, c'est la modification du savoir. L'événement, ici, c'est — pour reprendre la formule d'un philosophe — «qu'une science devienne improbable par son écriture»[37].

## 3. Figures

Si la logique gionienne vise l'improbable, on admettra que l'improbable installe dans la fiction ses *figures*, tout comme le vraisemblable possède dans la narration les siennes. Celles-ci sont couramment qualifiées de *rhétoriques*. Posons donc cette hypothèse paradoxale, qu'il existe dans l'ordre de la fiction une rhétorique de l'improbable.

La figure du *différend*, dont je voudrais parler tout d'abord, n'est peut-être pas une invention de l'auteur des *Ames fortes*. Par delà l'exemple pirandellien, on trouverait sans doute, en plein XVIIIe siècle, ne fût-ce que dans l'expansion du roman par lettres, les marques d'un intérêt déjà vivace pour une écriture polyphonique susceptible de désorienter le désir de vérité familier au lecteur de romans. Mais faut-il rappeler, regardant plus près de nous, que J.-L. Borgès avait, en 1944, proposé à titre de fiction «Trois versions de Judas»[38]; soit trois lectures divergentes de l'histoire du traître Judas telle que la relate l'Écriture? On pourrait ainsi juger que *Les Ames fortes* offrent au lecteur *deux versions de Thérèse*. Thérèse qui, dans telle séquence, est «bonne fille», dans telle autre «d'une noire méchanceté»[39]; ce qui, pour corollaire, implique deux versions opposées de Firmin. Le lecteur se verrait ainsi proposer une énigme d'ordre psychologique; la question soumise à sa perspicacité (sous l'autorité du principe de contradiction) serait tout simplement : qui donc est Thérèse? La réponse ressortirait du contraste entre les deux récits : comment ne pas observer l'assurance de celle que Giono appelle *le Contre*, ses «attitudes d'historien» (c'est un lecteur que je cite[40]), étayant ses informations et citant ses témoins? «Moi», dit-elle, «je connais votre histoire par ma tante». Avant de mettre les points sur les i et de trancher pour finir : «Voilà la vérité»[41]. On remarquerait alors que la «noirceur» de Thérèse s'étale particulièrement dans ce discours et l'on serait logiquement tenté de l'adopter comme la solution de cette énigme qui porte le nom d'une femme. D'une femme qui, pour toute réponse, se borne à opposer à la chronique la confidence.

Ce que j'expose là est effectivement lisible dans le roman, mais je n'y veux voir que la réitération d'un piège que Giono nous aura tendu plus d'une fois[42]; je veux parler de la tentation *herméneutique*. Et je dis qu'à défaut de ce piège et de cette tentation, ferait défaut le sentiment de la violence très particulière dont Thérèse, la parole de Thérèse, est ici l'instrument. C'est pour désigner cette violence que s'est imposée à mes yeux la distinction du *désaccord* et du *différend*. Dans le premier cas, nous serions sollicités en faveur d'un choix, d'une solution, d'une vérité. Dans le second, nous affrontons un dispositif rhétorique qui recèle la seule vérité du texte : à savoir qu'il n'y a pas de vérité. Sur la scène du différend, s'active, au premier chef, la voix de cet *autre*, appelé Berthe, qu'on a justement identifiée avec celle du romancier, porte-parole de la vérité. Mais l'intervention de Thérèse suffit à exclure l'interrogation sur le fond. C'est elle, à vrai dire, qu'il faudrait appeler *le Contre*, pour autant que c'est par elle qu'arrive le scandale de l'indécidabilité. Car la parole de Thérèse n'est ni contradictoire, ni mensongère ; elle s'installe plutôt dans ce que J.-L. Borgès appelle la «fiction», c'est-à-dire ce «jardin aux sentiers qui bifurquent», dont le modèle est le «livre labyrinthe» que Stephen Albert vouait aux «nombreux avenirs»[43]. Elle se garde bien de contredire son adversaire ; mais elle oppose à cette parole d'autorité une parole que je qualifierai d'*apathique*, un discours d'où la conviction est absente. C'est ainsi qu'à une longue tirade de Berthe, conclue par un tonitruant : «Voilà la vérité», elle répond simplement : «Je ne sais pas, moi, c'est bien possible, vois-tu» ; et quittant l'ordre des faits, elle se met à décrire une grande salle toute rouge, avec des glaces et une lampe en cuivre. De nouveau prise à partie sur des faits bien précis, assortis de témoignages irrécusables, elle rétorque : «Ça se peut bien […] et qu'est-ce que tu veux que ça me fasse.» Et un peu plus loin, acculée à prendre en compte le témoignage de la fameuse tante, elle reconnaît : «Ce n'est pas impossible qu'elle ait dit ça, ta tante.»[44]

Le différend n'est donc qu'un dispositif rhétorique pervers, qui joue l'apathie contre la conviction, l'oubli contre la mémoire ; qui permet, selon le vœu de Nietzsche, d'*affirmer et nier une même chose*[45]. Là encore, vous voyez qu'à défaut d'un savoir positif, nous sommes gratifiés dans l'ordre du langage d'un «mépris qui est une fortune incomparable». Praticienne de la dérision, Thérèse marche, pour ce qui est du mépris des valeurs, sur les traces de Milord l'Arsouille : mépris des «bonnes guinées de la Banque d'Angleterre» chez celui-ci, mépris des bonnes paroles de la certitude chez l'autre. Des deux côtés, la violence est pareille.

Tout lecteur de Stendhal a pu repérer dans la *Vie de Henry Brulard* cette allégorie de la fresque détériorée, qui périodiquement vient évoquer les performances douteuses de la mémoire ainsi que les aléas de la connaissance. Tout savoir humain est à l'image des peintures murales du Campo Santo de Pise, semé de *lacunes*, qu'expliquent pour une part les défaillances de nos facultés, pour une part la dérobade de la réalité même. Il semble que le récit gionien n'ait jamais cessé de se truffer ainsi de lacunes, opposant à plaisir au désir du lecteur une stratégie du refus. On comprend, après ce que nous avons dit, que l'ironie philosophique qui marque les œuvres d'après-guerre en devait tout spécialement tirer parti pour alimenter la curiosité et la mélancolie, considérées comme ressorts de l'écriture et stimulants de la lecture.

C'est tout spécialement dans les *Chroniques* que prolifère la figure de la lacune. La mémoire de Tringlot, dans *L'Iris de Suse*, évoque assez exactement la situation de la fresque stendhalienne. Le récit s'engage d'emblée sur un canevas troué ; on dirait, selon l'expression de Stendhal, que de grands morceaux sont tombés. Certes la loi du récit imposera, au fil du livre, des reconstitutions fragmentaires. Mais elles s'opéreront en désordre et demeureront toujours incomplètes, de même que resteront évanescentes les figures des anciens complices du héros et lacunaire la relation de leurs exploits communs. Le passé de Tringlot se réduit à quelques péripéties disparates, quoique toutes typiques d'une affaire de grand banditisme. Centre d'intérêt : la «cache», dans laquelle sommeille un «magot» dont nous ignorerons la provenance ; la cache occupe deux épisodes dont l'articulation nous échappe. Plus déroutant encore, l'interrogatoire fictif de la Belle-Marchande, au cours duquel *passent* les allusions à ce que nul ne connaît — nul autre que Tringlot et sa «belle amie» —, et défilent des litanies de noms sans nul rapport à ce que nous pouvons savoir. Les mémoires de Tringlot se lisent comme un livre démembré, une poignée de feuillets recueillis au hasard.

J'observe dans *Les Grands Chemins* une dispositions analogue : tandis que se déroule une aventure relativement ordonnée, soit ici le vagabondage de ces deux compagnons que sont le Narrateur et l'Artiste, divers épisodes surviennent à la traverse. Épisodes diversement amputés, tantôt de leur origine, tantôt de leur issue ; et dont les acteurs sont généralement inidentifiables. Qu'est-ce, par exemple, que cette «charmante jeune fille» qui se fait transporter en automobile, et qui entretient des relations indéfinissables avec plusieurs personnages du roman ?

> «[...] elle m'assure que je ne peux pas comprendre, que si je comprenais, si je savais tout, je verrais qu'elle n'exagère pas.
> Je lui dis que comme elle m'a fait promettre le secret, il vaut bien mieux que je ne sache pas tout.»[16]

Plaisante remarque, que je me garderai bien de laisser échapper, car elle renferme, à mes yeux, la définition même du *secret* dans la fiction. A la différence du récit policier, la fiction gionienne ne construit pas le secret comme une énigme à déchiffrer ; elle le constitue comme une cache inviolable, tellement inviolable qu'il n'est pas nécessaire qu'elle recèle quoi que ce soit. Le secret, c'est la valeur en soi, la valeur du *zéro*. Ne cherchez pas : vous ne sauriez trouver et sans doute l'inventeur du secret n'en sait rien lui-même.

Voyez encore l'échange de répliques entre le vagabond et son patron, à propos des «deux cents billets» remis au «grand maigre» :

> «''J'aime pas beaucoup ça.
> — Et moi, dit-il, tu crois que je l'aime?''
> S'il crache deux cents billets, évidemment non.
> Il soulève quelques voiles. C'est faisandé comme un panier de grives dans la malle arrière d'un car. Je dis : ''Passons aux détails techniques.'' J'aime mieux qu'il en reste au demi-mot. Moins j'en sais, plus je prends l'air. Il faut conserver beaucoup de points obscurs en toute chose.»[47]

A propos des points obscurs, rappelez-vous *Le Moulin de Pologne*, ce chef-d'œuvre de la supercherie et de la cachotterie. On a beau grimper sur les murs et sur les épaules les uns des autres, pour regarder dans les maisons : on ne voit rien, et d'ailleurs, on vous le dit : «Il n'y a rien à voir». Ici, rien ne parle, aucun indice n'est significatif, ni les couronnes sur le linge de table, ni même le livre que la femme de ménage découvre chez M. Joseph, car elle ne sait pas lire! Bref, «rien n'a de sens». Et la plus bavarde des logeuses peut se mêler de tout raconter, «sans vraiment rien dire»[48].

Faire du secret, non pas un accident, ni un vice de la pratique langagière, mais la propriété même de la parole, c'est ce qu'envisageait Nietzsche quand il rêvait d'un livre qui pût être lu «sans aucune interprétation».

Et comme en tout lecteur sommeille plus ou moins un enragé herméneute, on prendra soin, à l'occasion, de lui signaler qu'il perd son temps. A la «vogue» de Châteauredon, deux ou trois témoins pourraient rendre compte de l'étrange cérémonie organisée par la baronne de Quelte en mémoire de son défunt bien-aimé. N'a-t-elle pas inventé de valser, en grand deuil, avec le seul Murataure, au son d'un unique piston et en présence d'un unique témoin? Par la bouche de celui-ci passe un récit détaillé de l'événement; mais non pas l'explication de ce caprice :

> «Moi, dit le vieux Gaspard, un jour qu'il avait un petit coup dans le nez, j'y ai rien compris.»[49]

Le musicien n'en sait pas davantage :

> «Je ne sais pas pourquoi elle avait besoin de mon piston, de Murataure et des valses. Je n'y comprenais absolument rien.»

Et le premier, pour conclure :

> «[…] tout est resté noir comme du jus de boudin. On n'y comprend rien : ni toi avec ton piston, ni moi, ni Murataure (encore moins), sauf la baronne.»

La baronne qui, bien entendu, ne dit rien. «Deux sous de poivre», qui, en tout et pour tout, valent leur pesant de *secret*. A l'image de Thérèse, de Julie et de tant d'autres figures féminines et principalement de cette *Absente* qui, pour Tringlot prendra la place de l'or même[50] : ultime version de l'objet du désir, en qui l'impossédable s'allie à l'inconnaissable.


## 4. Justification esthétique

Giono a suffisamment souligné le *parcours* que constitue l'histoire de Tringlot. Dans un premier temps, c'était le magot, quand sous ses doigts agiles basculait la pierre de la cache dans la grande Sambuque : «Je suis comblé. Maintenant j'ai tout», s'était-il écrié. Mais il lui fallait apprendre encore, et concevoir le prix de cet autre trésor, l'Absente. Son premier geste sera de liquider le magot au profit de Messieurs Gaston et Victor : «Je n'en ai plus beson. Il ne me sert plus»; tout en reconnaissant qu'il a maintenant «les yeux plus grands que le ventre»[51]. Le récit n'ira point au-delà de l'instant où lui apparaît enfin la «forme immobile» et muette. C'est alors qu'il se *répond* à lui-même, *répétant* : «Je suis comblé. Maintenant j'ai tout».

Or ce parcours, en quelque sorte initiatique, ne résume-t-il pas exactement cette «révolution» qu'annonçait Giono dans notre façon de «rencontrer le réel»[52]? Révolution qui consiste à laisser agir dans l'ordre de la connaissance cette ironie philosophique[53] dont s'inspire déjà la croisière de *L'Indien* et dont le processus n'a cessé de préoccuper le romancier Giono. C'est ainsi qu'au médecin du *Hussard* me semble répondre le Casagrande de *L'Iris*; curieux l'un et l'autre de ce qu'on peut appeler le fond de l'être et praticiens, chacun à leur manière, de l'autopsie ou de l'anatomie.

Le premier, en dépit des louvoiements de son discours, me paraît être passé tout d'abord par les illusions du savoir positif, qu'il dénomme «science expérimentale». Ne proclame-t-il pas que «le libre arbitre est un manuel de chimie»? Ne prétend-il pas, avec «un foie et une carcasse d'homme ou de femme […] entreprendre, réussir ou rater tous les tours de passe-passe de la vie méditative ou de celle de société»[54]? Cependant, sa déception fut, semble-t-il, à la hauteur de sa confiance:

> «J'ai découpé du foie humain, en veux-tu en voilà, avec mes petits couteaux. J'ai assuré mes lunettes sur mon nez et j'ai dit: ''Voyons voir'', comme tout le monde. J'ai vu quoi? Qu'à l'occasion il était engorgé ou corrompu, injecté ou obstrué, qu'il adhérait parfois au diaphragme. Ça m'a fait une belle jambe!

Et de conclure que le foie (mais est-ce bien de ce viscère qu'il s'agit en l'occurrence?) «est semblable à un extraordinaire océan, où la sonde ne touche jamais le fond». De tout ce qui pourrait compter et nous éclairer, des «sens profonds du pourquoi des choses», «aucune trace à l'autopsie». Ainsi l'homme de l'art vieillissant est-il devenu le témoin de cette «aphasie» de la science, dont Nietzsche déjà nous entretient.

A ces occupations de chimiste s'opposent celles de Casagrande. Celui-ci n'a cure du foie, ni du sang, ni de la chair, toutes choses molles, corruptibles, pénétrables. Anatomiste lui aussi, il commence par nettoyer un à un les os, les tremper «dans cent mille vinaigres», les brosser, les poncer, les polir[55]. De ces petits animaux qu'il a ainsi auscultés, il ne garde que le squelette, l'«essence», le contraire de l'«accident»; l'imputrescible, certes, mais aussi le fond de l'être et finalement «l'impénétrable». Et de proclamer, lui, que «la fin et l'essence des êtres resteront impénétrables».

N'allons point ici nous leurrer de l'apparent recoupement de ces deux conclusions: de l'un à l'autre de nos deux philosophes, la différence est celle du nihilisme passif au nihilisme actif. De leur confrontation résultent, à mes yeux, deux formes de *la vision tragique dont l'objet est le mystère de l'être*.

Sorti des illusions du positivisme, l'homme de science est voué au désespoir et cède à la fascination de la destruction. Contemplant l'agonie du cholérique, il ne peut observer autre chose que la viscosité de la peau, la cyanose des membres, la langue couverte de charbons: «frustré dans son appétit de savoir, il est réduit à voir dépérir «l'accident». Casagrande, au contraire, à force de dépouiller de leur chair les squelettes, voit resplendir «l'essence». L'emblème de ce qui s'offre au regard du *philosophe*, c'est l'Iris de Suse, «celui qui met la dernière main à tout ce qui s'accomplit»: veut-on une plus brillante définition de l'objet de connaissance? Et pourtant...

> «Ça sert à quoi? Mystère, on ne l'a jamais su; ça ne sert à rien; en principe sa nécessité nous échappe, dit-on. En tout cas il existe: le voilà au bout de ma pince. Je vais le placer où il doit être, comme l'a voulu Dieu-le-Père, un très vieux Dieu, vieux comme les rues. Voilà: il est

caché derrière le maxillaire supérieur. On ne le voit pas, on ne le soupçonne pas, on ne le soupçonnera jamais mais, s'il n'y était pas, il ne serait pas complet. »[56]

L'être comme une œuvre d'art. L'ultime, l'unique *justification* de l'être :

> «Ce n'est qu'en tant que phénomène esthétique que l'existence et le monde se justifient.»

Ainsi parlait Nietzsche en 1872, dans *La Naissance de la tragédie*.

Et pour que votre idée du Bien ne puisse survivre à celle que vous vous faisiez du Vrai, voici le fringillaire, «l'ogre lui-même», celui qui «se nourrit de petits oiseaux frais éclos»; regardez-le :

> «[...] c'est un ostensoir. Splendide! Son bréchet, regardez : plat, rond, blanc, l'hostie : le diable!»

Ce nom, je crois, s'impose, comme le mot de la fin[57].


NOTES

1. Cité par P. Klossowski, *Nietzsche et le cercle vicieux*, M.d.F., 1969, p. 19.

2. Robert Ricatte, «Giono ou les détours de la curiosité», *Magazine littéraire*, numéro spécial «Giono», juin 1980.

3. *Noé*, Pléiade, III, p. 617.

4. *Vie de Henry Brulard*, ch. 25, Divan, p. 228.

5. Lettre à Sutton Sharpe.

6. R. Ricatte, article cité, p. 30.

7. *Le Chant du monde*, Pléiade, II, pp. 245-247.

8. Pléiade, III, p. 900.

9. Cité par Robert Ricatte, *Magazine*, p. 31.

10. *Les Grands Chemins*, Pléiade, V, p. 540.

11. Cité par P. Klossowski, *Nietzsche*, p. 82.

12. *Le Bonheur fou*, Pléiade, IV, p. 1026.

13. *Fragments d'un paradis*, Pléiade, III, p. 892.

14. *Les Grands Chemins*, Pléiade, V, p. 545.

15. *Ibid.*, p. 584.

16. *Ibid.*, p. 626-627.

17. *Ibid.*, p. 545.

18. P. Klossowski, *Nietzsche*, p. 158.

19. *Le Bonheur fou*, Pléiade, IV, p. 746.

20. *Ibid.*, p. 713.

21. Je l'entends au sens philosophique et me réfère ici à la définition qu'en donne Frédéric Schlegel.

22. Proposition de Henri Godard, notice à *Fragments d'un paradis*, Pléiade, III, p. 1540.

23. Pléiade, V, p. 540.

24. *Ibid.*, pp. 540-541.

25. Je renvoie à l'excellente analyse de Luce Ricatte, Pléiade, V, pp. 1156-1157.

26. Proposition de Luce Ricatte, notice citée, p. 1162.

27. Pléiade, V, p. 511.

28. *Œuvres philosophiques complètes*, édition Gallimard, t. 13, p. 235.

29. *Ibid.*, p. 80.

30. *Noé*, Pléiade, III, p. 633.

31. *Ibid.*, p. 635.

32. *Ibid.*, p. 615.

33. *Ibid.*, p. 75.

34. *Dogme et rituel de haute magie*, édition Bussière, 1977, p. 360.

35. *Ibid.*, p. 173.

36. *Noé*, Pléiade, III, p. 661.

37. J.-L. Scheffer, *L'Espèce de chose mélancolie*, Flammarion, p. 47.

38. *Fictions*, traduction de P. Verdevoye, Folio, p. 173.

39. Notice de Robert Ricatte, Pléiade, V, pp. 1008-1057.

40. Robert Ricatte, loc. cit., p. 1044.

41. Pléiade, V. pp. 259-260.

42. Voyez notamment *Un Roi sans divertissement*; sur ce sujet : J. Decottignies, «Détours», *Revue des sciences humaines*, 169, janvier-mars 1978.

43. *Fictions*, Folio, pp. 109-122.

44. Pléiade, V, pp. 260-262.

45. Nietzsche, *Œuvres complètes*, t. 13, p. 58.

46. Pléiade, V, p. 525.

47. *Ibid.*, p. 556.

48. Pléiade, V, p. 639.

49. *L'Iris de Suse*, Pléiade, VI, p. 412.

50. Cf. la notice de Luce Ricatte sur *L'Iris de Suse*, Pléiade, VI, p. 1052. Parlant de lacunes, je n'entends pas tel trou noir que rien ne saurait combler; il va sans dire que l'ingéniosité du lecteur saura pallier la plupart de ces manques. Ce que je veux désigner, c'est la *malice du conteur* qui s'évertue à piéger ce parcours de l'herméneutique et à souligner le caractère *aléatoire* de nos déductions.

51. *Ibid.*, p. 520.

52. «La révolution, la nouveauté, la *Renaissance* doit être dans la *conception du réel*, ou une façon nouvelle pour l'homme de *rencontrer le réel*». Cité par Henri Godard, Pléiade, III, p. 1540.

53. Qu'on ne saurait confondre avec cette figure de rhétorique dont nous usons dans le langage quotidien. L'ironie que j'appelle ici «philosophique» fut mise en honneur et théorisée par les Romantiques allemands. Sur ce point, on peut consulter : J. Decottignies, *Villiers le taciturne*, Presses universitaires de Lille, 1983, pp. 15-36.

54. *Le Hussard sur le toit*, Pléiade, IV, p. 612.

55. *L'Iris de Suse*, Pléiade, VI, p. 447.

56. *Ibid.*, pp. 503-504.

57. Sans compter les suggestions des participants du colloque. Notamment la remarque, à laquelle je ne puis manquer de souscrire, que les procédures dont je parle se peuvent déjà observer dans les œuvres d'avant la guerre. Pierre Citron et Laurent Fourcaut ont fait, sur ce point, d'utiles remarques.

# II
## LES FORMES DE L'IMAGINAIRE

# «LE POIDS DU CIEL»,
# FUGUE BAROQUE

## par Jean Pierrot

Formé de trois textes relativement indépendants, respectivement intitulés *Danse des âmes modernes*, *Les Grandeurs libres* et *Beauté de l'individu*, *Le Poids du ciel* a été composé par Giono entre l'été 1937[1] et la veille de Pâques 1938, comme le précise la date qui figure à la fin de l'ouvrage, et paraît en octobre de la même année. Rarement réédité depuis, si l'on excepte sa réapparition en 1971 dans la collection Idées-N.R.F.[2], il a été relativement dédaigné ou passé sous silence par une grande partie de la critique. Celle-ci, lorsqu'elle l'a envisagé, l'a fait le plus souvent non pas isolément, mais en relation avec les essais et pamphlets qui effectivement l'encadrent chronologiquement, depuis *Les Vraies Richesses*, qui datent de 1936, jusqu'au *Triomphe de la vie*, paru en 1941, en passant par la *Lettre aux paysans*, et par *Précisions*.

A travers ces différents textes, liés à l'immédiat Avant-Guerre, se dessine, on le sait, la figure d'un Giono idéologue, pacifiste et antimilitariste, défenseur acharné de l'individu et hostile à l'action des partis, héraut d'une prétendue «civilisation paysanne». Un Giono qui a mauvaise presse : au mieux, pensera-t-on, un naïf, s'imaginant que la menace de la guerre, de plus en plus évidente en ces années-là, pourrait être écartée par de nouvelles concessions faites à la dictature hitlérienne, ou finalement enrayée par une réaction simultanée des paysanneries nationales, refusant l'obéissance et l'enrôlement. Cette révolte paysanne, qui aurait succédé à la révolution ouvrière un moment triomphante, ou se serait substituée à elle, on sait aujourd'hui que Giono envisageait à l'époque d'en faire le sujet d'une fresque romanesque, à travers ces *Fêtes de la mort* dont des documents contemporains attestent le projet[3], puis le récit ébauché intitulé *La Chute de Constantinople* dont *L'Eau vive*, en 1943, recueillera deux fragments[4]. Au pire, il apparaîtra dans ces textes sous le jour d'un utopiste réactionnaire, enfermé dans une vision du monde anachronique, et refusant en bloc à la fois la société moderne, le progrès technique, et les efforts d'émancipation sociale des catégories défavorisées. Ainsi s'expliquent certaines des réactions contemporaines de la sortie de l'ouvrage, et par exemple celle de Paul Nizan : ce dernier, adoptant à l'égard de Giono une attitude polémique et même injurieuse destinée plus tard à se retourner cruellement contre lui, n'hésitait pas à traiter l'écrivain de «lâche» et de «menteur»[5].

Mais la critique ultérieure, en particulier universitaire, n'a guère été elle non plus indulgente à l'égard de cet ouvrage. Ainsi Jacques Pugnet, dans son petit ouvrage de 1955, tout en reconnaissant que le livre contient quelques «images magnifiques», estime qu'il «exprime en bien des pages une philosophie confuse»[6]. M. Redfern, tout en consacrant à l'étude des thèmes idéologiques présents dans l'ensemble des textes de l'époque une analyse fournie et nuancée, qui occupe un chapitre entier de son essai[7], se montre lui aussi assez sévère en définitive à l'égard du *Poids du ciel*, parlant à son sujet d'«hémorragie verbale», et qualifiant le livre de «monstre effrayant».

C'est en tenant compte de ces réactions et de ces différents reproches, en partie sans doute motivés, que nous voudrions cependant tenter, à la faveur d'une relecture récente et du plaisir que nous y avons éprouvé, une réhabilitation de l'ouvrage. Réhabilitation qui s'appuiera d'abord sur le fait que ce dernier est loin de se borner à ces aspects idéologiques et polémiques, en lesquels trop souvent on a voulu l'enfermer. Bien au contraire, la première impression qui se dégage d'une lecture du texte est celle d'une très grande diversité. *Le Poids du ciel* comporte et véhicule une étonnante variété, non seulement d'idées, mais de thèmes, d'images, de couleurs et de rêveries, de confidences et de visions, une profusion et un jaillissement qui annoncent indéniablement, à une dizaine d'années de distance, ce qui sera la réussite paradoxale de *Noé*, livre-monstre et livre-orchestre. Si nous avons cru pouvoir placer la présente réflexion sous le signe du baroque, c'est, en un premier sens, en raison de cette profusion quasi étourdissante, dont nous voudrions essayer de donner quelque idée.

Revenons d'abord, un instant, sur ces thèmes politiques qui, nous l'avons noté, ont été l'origine principale du discrédit dont le livre a souffert. Au point de départ de l'attitude de Giono se trouve évidemment son expérience personnelle de la guerre, le traumatisme qu'elle a constitué pour lui, comme pour bon nombre de ses contemporains, et auquel il fait référence ici même à différentes reprises (133, 147, 149). De là a découlé un pacifisme obstiné, qui le conduira à approuver la négociation de Munich et à refuser toute idée d'une préparation de la guerre. De là aussi, en grande partie, une dénonciation globale de la civilisation industrielle et urbaine, accusée sinon tout à fait de favoriser la guerre, du moins de lui être parfaitement adaptée, comme le travail ouvrier se trouve à ses yeux adapté aux formes modernes de la guerre mécanique, sous son double aspect d'enrégimentement massif et de débauche de matériel. Ceci conduit Giono à rejeter simultanément, non seulement les dictatures fascistes, mais aussi, renvoyés dos à dos, le capitalisme et le communisme. Ce dernier, à ses yeux, ne fait que substituer au capitalisme privé un capitalisme d'État, et n'a nullement été capable d'améliorer réellement la condition ouvrière, dont il reconnaît lui-même le caractère intenable. Au communisme il reproche aussi d'avoir entraîné un écrasement de l'individu au profit de la masse, de conduire à une hypertrophie de l'État, et par là de ne pas se distinguer des régimes totalitaires.

A cela s'oppose pour Giono le rêve d'une disparition de l'État, qui permettrait à chaque individu de s'épanouir pleinement dans une solitude retrouvée : «Il n'y a de vérité (écrit-il par exemple) que dans la solitude. Tous les systèmes sociaux sont des construction de mensonge.» (160) Cet individualisme anarchiste trouve son illustration, au niveau économique et social, dans la célébration de ce qui pour lui constitue la structure idéale : une juxtaposition de petites communautés, réunissant chacune dans un même esprit de solidarité et d'assistance mutuelle de petites exploitations agricoles polyvalentes, vivant dans une situation d'autosuffisance presque complète, d'autarcie et d'autoconsommation, entourées seulement de quelques entreprises artisanales pourvoyant à quelques besoins spécialisés et limités : forgerons, cordonniers, meuniers, tisserands, etc. Entre eux, toute accumulation de la richesse étant proscrite, et donc tout emploi du numéraire, les échanges seraient réalisés en grande partie sous la forme du troc, ou encore du don pur et simple.

La dénonciation de la guerre, à laquelle Giono accuse la gauche française contemporaine de s'être trop facilement résignée, entraîne aussi de sa part quelques allusions de caractère plus personnel et polémique, et par exemple lorsqu'il ironise (133) sur ce qu'il considère comme un volte-face d'Aragon, devenu un apôtre de la guerre contre l'Allemagne, ou attaque indirectement Malraux, qui venait de publier *L'Espoir*, et que désignent sans doute ici les quelques allusions faites à «l'écrivain qui revient de Madrid» (132 et 133).

Il serait évidemment trop facile d'ironiser à notre tour sur certaines de ces idées, d'en dénoncer le caractère utopique et naïf. Bien sûr, il apparaît clairement, aujourd'hui, pour notre regard rétrospectif, que le pari pacifiste de Munich était une illusion, qui ne fit qu'exacerber les ambitions des dictatures de l'Axe, en leur garantissant une sorte d'impunité. Trop facile aussi de montrer le caractère à la fois illusoire et irréaliste de la foi manifestée par l'auteur dans l'action d'une paysannerie dont l'importance dans la population active n'a cessé de décliner. De même, le retour à une économie d'autosubsistance agricole, d'ailleurs esquissée par force à l'époque de la guerre, ne peut signifier qu'une régression générale de la civilisation. On ne s'est pas fait faute, d'autre part, de montrer ce qu'il y avait d'idyllique dans le tableau que Giono dressait de la vie quotidienne paysanne, gommant l'énorme servitude au climat et à la météorologie, l'ingratitude des tâches quotidiennes, la dure rançon de l'isolement. L'idéal de Giono, on l'a remarqué, ne peut à vrai dire s'appliquer qu'à cette frange de petites exploitations montagnardes que lui-même connaissait bien à la suite de ses différents séjours estivaux dans les Alpes, et par exemple dans cette haute vallée de la Durance où, au cours de l'été 1937, fut composée ou méditée une partie du *Poids du ciel*.

Dans le réquisitoire dressé contre la civilisation moderne tous les griefs n'ont pourtant pas, remarquons-le à la décharge de l'auteur, perdu leur pertinence : dénonciation de l'aliénation du travail industriel (284-5), réflexion sur les limites du progrès technique et sur les effets secondaires néfastes qu'il engendre (245-8), sur la compatibilité, et même la complicité possible entre le développement technologique et les formes les plus modernes de la guerre (271-2), anticipation enfin sur les risques liés à d'éventuelles manipulations génétiques (310). Par ces différents aspects et ces virtualités, les idées de Giono, loin d'être définitivement reléguées dans le cimetière des idéologies périmées, ont pu susciter des échos, retrouver une certaine actualité à une époque récente, et par exemple dans la mouvance de 68.

Mais là, dans l'ensemble de ces thèmes idéologiques, ne réside certainement pas l'intérêt essentiel de l'œuvre, et spécialement pour nous qui sommes réunis ici principalement sous le signe de l'imaginaire. Tout autant qu'à ces éléments de polémique politique, *Le Poids du ciel* est voué à la rêverie astronomique et cosmique qui lui a servi de point de départ immédiat. Comme le titre le rappelle, le livre, en effet, est né et se nourrit de la contemplation d'une série de photographies astronomiques procurées à Giono par son voisin et ami M. de Kérolyr, directeur de l'Observatoire de Forcalquier. Pour mieux s'en inspirer, il avait, précise un passage du livre (293-5), épinglé ces photographies sur le mur de son bureau, face à sa table de travail. Une partie d'entre elles accompagnait d'ailleurs, en 1938, l'édition originale de l'ouvrage. La réflexion astronomique, la méditation sur le Cosmos n'a d'ailleurs chez Giono rien d'abstrait ni de didactique. Polémiste ou essayiste, il ne peut s'empêcher de s'impliquer personnellement, de se mettre en scène périodiquement. Ainsi en est-il, nous l'avons déjà noté, en ce qui concerne cette expérience, si capitale pour lui, de la guerre, qui a marqué indélébilement son caractère. Mais on peut le voir aussi évoquer, à un moment donné du livre, ses débuts professionnels de petit employé de banque (174), ou encore faire état directement du décor de montagne qui l'entourait au cours de l'été où débute la composition de l'ouvrage (141). De même, le début de la troisième partie raconte le voyage de retour qu'il accomplit, à l'issue de ses vacances d'été, depuis les Alpes jusqu'à Manosque ; voyage qu'il réalise à pied, et dont il évoque les différentes étapes dans des fermes, et les rapports qu'il noue à cette occasion avec les familles des paysans, ses hôtes.

Les prises de position personnelles de l'écrivain ne sont pas non plus dissociables d'une réflexion générale, de caractère métaphysique. Ainsi la contemplation de la mécanique céleste provoque une série de considérations sur le temps, et les formes, très différentes, de la durée : à une durée biologique irréversible qui marque les organismes individuels s'oppose radicalement un temps cosmique de caractère essentiellement cyclique, marqué par le périple solennel des astres. De là découle aussi, dans une perspective tout à fait lucrétienne et matérialiste, une réflexion sur la mort et son caractère de pure illusion, puisqu'il est impossible qu'aucune particule de la matière, aussi infime soit-elle, disparaisse, et que la mort n'est jamais qu'une modification de combinaison des éléments réels (cf. par ex. : 205 et 217).

Est aussi frappante, dans ce livre, la propension quasi irrésistible qui pousse Giono à faire dévier l'essai, les considérations abstraites, vers le récit, la narration. Ceci, esquissé dans le premier chapitre avec l'évocation d'un tisserand de village que l'auteur nous montre dans son activité quotidienne, et discutant avec les voisins dont ils se propose de satisfaire les besoins, s'épanouit dans *Les Grandeurs libres*. Alors l'essai cède entièrement la place, en apparence, à un double développement narratif. Il y a d'abord l'évocation simultanée d'un certain nombre d'événements qui sont censés se passer au cours d'une même nuit, à partir de l'immense empire soviétique. Nous voyons d'abord l'action d'un fonctionnaire qui, avant de rentrer chez lui et de s'endormir aux côtés de sa femme, envoie un message télégraphique. Celui-ci va sans doute déclencher, à partir d'un port de la Mer Noire, le départ d'un cargo dont nous suivons, de moment en moment, la progression au travers des eaux nocturnes. Simultanément, nous voyons un train, parti de Moscou vers l'ouest, en direction de Varsovie puis de l'Europe occidentale, avancer au milieu de l'immense plaine. Cette ample évocation nocturne confère au livre une dimension véritablement épique. Lui succède, en contrepoint, une nouvelle description simultanéiste, mais celle-ci à une autre échelle. L'auteur, en effet, entreprend de décrire ce qui se passe à Marseille, un jour parmi d'autres, entre midi et deux heures de l'après-midi : nous voyons alors alterner, selon une savante technique sur laquelle nous aurons l'occasion de revenir, différentes scènes de rue : la sortie des usines et des ateliers, la conversation entre deux jeunes amoureux, une dactylo et un petit employé, qui évoquent leurs problèmes quotidiens, ou l'intervention de trois ouvriers du port auprès d'un délégué syndical à propos d'un licenciement abusif. A tout cela se mêlent des bribes de conversations surprises dans la rue par un narrateur vraiment doué d'ubiquité. L'ensemble s'achève, ou plutôt se referme sur le retour au travail du début de l'après-midi. Dans la troisième partie enfin Giono, nous y avons déjà fait allusion, évoque son voyage de retour à Manosque. Par l'insertion de ces éléments spécifiquement narratifs, ou plutôt par cette situation qui le met en porte-à-faux continuel entre la narration et l'essai, le texte présent assume une originalité saillante, fait éclater, comme plus tard *Noé*, toute séparation entre les genres littéraires.

Mais l'œuvre frappe surtout par l'extrême variété des tons et des registres selon lesquels elle se développe. La dénonciation de la guerre, au début du livre, déclenche une série de rêveries visionnaires et apocalyptiques : progression d'immenses armées à travers les continents (19-20), évocation d'un chef se repaissant, tel quelque Moloch, de cadavres d'enfants (22-3). Tout ce début du premier chapitre, qui contraste vivement avec les calmes images champêtres qui lui font suite, est d'ailleurs placé sous le signe de la danse macabre, à laquelle fait allusion le titre du chapitre, et évoque de façon récurrente l'image, elle aussi macabre, du cadavre du comte d'Orgaz, dans le fameux tableau du Greco, interprété comme figure d'une pourriture cachée sous une carapace de fer, ce en quoi l'auteur voit l'image du monde moderne. Cette même inspiration apocalyptique reparaît plus tard, colorée d'une nuance cosmique, lorsque Giono imagine un instant, selon une hypothèse qui relève sans doute plus de la science-fiction que de la science, que toute l'eau qui jadis recouvrait le sol lunaire, peu à peu aspirée par l'attraction terrestre, se serait à un moment donné précipitée brusquement sur le sol de notre planète (210-11).

Du fait même de son thème astronomique, l'ensemble du livre est, d'autre part, imprégné de lyrisme cosmique. Celui-ci affleure à de multiples reprises, et par exemple lorsque l'auteur, contemplant le ciel nocturne, évoque ce qu'il appelle «l'éclatante bourrasque de la matière» (91-2), ou lorsqu'il décrit les phénomènes célestes qui se sont produits, liés à un orage solaire, au moment même où il écrivait, dans la nuit du 23 janvier 1938 (213-5). Cette rêverie cosmique débouche, à la fin de la seconde partie du livre, sur un ample mouvement lyrique : parti du sol terrestre, et prenant peu à peu par la pensée de la distance, l'écrivain-poète imagine et décrit les perspectives successives qui se présenteraient à ses yeux s'il accomplissait réellement ce voyage, du système solaire à la galaxie puis à l'ensemble du cosmos (202-43). Cette dimension cosmique de la vie terrestre ne nous est évidemment perceptible qu'à la faveur de la nuit : celle-ci, loin de nous emprisonner, nous révèle donc l'étendue véritable, et quasi illimitée, de notre domaine. L'écrivain est ainsi naturellement conduit à entonner périodiquement un hymne, de coloration vraiment romantique, à la nuit, dont il célèbre à l'envi les pouvoirs bénéfiques : non seulement elle «nous présente l'univers» (84), c'est-à-dire «notre famille» (*ibid.*), mais elle apaise tous les conflits humains et les vains débats idéologiques dans ce que l'écrivain appelle une «fraternité shakespearienne» (107), elle délivre l'humanité de toutes les tyrannies qui l'asservissent (117), la reconduit vers l'innocence de l'enfance (115).

C'est aussi cette présence de la nuit qui conduit Giono à passer du lyrisme cosmique que nous venons d'évoquer à un lyrisme proprement planétaire. Le mouvement narratif de la seconde partie, auquel nous avons fait déjà allusion, est en effet rythmé par l'évocation puissante et panoramique de la progression de la nuit recouvrant peu à peu de nouvelles parties du globe terrestre à mesure que celui-ci tourne sur son axe : nous la voyons ainsi, partie de la plaine russe, occuper ensuite toute l'Europe, puis l'Atlantique, gagner le double continent américain, avant d'atteindre le Pacifique et de retrouver l'Extrême-Orient, au moment même où, de l'autre côté du monde, commence à poindre un nouveau jour. Cette description est pour l'auteur l'occasion d'un mouvement d'une puissance vraiment magnifique, où les qualités poétiques de sa prose, la richesse de son imagination, l'ampleur panoramique de ses vues atteignent à une perfection qui égale celle des meilleurs moments de son œuvre (123-8).

A ces moments de rêverie grandiose, riches de lyrisme et d'épopée, font contraste, en un relief saisissant, d'autres passages du texte qui se situent dans un registre tout différent, et presque antithétique. Aux grandes orgues de l'inspiration apocalyptique ou cosmique s'opposent, comme à la fin de la première partie, des passages qui illustrent une rêverie champêtre et idyllique : ainsi lorsque l'auteur évoque «les longs compagnonnages d'ouvriers charpentiers» qui avancent en chantant à travers la forêt, de village en village (32), ou encore, nous y avons déjà fait allusion, à l'occasion du dialogue entre le tisserand et les villageois. C'est, d'autre part, le réalisme qui domine, la vie quotidienne avec ses contraintes, ses sensations habituelles, ses inquiétudes et ses joies, dans cette évocation de Marseille entre midi et deux heures qui occupe une partie du second chapitre. Giono l'a sans aucun doute reconstruite à partir de ses propres souvenirs d'autrefois, lorsque lui-même était l'un de ces petits employés dont il nous suggère ici le destin. Dans ce passage, qu'il a lui-même désigné (176) du nom de «choral et fugue de la grande ville entre midi et deux heures», nous est restituée, dans sa richesse et sa diversité, toute l'agitation de la grande ville, avec la multiplicité des sensations simultanées qu'offre l'animation de la rue, au milieu du brouhaha des conversations qui s'enchevêtrent et dont nous percevons des fragments plus ou moins développés. Ainsi, nous retrouvons de moment en moment, au cours de ces deux heures, le couple formé par la dactylo et le petit employé. Nous les suivons au cours du modeste repas qu'ils prennent dans une crèmerie, puis durant la promenade qu'ils font ensuite aux environs du Vieux Port, avant de se séparer pour rejoindre chacun de son côté leur travail respectif. Nous découvrons leurs humbles préoccupations quotidiennes, où dominent les problèmes liés à l'argent et au métier, l'aveu furtif de leurs sentiments, leur modeste espoir de pouvoir un jour s'installer ensemble et fonder un foyer. Giono excelle à nous faire saisir alors, au sein même de l'agitation de la ville, la grêle chanson de leur existence et de leur destin, tandis que sont suggérées en arrière-plan, à une échelle non plus individuelle ni même locale, mais nationale et internationale, les menaces qui pèsent à l'époque sur l'Europe.

Un des grands charmes que possède *Le Poids du ciel* réside sans aucun doute dans l'art avec lequel l'auteur a su faire ainsi alterner tout au long de son texte des perspectives d'ampleur si variée, depuis le grand opéra céleste jusqu'à la petite musique que module le destin de ce jeune couple, apparemment noyé dans la réalité quotidienne la plus banale et la plus contraignante. Tout au long de cette même «fugue de la grande ville», le réalisme est d'ailleurs relayé par des nuances de pittoresque et d'insolite qui viennent des collages auxquels se livre Giono, sur lesquels nous aurons l'occasion de revenir. Car, tout au long de cette évocation marseillaise, la présence du contexte, de la situation historique de l'Europe contemporaine, est constamment suggérée par l'insertion dans le texte de fragments d'origine diverse : titres de journaux, fragments d'articles relatifs à l'actualité politique, messages publicitaires, éléments de fait divers : c'est ainsi toute l'infinie diversité, toute la touffeur, et en même temps tout l'imprévu, toute l'étrangeté parfois de la vie qui nous ont rendus sensibles. L'auteur joue alors à merveille sur les effets de contraste, tirant alternativement sur les registres du cocasse (tel fait divers, telle annonce) ou de la tragédie (la course aux armements, les préparatifs de la guerre chimique).

A cette quasi infinie diversité de tonalités littéraires, de couleurs et de tons qu'offre *Le Poids du ciel*, dans un bouquet d'une extraordinaire variété, il faudrait même ajouter deux éléments qui se manifestent ponctuellement : le merveilleux, avec l'épisode — plus tard amplement développé dans *Fragment d'un paradis* — de la rencontre par le navire, progressant au milieu de la Mer Noire, d'une raie géante et lumineuse ; la présence fascinante du monde moderne, à travers la brève évocation (109-10) de l'activité d'une centrale électrique, dans une ville où passe et s'arrête un moment le train dont nous suivons quelque temps la progression nocturne.

Mais si *Le Poids du ciel* peut être qualifié de livre baroque, ce n'est pas seulement à cause de cette quasi surabondance de thèmes et de couleurs littéraires, de l'évidente exubérance d'un génie littéraire qui véritablement fait feu de tout bois, qui entend apporter la preuve de l'universalité de ses talents, agiter alternativement tous les cantons de la sensibilité humaine, passer du grandiose au minuscule, dans une sorte d'ardeur vitale et de confiance qui est bien un des traits habituellement attribués à la création baroque. Il l'est aussi sans doute en un sens plus précis, du fait de la vision du monde qu'il véhicule, que l'on peut effectivement relier par certains de ses aspects à la sphère du baroque, telle que l'a délimitée — non sans flottements et polémiques — la réflexion historique et esthétique.

Cette vision du monde est d'abord caractérisée, en effet, par son aspect fondamentalement dynamique. L'image de l'univers que nous donne *Le Poids du ciel* est celle d'un continuel mouvement. Mouvement d'abord, bien sûr, de l'ensemble de la mécanique céleste, à travers le déplacement apparent des étoiles, tel que peut l'observer ici le capitaine du navire qui s'avance, la nuit, à travers la Mer Noire (77). Mouvement aussi, nous y avons fait déjà allusion, de la nuit dans son inéluctable et régulière progression :

> «La nuit (écrit Giono) a maintenant gagné toute la Mer Noire; toutes les terres d'autour : les rivages, les promontoires, les détroits; elle a endormi les villes qui se reflètent dans l'huile des ports; elle a endormi les villes qui se reflètent dans l'huile des prairies d'herbes. Les frontières n'ont pas fait le moindre bruit en plongeant brusquement dans la nuit. S'il y a seulement une chaîne le long de la coque du navire, elle siffle en entrant dans la mer. Mais les frontières entrent dans la nuit sans siffler ni bouillonner, à mesure que la terre se renverse [...]» (65)

A une échelle plus réduite, et proprement humaine, cette loi du mouvement paraît régler l'essentiel de l'existence. Ainsi lors de l'épisode marseillais, tout paraît se résoudre en une série de déplacements : trajet des tramways, afflux de la circulation aux deux périodes de pointe du milieu de la journée, ensemble des mouvements corpusculaires qui animent la foule où chacun, vaquant à ses affaires personnelles sans apparent souci des autres, s'intègre pourtant inconsciemment dans un rythme général qui règle le destin quotidien de la grande ville.

Ces différents déplacements sont d'ailleurs ici en relation avec une certaine réalité du temps, qui est celle du temps cosmique : un temps qui est non pas historique et rectiligne, mais circulaire et répétitif, et qu'illustre la grande horloge planétaire. A travers lui se déploie une forme idéale du mouvement, celui d'un mobile qui, une fois accomplie sa révolution immuable, revient immanquablement à son point de départ. Elle signifie la primauté de la courbe sur la ligne droite, et réussit par là à miraculeusement concilier deux exigences apparemment incompatibles, celle du changement et celle de l'immobilité, le désir de la nouveauté et la nostalgie du retour :

> «Ce n'est pas (écrit Giono à ce propos) l'effondrement en ligne droite d'un objet qui tombe ou monte, c'est le déplacement logique d'un sujet ayant pour but précis le point de son départ. Demain, à quelques secondes près, l'étoile qui a parcouru le ciel et descendu sous l'horizon refera le même chemin. Elle est revenue, elle est restée; elle ne s'est pas enfoncée à tout jamais dans un en-arrière, pendant que l'homme, et le monde qui le porte, s'élancent vers un en-avant; elle est là, rejoint son but,

le redépasse, s'abîme encore devant notre cœur qui maintenant est sûr de ne jamais la perdre.» (77)

Ainsi voyons-nous en cette occasion Giono entamer un hymne, de coloration indéniablement baroque, en l'honneur de cette ligne courbe qui lui paraît seule en harmonie avec les désirs humains (cf. par ex. : 79), parce qu'elle oppose à la tragique et irréversible déperdition du mouvement rectiligne la douceur d'un mouvement qui est incessante récupération.

Cette primauté de la courbe sur la droite est sans doute révélatrice de toute la vision du monde de l'écrivain. Elle implique que pour lui le Cosmos soit, non pas infini, mais fini et fermé. Tout comme la physique claudélienne, dont elle s'inspire sans doute secrètement, la physique gionienne suppose indéniablement une image finie du monde. Car cette finitude du monde est, à son tour, la condition qui permet à tous les êtres qui vivent ensemble de coexister harmonieusement. Pour désigner une telle coexistence, qui n'est pas simple juxtaposition des existants, mais étroite interdépendance, Giono reprend d'ailleurs un terme spécifiquement claudélien, celui de «connaissance». Ainsi en est-il, par exemple, dans ce passage où c'est la mer qui, servant de repère métaphorique pour désigner la connaissance humaine, institue entre toutes choses un lien et un rapport :

> «Comme l'onde qui s'enfonce profondément puis se soulève sous le poids du vent dans le large de l'Atlantique ne vient pas elle-même frapper et rugir dans les déchirures des côtes de Bretagne, mais émeut de proche en proche, et de cercles monstrueux en cercles monstreux connaît, soulevant tous les limons, tous les poissons ou tous les oiseaux, la vie immense de l'océan, voyageur immobile il connaît l'univers par l'émotion que le volume de ses lois d'existence communique aux joies de l'univers.» (89)

C'est parce que ce monde est fermé sur lui-même dans sa perfection circulaire, parce qu'il est plein, sans aucun interstice, sans aucun vide, que la vie peut signifier perpétuelle communication et perpétuel échange entre les êtres. De cette constante communication entre l'homme et le reste du monde, Giono ne cesse de célébrer et d'illustrer les différents aspects : communication avec les étoiles, lorsque de l'homme l'écrivain affirme qu'il «est ancré par ses conduits de chair jusque dans le gouffre voluptueux des aurores boréales» (38). «Les artères de l'univers (ajoute-t-il) l'irriguent sans changer de ruisseau»; avec l'Océan, puisque des navigateurs il précise qu'ils ont «par de mystérieux procédés abouché leurs veines et leurs artères aux ruissellements de cette mer» (95); avec les végétaux eux-mêmes, puisque, des hommes idéaux dont il rêve, il déclare encore : «Ils seraient le cyprès et la sève du cyprès coulerait directement dans leurs veines sans changer de conduit» (89); avec les autres hommes enfin, comme le révèle cette confidence personnelle qui le montre imaginant son propre sang se mêlant à celui d'un compagnon et d'un voisin : «Quand je suis à côté d'un homme qu'on saigne et que je vois le sang jaillir de son bras en bel arceau rouge, avec son bruit d'étoffe froissée, mon sang frappe contre ma peau comme s'il était obligé de suivre l'autre sang dans un arc parallèle, et mon cœur s'abandonne.» (227) A travers cette métaphore significativement répétitive du ruissellement et de la circulation sanguine, de la fusion des liquides vitaux, des sangs et des sèves, affleure la nostalgie d'un monde qui, par delà la séparation et la distance des êtres, constituerait bien un seul et unique organisme. Dans ce monde véritablement macrocosme, toutes choses bougent, s'interpénètrent, réagissent incessamment les unes sur les autres :

> «Les lois de la matière qui permettent le gonflement de nos poumons et le battement de notre cœur (écrit l'auteur) sont sujettes de l'harmonie générale. La plus lointaine sensibilité de l'atome nous émeut instantanément [...]. [...] quarante millions de degrés dans les drames atomiques du soleil ne sont pas séparés de nous ; nous touchent, nous intéressent immédiatement. [...] il suffit peut-être du mot le plus paisible pour enrouler autour de nous les draperies incandescentes des aurores boréales, et préparer dans les granits de la terre des houles océanes.» (215-8)

Sous l'effet de ce transformisme universel, de cette rêverie métamorphosante, l'image de la réalité que nous propose Giono est donc bien fondamentalement baroque : celle d'une mobilité constante où les formes ne cessent de se modifier dans une sorte de triomphe de la liquidité. Alors, pour qualifier la vision de l'écrivain, c'est bien d'un délire, au sens plein du terme, celui qui désigne à la fois l'hallucination et l'errance, que l'on pourra parler. A preuve ce passage où l'imagination de Giono se déchaîne véritablement :

> «Le granit est devenu un gaz ; des nuages de granit portent la pluie de granit ; elle pleut sur les nouvelles formes de la matière qui sont devenues les granits de ce monde ; des fleuves de granit liquide coulent ; les peupliers se sont perdus sous la pression considérable des atomes ; mais cette pression même suscite de nouveaux peupliers qui bruissent au bord des fleuves de granit. La forme formée des truites vit dans ces ruisseaux inconcevables ; la forme formée d'une oreille écoute le bruissement des nouveaux peupliers. [...]» (241)

Par delà l'invasion d'une imagination qui secoue l'écrivain au point de le faire paraître avoisiner dangereusement le non-sens, subsiste sans doute la logique secrète d'une cosmologie dont nous venons de tenter de dessiner les lignes de force.

Le spectacle d'un univers en constante métamorphose implique aussi que tout devienne, non seulement fluide, mais flou, perde en même temps que sa consistance, une partie de sa cohérence. Mais l'univers baroque n'est-il pas aussi celui où triomphent, en même temps que le spectaculaire, l'illusoire, les erreurs de la perception et des sens ? C'est bien ainsi qu'aux yeux de notre auteur apparaît par certains côtés l'univers cosmique. Dans cet univers, du fait même de l'énormité des chiffres et des dimensions, toutes les mesures habituelles perdent leur sens, les repères habituels cessent de fonctionner. Ainsi Giono peut-il constater, à propos de la constellation des Pléiades, et de la distance dans laquelle elle se trouve par rapport à nous : «Les chiffres mêmes [...] perdent leur dureté, leur netteté, leur franchise objective et tremblent, perdus dans du brouillard» (82), ce qui l'amène à reprendre l'image éminemment baroque de la bulle : «D'y penser même (ajoute-t-il en effet) nous dilue brutalement comme le rayon de soleil qui chauffe et gonfle l'air dans les bulles de savon et elles éclatent tout de suite. »

Nous voici dès lors entraînés à la suite de l'écrivain dans un univers où les contraires s'annulent. La plus grande vitesse y devient l'équivalent de l'immobilité, et inversement «l'extrême lenteur apparente des plus lointains mouvements déclenche brusquement en nous la perception de vertigineuses vitesses» (84). Au lieu de signifier l'irréversibilité d'une succession immuable, le temps se spatialise et s'étale autour des regards de l'observateur qui au sein de son présent aperçoit la lumière d'étoiles déjà mortes depuis des milliards d'années : «[...] si je photographie le visage de l'univers (note l'écrivain) le présent que j'ai sur la plaque n'est qu'une accumulation de passés de dates différentes» (238). Alors le temps cesse véritablement de signifier ce qu'il signifie habituellement pour nous, il change pour ainsi dire de nature : «[...] je vois (écrit encore Giono) le temps comme un volume rond. » (239)

Si *Le Poids du ciel*, est digne de nous intéresser, et si peut-être en un dernier sens, à vrai dire plus lointain, l'œuvre présente mérite encore ce qualificatif de «baroque», c'est enfin dans la mesure où il nous est loisible de la considérer, au sein même de son apparente anarchie, comme un véritable laboratoire, où Giono expérimente pour son propre futur profit de nouvelles techniques romanesques. La prédominance du mouvement entraîne en effet des conséquences aussi dans le domaine des structures narratives. Les récits de Giono avaient été jusque-là, si l'on excepte *Naissance de l'Odyssée*, et dans une moindre mesure *Le Chant du monde*, centrés autour de la vie d'une petite communauté isolée. *Le Poids du ciel*, au contraire, d'une part offre, nous venons de le voir, de vastes perspectives panoramiques, naturellement liées au thème planétaire et cosmique, et d'autre part, privilégie la peinture du mouvement. C'est vrai ici, nous l'avons dit, de l'épisode narratif central, qui est consacré à l'évocation alternée de la progression nocturne d'un navire parti d'un port de la Mer Noire, et de l'avancée d'un train à travers l'Europe centrale. Or ce type de récit, consacré à la description d'un trajet, va désormais prendre une place grandissante dans le roman gionien.

Ceci est particulièrement sensible dans les deux fragments publiés de *La Chute de Constantinople*, le projet romanesque contemporain demeuré inachevé. *Promenade de la mort*, le premier de ces deux fragments, est consacré, on le sait, à raconter principalement un double itinéraire : l'aller et retour qu'accomplit, avec sa voiture à cheval, un vieux paysan qui, parti de sa ferme, vient récupérer à la gare la plus proche la motocyclette qui a permis à son fils, la nuit précédente, de rejoindre le train pour obéir à l'ordre de mobilisation. Au cours du voyage de retour, à la fin de l'après-midi, le vieillard meurt, brusquement emporté par une attaque. Mais, pendant la soirée et une partie de la nuit suivante, le cheval laissé libre par la mort de son maître d'avancer à sa guise, continue de traîner la carriole à travers la campagne. Il serait loisible de voir dans cet épisode un symbole de ce qu'a pris de tyrannique une loi du mouvement qui désormais va gouverner la plupart des narrations de Giono. Le second fragment, *Description de Marseille*, qui constitue en quelque sorte le prolongement de la fugue marseillaise ici présente, est tout entier à son tour occupé par le récit de l'itinéraire d'un taxi à travers la grande ville méditerranéenne. Cette propension à raconter des voyages, ou des errances, sera évidemment brillamment illustrée par la suite à la fois par le cycle du *Hussard* et par *Les Grands Chemins*.

La description simultanée, dont nous venons de parler, des trajets du navire et du train impliquait d'autre part un type de narration non plus linéaire mais éclaté, où se succèdent en alternance des séquences narratives relatives à chacun de ces deux itinéraires. Cette forme de récit éclaté, où Giono s'inspire probablement de l'exemple récent de Dos Passos — on sait combien à l'époque il fut attentif, avant Sartre, aux innovations et aux chefs-d'œuvre apportés depuis une décennie par le grand courant du roman américain —, va s'épanouir dans la fugue marseillaise qui occupe une bonne partie du second chapitre du *Poids du ciel*. Si l'on est en droit de parler à ce propos, comme Giono lui-même le fait, de «fugue», en se référant aux principes de composition musicale, c'est précisément parce que cet épisode nous présente l'alternance et l'entrelacement savant, l'occultation temporaire puis la reprise de multiples fils narratifs simultanés. Cette description de Marseille ne se contente pas, en effet, de perspectives globales sur l'activité des rues du centre de la ville et les modifications qui l'affectent au cours des deux heures considérées. Dans ce dense magma riche de très nombreuses notations, le regard du narrateur isole tour à tour un certain nombre de détails plus limités, cerne quelques destins individuels : le couple constitué par le petit employé et la dactylo, l'intervention de trois ouvriers du port auprès d'un délégué syndical, etc. Alors le récit laisse place à des fragments dialogués. Mais à ces éléments s'en ajoutent bien d'autres, qui ne cessent d'apporter leur note, sérieuse ou aigre, à l'orchestration générale : monologue intérieur d'un passant, dont nous suivons quelque temps la marche au long d'une rue (184-8), fragments de soliloque attribués à l'écrivain lui-même, retiré «dans le campement de la montagne» (141)[8], titres et passages d'articles de journaux qui se bousculent et se déversent dans le désordre pittoresque de leurs différentes informations, empruntées aux domaines les plus variés, etc. De plus interviennent de temps en temps, comme à la cantonade, et venues d'on ne sait où, des voix, celles de grands artistes du passé (tour à tour Homère, Giotto, Bach, Beethoven, Stravinsky), qui délivrent un bref mesage ou un commentaire. Les objets eux-mêmes se mettent à parler et se mêlent au chœur général : deux éditions du *Don Quichotte*, ouvertes côte à côte à la devanture d'une librairie (191), des enseignes et des affiches, qui nous crient brusquement au visage leur message, pacifique ou virulent. A travers toutes ces notations juxtaposées, ou plutôt imbriquées et alternées, se faisant savamment écho les unes aux autres, Giono excelle à nous donner l'impression tumultueuse de l'agitation de la grande ville. Mais cet apparent désordre est en fait composé selon un tempo qui varie habilement, de façon à nous suggérer les crescendos et decrescendos qui correspondent aux variations sensibles de l'activité urbaine pendant les heures considérées. Nous sommes alors proches d'un emploi vraiment musical du langage qui fait par avance songer à certaines recherches plus récentes, destinées en particulier à des textes radiophoniques, et par exemple celles de Jean Tardieu ou de Michel Butor.

Ainsi, malgré ce que peuvent avoir de désuet les aspects politiques du livre, liés de trop près sans doute aux polémiques de l'Avant-Guerre, nous espérons avoir montré l'intérêt et l'originalité du présent livre. Du fait de la richesse et de la variété de ses thèmes, où s'inscrivent les multiples facettes de la personnalité de l'écrivain, du fait aussi des audaces techniques et de la virtuosité dont il fait preuve à cette occasion, *Le Poids du ciel* constitue un moment important, peut-être un moment charnière dans l'itinéraire artistique de Giono, et dès lors ne mérite pas le dédain dans lequel on l'a trop souvent tenu.

NOTES

1. Cf. la lettre à Lucien Jacques d'octobre 1937, *Cahiers Giono 3*, p. 155.
2. C'est cette édition que nous utiliserons dans la présente étude.
3. Cf. la notice dans Pléiade, III, pp. 1266-1276.
4. Cf. *ibid.*, p. 1179.
5. «Une Utopie paysanne, *Le Poids du ciel*, par Jean Giono», *Ce Soir*, 1er novembre 1938. Article repris dans Paul Nizan, *Pour une nouvelle culture*, Grasset, 1971, pp. 287-90.
6. *Jean Giono*, Éditions universitaires, pp. 59-60.
7. W. D. Redfern, *The Private World of Jean Giono*, chapitre VI, pp. 89-118.
8. Voir aussi 177, 192, 194.

# LES DIVERTISSEMENTS D'AULD REEKIE
## OU L'INFRA-TEXTE GIONIEN

### par Jean Arrouye

Le texte d'*Un Roi sans divertissement* est curieusement enchâssé entre deux citations, l'épigraphe et la dernière ligne du texte qui, donnant au livre son titre, redouble par là son enchâssement. Le titre ayant généralement pour fonction de déclarer le sujet d'un livre, et l'épigraphe, un peu comme la clef d'un morceau de musique qui donne l'intonation, d'en orienter l'interprétation, la nature des œuvres citées est importante. Or dans les deux cas, Giono procède de façon déconcertante, car l'une de ses citations est laissée en suspens d'autorité, tandis que l'autre est attribuée à un personnage inexistant. Aussi est-on fondé de s'interroger sur le bon usage gionien des œuvres d'autrui.

La dernière citation est trop connue pour ne pas être reconnue aussitôt que rencontrée, c'est-à-dire en fait dès la couverture du livre. C'est donc elle qui, en réalité, remplit les fonctions épigraphiques de création de ce que Jauss appelle un «horizon d'attente»[1]. Se reporter au texte de Pascal permet d'ailleurs de constater que non seulement la citation, mais aussi son contexte immédiat correspondent au contenu de l'ouvrage de Giono :

> «[...] Qu'on laisse un roi tout seul, sans aucune satisfaction des sens[2], sans aucun soin dans l'esprit, sans compagnie, penser à lui tout à loisir[3]; et l'on verra qu'un roi sans divertissement est un homme plein de misères. Aussi on évite cela soigneusement, et il ne manque jamais d'y avoir auprès des rois un grand nombre de gens qui veillent à faire succéder le divertissement à leurs affaires et qui observent tout le temps de leur loisir pour leur fournir des plaisirs et des jeux, en sorte qu'il n'y ait pas de vide.»[4]

Tout ce passage semble définir le propos de la fête à Saint-Baudille, dont, par ailleurs, à premier entendre, Saucisse semble confirmer le principe pascalien : «Ce fut très bien, Saint-Baudille. Question de changer les idées, on ne pouvait faire mieux. A un point que pas une idée ne pouvait rester en place.» (574)[5]. Pascal ne remarquait-il pas que «le roi est environné de gens ne pensant qu'à divertir le roi, et à l'empêcher de penser à lui. Car il est malheureux, tout roi qu'il est, s'il y pense.»[6] Mais en fait la dernière phrase de Saucisse constate l'échec du projet courtisan de divertissement, dont l'idée n'a pas résisté à l'épreuve des faits.

Déjà au cours de la fête Saucisse avait été semblablement déçue par le fait que la réalité ne ratifiait pas les postulats pascaliens. Car Pascal revient souvent sur le thème du «lièvre qu'on court»[7], et glose abondamment l'efficacité de ce divertissement dont il précise que «c'est le plaisir même des rois»[8]. Or Saucisse, escomptant que Langlois sera sensible aux charmes des jeunes femmes présentes à la fête, reprend, en l'accommodant à sa façon sensuelle de dire, l'image pascalienne : «Mathilde, ma préférée à moi (si j'avais été homme) : une belle hase, une belle femelle à fourrure, couchée à plat ventre dans la sarriette.» (574) Mais le roi n'est pas enclin à la chasse.

Ce thème pascalien de la chasse est cependant essentiel à l'économie du livre de Giono, qui, de ce point de vue, s'organise en triptyque : chasse à l'homme, chasse au loup — dont tout le cérémonial semble illustrer une autre pensée de Pascal, «Raison pourquoi on aime mieux la chasse que la prise»[9], jusqu'au moment où on comprend que seule la mise à mort concerne Langlois —, chasse à la «satisfaction des sens», enfin. Or là encore, à peine engagé dans le sillage pascalien, le récit gionien s'en écarte. En effet, lorsque Langlois décide de se faire construire un *bongalove* à l'écart du village, on peut croire qu'il se range à l'avis de Pascal qui juge que «tout le malheur des hommes vient d'une seule chose qui est de ne savoir demeurer en repos dans une chambre»[10]. Mais non, il veut trouver le repos à la fois dans le retrait et le pourchas, décidant d'organiser un labyrinthe, où en principe on se coupe des autres, «là où il y a une belle vue» (582) : il s'agit donc toujours de guetter et d'être à l'affût.

Plus généralement, Langlois essaie de dépasser l'aporie de la condition humaine selon Pascal : il veut être à la fois ange et bête. C'est que, le jour où il a découvert que seul le sang humain pouvait être un divertissement à la mesure de son ennui, il a levé un lièvre de toute autre taille que celui dont parle Pascal : «Cet homme, né pour connaître l'univers, pour juger de toutes choses, pour régir tout un État, le voilà occupé et tout rempli du soin de prendre un lièvre. Et s'il ne s'abaisse à cela et veuille toujours être tendu, il ne sera que plus sot, parce qu'il voudra s'élever au-dessus de l'humanité, et il n'est qu'un homme, en bout du compte, c'est-à-dire capable de peu et de beaucoup, de tout et de rien : il n'est ni ange ni bête, mais homme.»[11] Or Langlois ne s'abaissera pas.

Peut-être est-ce à cause de tous ces écarts par rapport aux textes de Pascal et de cette conduite du roi gionien finalement *a contrario* de celle du roi pascalien que la citation éponyme a été présentée par le biais d'une interrogation oratoire. Feinte absence de mémoire qui vaut aveu de l'omniprésence de l'imaginaire gionien.

Or tandis que la citation véritable, qui procure au livre son titre, n'est pas attribuée, l'épigraphe fictive, et dépouillée de sa fonction par le titre, est, elle, signée. Mais Auld Reekie n'est qu'un lieu-dit, le surnom familier de la ville d'Edimbourg, ce qui du moins explique la mention d'une cornemuse qui pouvait paraître insolite à l'orée d'une œuvre où nul personnage ne semble se préoccuper de musique et qui se situe dans le Trièves qui ne connaît même pas la cabrette. L'auteur de l'épigraphe est donc Jean Giono. C'est lui, rivé à son bureau d'écriture, sa batterie de pipes à côté de lui, le Vieil Enfumé. C'est lui aussi le prisonnier, non pas tant par allusion à son internement encore proche à Saint-Vincent-les-Forts — encore que Giono ait lui-même fait la relation (1302, n. 2) — que parce que désormais c'est l'image qu'il se fait de la condition humaine, et que c'est celle-ci qu'il dépeint, ou plutôt la progressive prise de conscience de l'inutilité de toutes les tentatives d'évasion, hormis celle qui consiste à fuir définitivement le cachot de la vie[12]. Comme souvent chez Giono une image baudelairienne (*Spleen*, LXXVII), obscurément, sert de catalyseur lorsque la création littéraire est, dans ses œuvres vives — comme aurait pu dire l'écrivain de l'*Indien* —, c'est-à-dire sous la ligne de flottaison, sous la ligne d'écriture, en relation profonde avec la biographie.

Mais l'épigraphe est surtout intéressante du point de vue de la poïétique gionienne, parce qu'elle contient cette confidence que pour jouer les «airs bien tristes, bien adaptés [...] à [sa] pénible condition», il a eu recours à des instruments empruntés à autrui, la «cornemuse, et toutes les autres petites pièces qui en dépendent» (455). Le terme de «pièces», qui renvoie plutôt à des partitions qu'à des instruments, est le fragment le plus explicite du comparant de la métaphore filée tout au long de l'épigraphe. Car la musique que joue Giono, c'est celle de cet «opéra-bouffe» qu'était pour lui *Un roi sans divertissement*. Donc il faut comprendre que le travail d'écriture de Giono se fonde sur la concertation d'œuvres qui ne sont pas de lui, sur lesquelles il prend appui, et dont la substance se retrouve comme en filigrane dans son propre texte, comme on a pu le constater pour les *Pensées* de Pascal, qui sont peut-être, étant donné leur nature de fragments, «ces petites pièces» dont parle l'épigraphe ; dans ce cas la cornemuse dont elles dépendent ne pourrait être que la Bible, ce qui n'étonnera pas les lecteurs de *La Ville des hirondelles* (III, 581).

Quoi qu'il en soit, ces demi-révélations, ainsi que la corrélation qui s'établit entre les deux citations extrêmes — épigraphe et finale — et leur double effet de questionnement (feint) et d'affirmation (fausse) sur leurs auteurs respectifs, incitent à chercher quels sont les textes qui ont joué — et comment ils l'ont fait — ce rôle poïétique qu'évoque Giono.

Au début du livre, quand Giono raconte les circonstances qui l'ont amené à rapporter la chronique du roi, dans ces pages où le romancier feint d'être un simple enquêteur à la recherche d'informateurs, «tous ceux dont nous venons de parler et qu'on peut voir de nos jours» (461), plusieurs écrivains sont nommément cités. Mais ce ne sont pas gens de cornemuse. L'évocation de leurs œuvres sert surtout à Giono à caractériser par l'exemple certain de ses procédés d'écriture.

Par la suite, dans le fil de l'histoire engagée, se reconnaissent des références à des textes beaucoup plus importants pour la signification générale de l'œuvre, mais leurs auteurs ne sont pas nommés. Pierre Citron a reconnu le vers final du récit fait par Francesca da Rimini à Dante au chant V de *L'Enfer* (v. 138) dans la phrase qui clôt la relation par Saucisse de la conversation où Langlois lui fit part de sa résolution de se marier (584)[13]. Il semble que cette allusion ne modifie pas tellement ce que nous savons déjà des relations entre Saucisse et Langlois : que l'hôtesse adore son pensionnaire, les indications en sont multiples et claires, que Pierre Citron a d'ailleurs relevées. Mais nulle part on ne trouve les indices de l'amour mutuel encore non avoué qui chez Dante sont les regards qui se cherchent, les visages qui pâlissent à l'unisson, ni non plus la lecture commune d'un livre révélateur (et il est évidemment exclu que la dolente Saucisse puisse confier : «la boccà mi baciò tutto tremente»). Non pas seulement que l'âge les sépare, mais parce que les relations de Langlois et de Saucisse semblent se fonder sur un autre modèle que celui de Paolo et Francesca. En effet, dans une variante de la conversation entre Mme Tim et Saucisse pour régler les préliminaires du mariage de Langlois (591 b), l'ancienne prostituée confite en dévotion pour Langlois rapporte : «Elle m'appela Marie-Madeleine, je n'y fis guère attention, bien qu'elle me dise : c'est un éloge et votre parfum populaire est le plus beau des parfums.» (1139) Le vers de Dante a donc dans le texte de Giono plutôt une valeur prospective que rétrospective. Un commentaire constant (malgré les protestations des historiens) veut que cette déclaration ambiguë de Francesca signifie qu'au moment où ils échangeaient leur premier baiser, les deux jeunes gens aient été surpris par le mari de Francesca, Gianciotto, qui les tua sur-le-champ. (C'est cette interprétation qu'avalisent les trois tableaux d'Ingres illustrant ce passage.) Dans cette perspective, le commentaire, désabusé, de Saucisse ne signifie rien d'autre que la certitude qu'elle a que la mort est en marche, que, pas plus que la fête d'amitié à Saint-Baudille, la fiesta d'amour au bongalove ne changera le cours inéluctable des choses. Ce mariage n'est qu'une figure de plus au «quadrille» (581), version gionienne de la danse macabre.

Ainsi, programmatiquement, dans l'épigraphe, et pratiquement, dans son texte, Giono expose une façon originale d'écrire qui consiste, comme l'ont montré les cas des *Pensées* et de *L'Enfer*, à utiliser des œuvres du passé, non comme source ou comme modèle, mais comme carrière d'où extraire des matériaux sémantiques et symboliques qu'il accommode ensuite aux nécessités internes de son texte, dont le plein sens cependant ne se découvre que dans son rapport à ces œuvres, dans les passages où elles sont évoquées par citation non avouée, allusion modulée, voire le plus souvent par renversement de la signification originelle, d'un thème ou d'un motif. Cette façon de procéder a été théorisée, à propos d'autres écrivains contemporains, en particulier Roussel[14], et baptisée infra-textualité. André Gervais la caractérise comme «travail du texte sur des absences dont la surface scripturale porte les traces manifestes»[18], et Jean-Pierre Vidal la définit comme

> «Tout ce qui *sous la surface* et *dans les marges* du texte manifeste le ''manque à sa place'' d'un signifiant ou d'une chaîne signifiante, génératrice ou générée, produite par une absence ou un écart, et produisant des palimpsestes, comme autant de surcharges sémantiques. Filigrane, intra et intertexte donc, c'est un ''pli'' discursif qui feuillette l'espace de la signifiante en ''phénotexte'' et ''génotexte'', pour reprendre ici le vocabulaire de Julia Kristeva.

Le travail de ce ''pli'' est intratextuel parce que c'est l'organisation visible d'une constellation signifiante qui finit par produire, tout autant que dès l'abord elle en provient, le signifiant en filigrane. Intertextuel par ailleurs dans la mesure où ce signifiant formant-formé, ce générateur généré, reste en filigrane et coïncide avec une citation, avec un codex, une réserve du texte visible ainsi mis en formules. » [16]

C'est bien là ce qui se passe quand Giono en appelle aux textes «métaphysiques» des prophètes ou des apôtres, de Dante ou de Pascal, et de quelques autres.

Le premier livre nommé est *Sylvie* de Gérard de Nerval, dans un passage qu'il faut citer en entier, car il est très révélateur de la nature des déplacements sémantiques et symboliques qu'opère Giono :

> «La troisième ferme à droite de la route, dans les prés, avec une fontaine dont le canon est fait de deux tuiles emboîtées ; il y a des roses trémières dans un petit jardin de curé et, si c'est l'époque des grandes vacances, ou peut-être même pour Pâques (mais à ce moment-là il gèle encore dans les parages), vous pouvez peut-être voir, assis au pied des roses trémières, un jeune homme très brun, maigre, avec un peu de barbe, ce qui démesure ses yeux larges et très rêveurs. D'habitude (enfin, quand je l'ai vu moi), il lit, il lisait Gérard de Nerval : *Sylvie*. C'est un V. Il est (enfin il était) à l'École normale de, peut-être, Valence, ou Grenoble. Et, dans cet endroit-là, lire *Sylvie* c'est assez drôle.» (456)

Suit la description du paysage apocalyptique découvert de la sortie du tunnel du col de Menet, «chaos de vagues monstrueuses bleu baleine [...] entrechoquement de ces immenses trappes d'eau sombre qui s'ouvrent sur huit mille mètres de fond dans le barattement des cyclones» (456), qui, comme tout le contenu de ces pages initiales, n'a de raison d'être qu'emblématique : Giono, qui aime comparer le paysage provençal à l'étendue marine, semble ici, en songeant à «ce personnage qui ne sort pas du tunnel» qu'est Langlois (1300, n. 5), redoubler la métaphore en filant celle proposée par Baudelaire dans *L'homme et la mer* :

> «La mer est ton miroir, tu contemples ton âme
> Dans le déroulement infini de sa lame,
> Et ton esprit n'est pas un gouffre moins amer
> [...]
> Homme, nul n'a sondé le fond de tes abîmes.»

Puis Giono revient à Nerval :

> «C'est pourquoi je dis, *Sylvie*, là, c'est assez drôle ; car la ferme qui s'appelle ''Les Chirouzes'' est non seulement très solitaire, mais manifestement, à ses murs bombés, à son toit, à la façon dont les portes et les fenêtres sont cachées entre des arcs-boutants énormes, on voit bien qu'elle a peur [...] Le jardin de curé est là, quatre pas de côté, entouré de fil de fer, il me semble, et les roses trémières sont là, on ne sait pas pourquoi et V. (Amédée), le fils, est là, devant tout. Il lit *Sylvie*, de Gérard de Nerval. Il lisait *Sylvie* de Gérard de Nerval quand je l'ai vu» (457).

En fait Giono sait très bien pourquoi les roses trémières sont là. Cette fleur, par excellence nervalienne, non pas que le poète en ait parlé dans

*Sylvie* où elle n'apparaît pas, mais pour en avoir fait dans *Aurelia* et dans *Les Chimères (Artémis)* le symbole de l'amour mystique qui perdure au-delà de la mort car la floraison de la rose trémière (qui vient d'outremer, qui s'accorde à outremort) se renouvelle au fur et à mesure que ses corolles se fanent. Mais dans *Artémis* la rose trémière est aussi la fleur de la mort, ce qui devait en appeler davantage à Giono qui dans le beau texte de *Montagnes, solitudes et joies*, écrit : «Le mélange sensuel des hommes et des jardins n'est pas de tout repos. Chaque matin la passerose déplie un de ses énormes bourgeons verts. Une corolle fripée à peine touchée de violet et de rose se tend vers la lumière, à mesure que le jour monte. La fleur s'organise en forme de calice et d'appel.» Au cas où le lecteur ne saisirait pas les suggestions monstrueuses de cette description, Giono enchaîne en citant un «poète persan» qui est un frère d'Auld Reekie : «Cruel amateur de jardins et de bouquets, dit le poète persan, qui espères-tu tromper? Dieu? Diable? Le passant ou toi-même? Tes amies sortent toutes vives du royaume des serpents. Je sais bien, quant à moi, tous les appétits de rapt et de possession qu'il faut avoir dans son cœur pour oser chevaucher sur le dos embrasé et tumultueux des rosiers.»[17] Dans *Silence* Giono écrit aussi : «Il ne faut pas se fier aux apparences [...] Nous avons tous de petits jardins de fleurs autour de nos maisons, avec des roses trémières extrêmement gracieuses, des géraniums de toute beauté, des capucines; et nous aimons toutes ces fleurs [...] Mais, méfiez-vous des jardins de fleurs, ou tout au moins tenez-en compte, car c'est là que vous trouverez la frontière entre les apparences et la réalité» (V, 177). La cause est entendue, et ces jardins de fleurs comme le paysage du Diois n'ont rien à voir avec la carte du Tendre.

Toute cette ouverture du livre, sous couvert de compte rendu factuel d'enquête, a donc pour but de fixer un climat et des caractéristiques actantielles qui seront ceux du récit à venir : le paysage est le royaume de la peur; le jeune V., comme son ascendant hypothétique, vient d'ailleurs; la beauté des roses, comme la splendeur du hêtre, est le leurre de la cruauté. Ces pages sont aussi le lieu de démonstration expérimentale d'un autre aspect de la poïétique gionienne, qu'on pourrait appeler, à partir d'une remarque de Giono dans sa présentation initiale du hêtre, une technique du *porte-à-faux* : «[...] il suffit [dit-il] d'un *porte-à-faux* dans l'inclinaison des feuilles pour que la beauté, renversée, ne soit plus du tout étonnante» (455). Ces renversements sont un des ressorts de l'imaginaire gionien.

Il est à remarquer que dans le récit liminaire où l'auteur raconte sa recherche supposée de témoignages et de documents, s'il nous dit découvrir un texte littéraire (et avec quelle insistance : «Et dans cet endroit, lire *Sylvie*, c'est assez drôle [...] C'est pourquoi je dis, *Sylvie*, là, c'est assez drôle»), Giono avoue aussi n'avoir pu trouver aucun document sur le personnage supposé réel, «celui de 1843» (457), dont il prétend être le précis chroniqueur :

> «J'ai demandé à mon ami Sazerat, de Prébois. Il a écrit quatre ou cinq opuscules d'histoire régionale sur ce coin de Trièves. J'ai trouvé dans sa bibliothèque une importante iconographie sur Cartouche et Mandrin, sur des loups garous [...] Il y a les portraits de deux ou trois étrangleurs de bergères [...], mais sur mon V. de 1843, rien; pas un mot.» (457)

On voit par cette juxtaposition, et l'ordre d'antériorité dans le texte de Giono de ces deux constatations, où est la «drôlerie», et à quelles conséquences littéraires elle mène.

Curieusement Giono mentionne également deux fois Jules Verne. La première, en passant, comme une simple comparaison, ironique, dans le portrait de M. Tim : «Malgré ses soixante ans, il était une sorte de poudre qui le faisait exploser à tout bout de champ [...] il se recomposait peu à peu pendant que vous vous frottiez les yeux, prêt à un nouveau départ à la Jules Verne» (517). La deuxième fois, dans la partie supposée être le récit de Frédéric II, quand celui-ci suppute dans quel état on trouvera le loup traqué depuis le matin : «Il devait être déjà, non plus comme un loup (on voit des loups sur les images ; je me souviens même d'une gravure de la *Veillée* à propos de Michel Strogoff (et Dieu sait si l'artiste n'a pas voulu les flatter), eh bien ! malgré tout on sent que ce sont des bêtes avec lesquelles on peut s'entendre [...]» (535). L'intérêt de ce passage est triple : de montrer en clair comment peut fonctionner l'imagination de Giono (le narrateur ici est le porte-parole de l'auteur) à partir d'une référence textuelle de base, en l'outrepassant ; de faire voir comment peuvent se contaminer des infra-textes d'horizons extrêmement divers, les loups de Michel Strogoff faisant irruption au cœur de l'épisode le plus illustratif du thème pascalien de la chasse ; de donner enfin l'indication que l'infra-texte peut être de nature iconique.

C'est d'ailleurs un motif visuel, quoique emprunté à la littérature, qui révèle à chacun sa vocation à la cruauté, déchirant le voile des faux-semblants de la vie sociale dans une hémophanie qui est l'équivalent du ravissement de Pascal : «joie, joie, joie». Au village Bergues est le premier à faire la découverte fastueuse, ce qui donne à Giono l'occasion de déclarer le modèle des émois qu'il prête à ses personnages : «il se mit à dire des choses bizarres ; et, par exemple, que ''le sang, le sang sur la neige, très propre, rouge et blanc, c'était très beau''. (Je pense à Perceval hypnotisé, endormi [...] hypnotisé par le sang des oies sauvages sur la neige).» (465) Chrestien de Troyes n'est pas nommé, ni Blanchefleur, l'amie de Perceval[18], mais l'héroïne infratextuelle transmettra quelque chose de son être littéraire à sa sœur romanesque, Marie Chazottes, qui a comme elle «la peau très blanche» (480).

Toutefois Bergues n'a pas le temps de tirer des conséquences pratiques de cette révélation de la beauté du sang sur fond d'innocence ; il disparaît, victime de plus avancé que lui dans cette sapience, non sans transmettre, *volens nolens*, le message à Langlois qui découvre son sang en déblayant les vingt centimètres de neige tombés depuis sa mort (nappe blanche prête à recevoir les effusions d'un nouveau sacrifice) (477). Nulle mention de Perceval cette fois-ci, et pas davantage quand Langlois, après l'expérience cruciale de la décollation de l'oie, ordonnée à Anselme, reste, nouveau Perceval, pétrifié devant le sang. Désormais il sait, comme l'écrit Giono dans *Le Sang*, que «Contre la solitude il n'y a pas de remède : il y a des *trucs* [...] un des plus magnifiques est le sang ; celui des autres (naturellement) et répandu (autant que possible). [...] Dès que le sang (des autres) coule, on n'est plus seul. Comment résister ? On n'y résiste pas. C'est

147

le *divertissement* par excellence.»[19] Le motif se retrouve à la fin de la description de la métamorphose du grand hêtre à l'automne : «Cette virtuosité de beauté hypnotisait comme l'œil des serpents ou le sang des oies sauvages sur la neige.» (474) Dans le texte déjà cité, *Montagnes, solitudes et joies*, Giono évoque encore la·figure du chevalier médiéval ; «Perceval s'est appuyé sur sa lance et regarde le sang des oies sur la neige. Il est dans un rêve où ne comptent plus ni les forêts, ni les châteaux, ni les combats, ni les abbayes, ni la messe, ni l'amour. Aussi immobile que le fidèle devant son Dieu, il est enfin devant le rapport du rouge et du blanc. On sent bien qu'il a fini ses aventures.» Mais cette fois, Giono généralise les conclusions qu'il tire de cet épisode : «Semblable à Perceval, et pour les mêmes raisons, nous sommes penchés sur des jardins de curé.» Or, au début d'*Un roi sans divertissement*, les mêmes termes apparaissent : «Le jardin de curé est là [...] et les roses trémières sont là [...]» (457). Ainsi court le «pli discursif», qui est bien intra et inter-texte, dont parlait Jean-Pierre Vidal, et par le moyen duquel *Sylvie* se relie à Perceval.

Les différentes œuvres qui constituent l'infra-texte ont en commun de parler d'un certain nombre de notions, beauté, divertissement, chasse ou de leurs corollaires, cruauté, ennui, sacrifice, qui constituent ce que, dans un passage où Giono s'engage personnellement avec solennité («J'ai eu envie de le dire, je l'ai dit»), il appelle «un système de référence dans lequel Abraham et Isaac se déplacent logiquement, l'un suivant l'autre, vers les montagnes du pays de Moria» (481). La Bible, ainsi appelée à servir de caution théorique à la vision du monde de Giono, lui fournit bien d'autres matériaux.

Ainsi la première victime de M. V. s'appelle Marie : «Cette Marie Chazottes avait vingt ans, vingt-deux ans. Difficile aussi de savoir comment elle était [...]», et Giono entreprend à son occasion une généalogie qui est une parodie des généalogies bibliques, telle que dans *Matthieu* (I, 1-17) :

> «La belle-mère de Raoul, tenez, c'est une Chazottes. C'est même la fille de la tante de cette Marie de 43 ; une tante qui était plus jeune que sa nièce, ce qui arrive très souvent par ici. Eh bien! voilà, celle-là, et par conséquent, la femme de Raoul est une Chazottes. Le petit Marcel Pugnet, il en vient par sa mère qui était la sœur de la belle-mère de Raoul [...].» (460)

Puis Giono établit la pureté de Marie, en réponse à l'hypothèse d'un mécréant, «mais c'était un gendarme, et originaire du Grésivaudan», autant dire un Gentil : «Tout le monde le savait, elle ne *fréquentait* pas» (461). Il ajoute, malicieusement : «A se faire *enlever*, c'était se faire enlever par un ange, alors» (461).

Tous les éléments constitutifs d'une Annonciation sont donc réunis : Marie, vierge et pure, l'ange, mystérieux et venu d'ailleurs, mais c'est une Annonciation inversée, car maléfique, porteuse de mort, où l'élue disparaît. D'ailleurs le narrateur convertit lui-même le terme essentiel de la dramaturgie sacrée : «On ne parla pas d'ange, mais c'est tout juste [...] On parla de diable en tout cas. On en parla même tellement que le dimanche suivant le curé fit un sermon spécial à ce sujet [...] Le curé dit que le diable était un ange, un ange noir, mais un ange.» (461) Ironie romanesque ? Persiflage agnostique ? Fonctionnement infra-textuel en tout cas par lequel la chronique de village se charge d'un mystère sacré.

Le sacré s'affirme d'ailleurs dans la mesure même où Giono affecte de rejeter toute explication surnaturelle. Miracle de la goguenardise. Lorsque Bergues suit la trace de l'agresseur de Ravanel, il rentre bredouille, car

> «la piste menait en plein Bois noir et là elle abordait franchement le flanc du Jocond, à pic presque, et se perdait dans les nuages. Oui, dans les nuages. Il n'y a là ni mystère ni truc pour vous faire entendre à mots couverts que nous avons affaire à un dieu, ou demi-dieu, ou quart de dieu. Bergues n'est pas fait pour chercher midi à quatorze heures. S'il dit que les traces se perdent dans les nuages, c'est que, à la lettre, elles se perdaient dans ces nuages qui couvraient la montagne.» (464)

Or cet homme qui descend de la montagne heureuse (comme Giono l'a voulu nous gardons au Jocond son *d*, ce qui permet de lire ce toponyme, ainsi que tant d'autres chez le romancier, comme signifiant, symbolique, participant de ce que Giono appelait le «grain» de l'écriture[20]. Le Jocond, c'est la montagne d'où descend M. V. pour son plaisir, pour sa joie, sa *joconditas*) ; celui qui y remonte et disparaît sous un voile de nuages, qui vient instituer la nouvelle loi, celle de la peur qui s'impose au peuple de Lalley après l'enlèvement manqué de Ravanel (464), c'est un autre Moïse, dont les allées et venues sont marquées des caractères mêmes de celles du Moïse d'*Exode* (XX, 16-21 ; XXIV, 15-16). D'ailleurs il a laissé aux villageois les tables de la nouvelle loi, sous la forme d'inscriptions, d'autant plus redoutables qu'incompréhensibles, sur la peau d'un cochon :

> «La plupart de ces entailles n'étaient pas franches, mais en zigzags, serpentines, en courbes, en arcs de cercle, sur toute la peau, très profondes. On les voyait faites avec plaisir.
>
> [...] Ravanel frottait la bête avec de la neige et, sur la peau un instant nettoyée, on voyait le suintement du sang réapparaître et dessiner comme les lettres d'un langage barbare, inconnu, tellement menaçant que Bergues, d'ordinaire si calme et si philosophe, dit : ''Sacré salaud, il faut que je l'attrape''.» (463)

Loi de la peur, loi de la barbarie, loi de la saloperie (sacrée), loi de la cruauté, adéquatement gravée sur la peau d'un animal que la Bible proclame impur.

Moïse est l'homme du buisson ardent, puisque c'est d'un buisson qui brûlait sans se consumer que Jehovah s'adressa à lui pour la première fois, quand il le choisit pour le rôle de guide et d'initiateur du peuple élu. Or cet attribut de Moïse est présent dans l'ouvrage de Giono. C'est le hêtre dans ses atours ensanglantés d'automne : «Il crépitait comme un brasier ; il dansait comme seuls savent danser les êtres surnaturels.» (474) Autour du hêtre, comme s'il rayonnait de son embrasement divin, toute la nature se sacralise : les forêts revêtent «leur toilette sacerdotale», les «érables ensanglantés comme des bouchers» s'alignent «en procession». C'est indubitablement d'une religion de la cruauté qu'il s'agit. L'évocation du buisson ardent se redouble d'ailleurs de celle de cet arbre de la parabole de *Matthieu* (XIII, 31-32) dont il est dit : «Lorsqu'il a poussé il est plus grand que toutes les plantes, et devient un arbre, de sorte que les oiseaux du ciel viennent s'abriter dans ses rameaux.» C'est le symbole de l'église protégeant les fidèles. Or le hêtre

> «était surtout (à cette époque) pétri d'oiseaux et de mouches; il contenait autant d'oiseaux et de mouches que de feuilles. Il était constamment charrué et bouleversé de corneilles, de corbeaux et d'essaims; il éclaboussait à chaque instant des vols de rossignols et de mésanges; il fumait de bergeronnettes et d'abeilles; il soufflait des faucons et des taons; il jonglait avec des balles multicolores de pinsons, de roitelets, de rouge-gorges, de pluviers et de guêpes. C'était autour de lui une ronde sans fin d'oiseaux, de papillons et de mouches [...].» (474)

Ainsi quand Giono parle du «hêtre divin» (470), il ne s'agit pas d'un pauvre jeu de mots, mais d'un raccourci de tout ce foisonnement infratextuel des sens avec lesquels il joue, en attendant d'en déjouer définitivement le symbolisme originel, quand Frédéric II, faisant l'ascension de l'arbre, y découvrira les restes des victimes de M. V., expliquant *a posteriori* la présence de ces vols et de ces essaims. Du coup ce qui dans la Bible est arbre de vie se révèle chez Giono arbre de mort.

Une Annonciation renversée, un Moïse renversant, l'association pourrait paraître disparate si la tradition de la glose religieuse n'avait pas — en vertu de ce principe d'interprétation systématique des événements de l'Ancien Testament comme préfigurant le Nouveau, qui s'appelle la «typologie» — depuis toujours reconnu dans le buisson qui brûle mais reste vert le «type» de l'«anti-type» de l'Annonciation où Marie, traversée du feu de Dieu, devient mère mais demeure vierge : or il est à Aix-en-Provence, dans la cathédrale Saint-Sauveur, un tableau célèbre de Nicolas Froment, que Giono connaissait fort bien, et qui illustre cette correspondance typologique. Moïse écoute un ange lui parler (et leur couple reprend la disposition dramatique des Annonciations) au pied d'un buisson ardent, en forme de couronne ou de «sorte de nid énorme» (comme celui où seront retrouvés les restes de Marie Chazottes et de Dorothée [490]), où sont installés la Vierge et l'enfant. Ne serait-ce pas là l'infratexte iconique sous-tendant cette première partie du livre ?[21] S'il en était ainsi, l'a-parté de Giono, lorsqu'il évoque le «poivre» et la beauté du sang de Marie Chazottes («Parlons en peintre») ne manquerait pas d'à-propos.

A l'origine et au centre de la typologie, ce système d'«images doubles, juxtaposées comme la traduction du même texte en deux langues, ou plutôt comme la concordance de l'oracle et de l'événement», comme dit si bien Henri Focillon[22], se trouve la correspondance de Moïse et du Christ. C'est dans la *Première épître aux Corinthiens* (X, 1-4) de saint Paul que se trouve le passage fondamental à partir duquel Augustin et Origène ont élaboré, et plus tard Suger et Hugues de Saint-Victor définitivement développé cette théorie du symbolique qui a commandé et continue à commander l'interprétation et l'illustration des textes bibliques :

> «Car je ne veux pas vous laisser ignorer, frères, que nos pères ont tous été sous la nuée, qu'ils ont tous traversé la mer, et qu'ils ont tous été baptisés en Moïse dans la nuée et dans la mer; qu'ils ont tous mangé le même aliment spirituel et qu'ils ont tous bu le même breuvage spiri-

tuel, car ils buvaient à un rocher spirituel qui les accompagnait, et ce rocher était le Christ. »

Moïse faisant jaillir la source du rocher préfigure le Christ laissant couler de son flanc le sang eucharistique. Par là le Christ est le nouveau Moïse...

Or après l'exécution de M. V. toute l'histoire du roi est celle de « la prise de conscience de son identité profonde avec M. V. », comme le souligne Pierre Citron[23]. Autrement dit l'actualisation romanesque du principe de la typologie, ou si l'on préfère le fonctionnement de l'infra-texte biblique, fait que Langlois prend figure de Christ et que, comme saint Luc le dit, « tout ce qui est écrit de [lui] dans la loi de Moïse [...] s'accomplit » (XXIV, 44). Il n'est pas indifférent de se rappeler que, un temps, Giono avait emprunté l'épigraphe de son livre à saint Luc : « Ils tuent le corps, après quoi ils ne peuvent rien faire de plus » (XII, 4).

Tout naturellement, c'est aux yeux de Saucisse-Marie-Madeleine, la plus proche et la plus fidèle, que Langlois apparaît d'abord sous ce jour. Lorsqu'ils se rendent à Grenoble, raconte-t-elle : « Nous avions quatre compagnons de voyage. Et je me mis à grelotter, car, au milieu d'eux, Langlois paraissait surnaturel. » (594) C'est le Christ des tympans entouré des quatre apôtres. Mais voici que l'image s'anamorphose : « Avec ses oreillettes rabattues, ses yeux fermés, Langlois avait tout à fait l'air de celui que l'on plante à la porte des églises pour nous inciter à faire notre *mea culpa*. » (595)

Aupavant, le cérémonial de la mise à mort du loup, dirigé par Langlois, initiant en quelque sorte les villageois, avait été décrit d'une façon qui, confusément mais indéniablement, évoquait la Pentecôte. C'est que Frédéric II qui raconte est moins perspicace que Saucisse, ou plutôt que l'infra-texte veut que Marie-Madeleine, à qui le Christ s'est montré d'abord après sa résurrection, ait la primeur des révélations : « Rien ne fait de bruit, sauf les torches ; un bruit d'ailes, une sorte de va-et-vient d'oiseaux au-dessus de nos têtes, des colombes qui cherchent à se poser, on dirait [...]. » Conformément à une correspondance typologique tout à fait orthodoxe, et d'une façon qui montre que tout cela, chez Giono, est très concerté, cette évocation de la Pentecôte se redouble de celle de la colombe de l'Ancien Testament : « les messagères d'une arche de Noé bien plus populeuse que la première, et qui cherche un Ararat quelconque [...] » (539). Quand Langlois apparaît, « de ses bras étendus en croix et qu'il agite lentement de haut en bas comme ailes qu'il essaye, il [...] fait signe [...]. » Puis « la lumière monte » (540), et les affleurements scripturaires se font plus sensibles :

> « "Paix !" dit Langlois. Et il resta devant nous, bras étendus.
>      Oh ! Paix ! Pendant que recommence à voltiger le va-et-vient des torches-colombes. » (541)

Même sans ces indices clairs, le parallèle entre Langlois et le Christ eût été sensible. Luce Ricatte a souligné que « Langlois appartient à la lignée des "protecteurs" chargés de prendre en charge le destin des autres » (1317), à quoi il faut ajouter que Giono l'appelle dans ses carnets « Langlois, dit charge d'âme » (1283). Mais, de plus, Langlois, essayant de comprendre M. V. et les motifs de ses actes, déclare au curé du village, avant la messe de minuit : «Ce n'est peut-être pas un monstre» (485), et après la messe, à Saucisse, réaffirme : «Ce n'est pas un monstre, c'est un homme comme les autres.» (486) De telle sorte que lorsqu'il finit par s'identifier avec M. V., on peut dire que Langlois, comme le Christ, se fait homme. Ce que Saucisse corrobore : «C'est un homme comme les autres.» (546) Mais ici commence le *porte-à-faux* qui renverse le sens, car se faisant homme il se fait en même temps messie du mal, et l'humanité de ce roi est ce qui le fera périr, à la différence de ce qui s'était passé pour l'Autre qui s'était fait homme et n'a été mis à mort que pour s'être dit roi des Juifs.

Ce Christ ne croit pas à l'action de l'esprit saint :

> «Car, disait-il, rien ne se fait par l'opération du Saint-Esprit. Si les gens disparaissent, c'est que quelqu'un les fait disparaître. S'il les fait disparaître, c'est qu'il y a une raison pour qu'il les fasse disparaître. *Il semble qu'il n'y a pas de raison pour nous, mais il y a une raison pour lui, [...] nous devons pouvoir la comprendre. Je ne crois pas, moi, qu'un homme puisse être différent des autres hommes au point d'avoir des raisons totalement incompréhensibles. Il n'y a pas d'étrangers. Il n'y a pas d'étrangers; compends-tu ça, ma vieille?*» (550)

L'on voit ici apparaître fugitivement un autre infra-texte : tandis que Camus prétendait écrire le roman d'un saint laïque, Giono rédige la chronique d'un Christ athée.

Comme le Christ Langlois éprouve par trois fois le reniement des siens, sous la forme de la triple trahison de Saucisse, de Mme Tim et du procureur qui se tiennent «à distance respectueuse» ou plutôt, corrige Saucisse, «à distance égoïste» (575). Comme le Christ, mais pas n'importe lequel, celui des *Chimères* de Nerval, celui des *Destinées* de Vigny, il connaît la solitude à la veille de mourir. Son jardin des oliviers est le labyrinthe «au fond du jardin» (605). Symbole approprié, une fois de plus, à l'inversion des signes de l'infra-texte car le labyrinthe c'est, par finalité, un lieu de perdition. Et symbole redoublé car il est fait de «petits chemins enchevêtrés dans de grands buis», ainsi que dit Saucisse qui «n'aime pas beaucoup» la chose (581); or le buis, comme *Faust au village* l'établit sans conteste, est un arbuste infernal : au royaume de Diable le père, hiérarchie oblige, au lieu de chemins, «il y a des avenues de buis et de genévriers qui vont au diable. C'est vert sombre.» (V, 131)

La mort de Langlois, comme celle du Christ, est un sacrifice. Le *Carnet opus 28*, cité par Luce Ricatte, contient cette explication de son geste : «Quelqu'un qui connaîtrait le besoin de cruauté de tous les hommes, étant homme et voyant en lui monter cette cuauté, se supprime pour supprimer la cruauté.» (1302) Mais cette suppression de la cruauté en est aussi le triomphe, sur le modèle inversé de l'exégèse traditionnelle qui fait de la mort du Christ un triomphe sur la mort. En effet «l'énorme éclaboussement d'or», gloire et transfiguration au sens propre, est aussi éclaboussement de sang sur le paysage. Le désir de verser le sang qui hantait Langlois est accompli en même temps que dénié : il est donc sublimé, et par là inoubliable. D'où, à venir, les récits testamentaires des témoins, les conciles des vieux du village, les écritures de ce bon apôtre de Jean Giono et la chronique comme parabole pour le temps présent. Dans l'instant il n'y a que l'accomplissement d'une vocation, l'action qui est enfin la sœur du rêve, le moment où Langlois renonce à la procrastination de la vie humaine pour entrer dans la malédiction de l'éternité infernale. Car, comme l'écrit ailleurs Giono, «la véritable malédiction est : "Tu réaliseras ce que tu rêves". Là, point de salut : l'enfer est au bout.»[24] Cédant à son désir de verser le sang, Langlois cesse *ipso facto* d'être ce roi sans divertissement qu'il a été jusqu'alors. «Pendant une seconde» — mais désormais le temps n'a plus de sens, il n'y a plus de seconde que d'éternité — «éclaira[nt] la nuit», il se révèle enfin, tel qu'en lui-même l'éternité le change, l'idéal anti-type de M. V., Lucifer.

Comme on comprend maintenant qu'au finale Pascal ne soit pas nommé, après cette métamorphose de son personnage exemplaire en son plus ardent ennemi. La mort de Langlois est un éclatant refus de souscrire au pari pascalien. Et même de le considérer, car parier suppose que l'on choisisse. Or Langlois dans sa mort s'accepte et se refuse à la fois. En quoi il est bien le fils du démiurge Giono, qui, poïétiquement, fait de même, se référant aux textes dans une démarche qui est à la fois d'acceptation et de dénégation. Attitude démoniaque, car le démon est toujours quelque peu un M. Ouine, qui dit oui et non dans le même temps. C'est le principe même du doute. Auld Reekie, comme son nom l'indique, Vieil Enfumé, Vieux Punais, est aussi un suppôt de Satan. L'enfer, que la tradition s'accorde à situer sous la surface des choses visibles, est, dit-on, pavé de bonnes intentions. Ainsi en est-il de la chronique de Giono : sous la surface du texte lisible, l'infra-texte, pascalien ou biblique, nervalien ou autre, est de bonne composition. Mais Auld Reekie prend un malin plaisir à le parcourir à rebours. Ce n'est pas le moindre de ses divertissements.

NOTES

1. Hans Robert Jauss, *Pour une esthétique de la réception*, Gallimard, 1978.

2. C'est l'insuffisance de Delphine, telle que l'a analysée Pierre Citron dans sa communication du colloque international d'Aix-en-Provence : *Giono aujourd'hui*, Édisud, 1982.

3. C'est ce qui se passe en fait, ainsi que Saucisse s'en aperçoit, à partir du moment où chacun se tient «à distance respectueuse» de Langlois (575).

4. Pascal, *Les Pensées*, édition Léon Brunschwicg, Hachette, 1950, pensée 142.

5. Nous donnons entre parenthèse la pagination de *Un roi sans divertissement* au tome III des *Œuvres romanesques complètes*, édition de la Pléiade. Quand la référence est à un autre volume, nous donnerons d'abord, en chiffre romain, l'indication du tome.

6. Pascal, *op. cit.*, pensée 139.

7. Pascal, *op. cit.*, *id.*

8. Pascal, *op. cit.*, pensée 141.

9. Pascal, *op. cit.*, pensée 139.

10. Pascal, *op. cit.*, pensée 137.

11. Pascal, *op. cit.*, pensée 110.

12. Sur cette évolution psychologique et morale, voir les pages 1299 à 1301 de la notice de Luce Ricatte.

13. Pierre Citron, *op. cit.*

14. Voir la contribution de Ghislain Bourque au numéro 103 de la revue *La nouvelle barre du jour*, Montréal, mai 1981.

15. André Gervais, «De l'angrais Duchamp à l'infra-texte», in *La nouvelle barre du jour*, 103.

16. Jean-Pierre Vidal, «L'infratexte, mode du génotexte ou fantasme de lecture», in *La nouvelle barre du jour*, 103.

17. Jean Giono, *Les trois arbres de Palzem*, Gallimard, 1984, p. 100.

18. Se reporter à la notice de Luce Ricatte, pp. 1303-1305.

19. *Les trois arbres de Palzem*, p. 13.

20. Pierre Citron, «Sur les noms chez Giono», *Corps écrit* n° 8 *(Le nom)*, P.U.F., 1983.

21. Précisons qu'il ne s'agit pas ici de proposer une source du thème de la victime déposée dans un arbre. Aux amateurs de source on pourrait proposer comme vraisemblables un roman camargais de Jean-Toussaint Samat : *Maguelonne du mas des bœufs* (Éd. des Loisirs, 1938) où l'héroïne est enlevée et cachée, ligotée, au sommet d'un pin colossal, ou ce passage du chapitre IX sur «le culte des arbres» du *Rameau d'or* de James George Frazer (rééd. Laffont, 1981), dont on sait que Giono l'avait lu et annoté : «Dans quelques îles de la Louisiane les indigènes célèbrent leurs fêtes sous certains gros arbres qui semblent être considérés comme doués d'âmes ; en effet, une partie de la cérémonie leur est réservée et partout on trouve bien enfouis dans leurs branches des os de porcs et d'êtres humains.» Mais le motif de la prison ou du refuge dans l'arbre est un lieu commun de l'imaginaire qui, de Jules Verne aux fameux *Robinsons suisses*, de Truman Capote à Italo Calvino, n'a jamais cessé d'être transposé en littérature. De plus c'est un leit-motiv qui court tout au long de l'œuvre de Giono : une recension, pour l'instant inachevée, nous en a déjà procuré des dizaines d'occurrences.

22. Henri Focillon, *L'art des sculpteurs romans*, P.U.F., 1931.

23. Pierre Citron, in *Giono aujourd'hui*, *op. cit.*

24. «Le spectateur», in *Les trois arbres de Palzem*, p. 148.

# QUAND LE VENT CACHE L'ANGE
## OU L'INSCRIPTION DE L'INCESTE DANS L'ÉCONOMIE
## DE «DEUX CAVALIERS DE L'ORAGE»

### par Mireille Sacotte

Le roman *Deux cavaliers de l'orage* se signale à l'attention par la difficulté que Giono semble avoir rencontrée à le mener à bien — puisque la durée de l'écriture a été d'environ trente ans —, et aussi par son acharnement à le faire aboutir alors qu'il a laissé bien d'autres récits inachevés. Il faut donc croire que quelque chose de très important se jouait entre Giono et ce texte et l'on est amené, avec Robert Ricatte, à se demander : «Comment expliquer [...] tant de retours obstinés à un récit dont on aurait pu croire, à la fin, que l'affabulation et, partiellement, l'écriture appartenaient au passé ? Il faut bien croire qu'il recélait une vérité enracinée dans le *moi* profond de Giono : à nous de la découvrir.»[1] Or, il se trouve que les transformations successives apportées à l'histoire orientent les investigations dans une direction bien précise : la relation qui existe entre les deux frères.

Tout d'abord en effet, le sujet lui-même a peu évolué. Au départ, cette aventure de deux frères devait se développer dans un vaste contexte de luttes sociales et de jacqueries paysannes[2]. Tout ce contexte s'est donc effacé au profit de la seule histoire des deux frères et de la montée de la violence entre eux. De plus, leur rapport se présentait, d'après les premiers projets de Giono, de façon beaucoup plus complexe. Marceau savait qu'il aimait son frère au-delà des limites permises et il s'interrogeait sur ce sentiment, sur la conduite à tenir, etc. Or, cette dimension d'analyse a finalement disparu pour laisser la place au seul aspect sensuel de la relation. Par ailleurs la preuve de l'intérêt de Giono pour cette situation d'un couple d'hommes qui s'aime, ou du moins se ressemble, et se détruit, est donnée par la récurrence de ce thème dans divers romans, d'*Un roi sans divertissement* aux *Grands chemins*.

Robert Ricatte, répondant à sa propre question, trouve une explication très convaincante de cette insistance de Giono dans son attitude ambiguë vis-à-vis de la violence : son horreur et son attirance, successives ou mêlées, seraient à l'origine de cette fascination pour le thème du double maudit. On ne peut que souscrire à cette interprétation. Néanmoins il m'a semblé que cette rêverie n'en empêche pas d'autres, pas plus conscientes sans doute, et pas plus innocentes non plus, de s'investir dans ce schéma et, pour ma part, je me suis engagée dans une direction d'analyse plus restreinte, car elle concerne uniquement le cas des couples fraternels véritables, c'est-à-dire liés par le sang. En ce sens mon étude se rapprochera davantage de celle de Henri Godard sur «la relation de fraternité» dans *Dragoon* et *Olympe*, qui traite du thème de l'inceste entre frère et sœur[3].

Le sujet spécifique de l'amour entre deux frères préoccupait en effet très certainement Jean Giono car on le retrouve, posé dans des termes exactement semblables à ceux de *Deux cavaliers*, dans *Ennemonde*. Là aussi il y a initialement trois frères; là aussi l'un est tué à la guerre; et les deux autres, Ferdinand et Samuel, restent définitivement l'un auprès de l'autre dans la maison familiale où, sous le regard de leur mère, ils nourrissent l'un envers l'autre une passion exclusive qui forme l'unique trame et l'unique intérêt de leur vie. Ils vont même plus loin en ce sens que Marceau et Mon Cadet puisqu'ils restent célibataires, et même Samuel, qu'Ennemonde poussait à se marier, «avait refusé avec plus d'énergie qu'il n'en faut dans ces occasions-là; une énergie qui ressemblait à de la colère». Le sentiment qui les rapproche est alors désigné comme «une sorte d'amour»[4]. Et ils n'admettent finalement auprès d'eux pour toute présence féminine que celles de Rachel leur sœur et d'Ennemonde leur mère, à qui ils ressemblent et à qui ils se dévouent. Malheureusement pour moi leur histoire s'arrête là et les deux hypothèses envisagées pour eux par Ennemonde, qu'à la longue l'or soit changé en plomb vil ou que l'âge d'or dure pour eux indéfiniment, ces deux hypothèses restent ouvertes.

Cette simple esquisse toutefois, rapprochée du schéma de *Deux cavaliers*, montre qu'il faut peut-être chercher des clés de compréhension dans le système familial, ce qui serait corroboré par la forme prise par ce thème dans la mythologie. Les frères ennemis n'y manquent pas, mais en général l'un tue l'autre pour prendre le pouvoir et le garder, de Caïn à Romulus. En revanche, si Étéocle et Polynice meurent en même temps, cela ne se comprend que par rapport au système familial œdipien au sens propre, et aussi au sens large, c'est-à-dire par rapport à la transgression initiale du tabou de l'inceste, où le destin malheureux de toute la lignée trouve son origine.

Or, il m'a semblé que le roman de Giono propose des pistes de sens dans cette direction de la transgression des interdits, ici à la fois homosexualité et inceste : de façon très patente dans un certain nombre de formules employées; de façon assez claire dans les structures du récit, en particulier si l'on étudie le réseau des personnages et l'évolution du rapport des deux protagonistes; de façon détournée dans la manipulation des symboles et surtout au cours d'un chapitre à première vue marginal, mais où il me semble que tout se joue : il s'agit du «Flamboyant».

I

Ce qui saute aux yeux, c'est d'abord ce thème de l'amour des deux frères qui est constamment développé, du plaisir d'être seul à seul, côte à côte, ensemble. Même au dernier chapitre de l'action, «Mon Cadet», on lit encore ces litanies amoureuses : «La vie est belle. Je suis à côté de toi. Nous marchons ensemble. Ça va. [...] Si tu es là, si je suis là, tout est là. Quand tu es là il n'y a plus rien d'autre à faire [...] Je suis bien. On est bien. Tu es bien!» (p. 163)[5]

Surtout il est sans cesse question de l'aspect physique de cet amour. Le plaisir de toucher le corps de l'autre est clairement décrit lorsque Mon Cadet est petit, mais même après. Ainsi à propos de Marceau, il est dit dans «Tendresse» : «Il fut tellement content tout à coup de toucher tout ça qu'il se mit à rire» (p. 18); et encore : «Il prit un plaisir extraordinaire [...] à serrer Mon Cadet contre lui» (p. 19); mais aussi, beaucoup plus loin : «Il toucha la poitrine, les côtes, les hanches de Mon Cadet. ''Tu es beau''», etc. (p. 156). Et Mon Cadet éprouve le même plaisir : «Souvent, c'était lui, le premier, qui s'avançait pour toucher le bras de son frère ou lui prendre la main» (p. 31).

De même le plaisir de regarder l'autre est souvent mentionné : «Le dimanche, quand Mon Cadet changeait de linge devant l'âtre, Marceau se plantait devant lui et le regardait faire. C'était un monde! Les bras, les jambes, la poitrine, les hanches, tout!» (p. 19)

Très souvent de plus les métaphores décrivant le rapport des deux frères, mais surtout l'attitude de Marceau vis-à-vis de Mon Cadet, expriment la gourmandise ou la voracité : «Marceau et Celui du milieu en avaient faim» (p. 12), nous dit-on, et il est question aussi du «corps délicieusement fondant du petit enfant de cinq ans» (p. 32) ou de ce qui avait donné «une faim goulue de l'enfant» (p. 14). On retrouve ici dans doute le thème de l'Ogre qui sous-tend aussi *Un roi sans divertissement* — et qui est lui-même en rapport avec la sexualité — mais, de façon plus ponctuelle et directe, c'est le désir de consommer métaphoriquement le corps de l'autre qui est par là clairement énoncé.

## II

Si donc le plaisir et le désir physique des deux frères s'expriment à tous les coins de pages et s'il n'est pas besoin d'y insister, on peut s'attacher plus longuement à relever un certain nombre de particularités dans la structure du récit et notamment dans le réseau des relations familiales.

Ainsi la situation d'Ange par rapport aux femmes du récit est très révélatrice. Par rapport à Valérie d'abord : on constate par exemple que dans l'organisation narrative du roman Mon Cadet est toujours présent en tiers dans la relation maritale Marceau-Valérie. Qui plus est, Valérie est toujours défavorisée par rapport à Ange. Cela se voit dans les faits : Marceau choisit toujours la solution qui le rapproche de son frère plutôt que de sa femme. Cela se voit aussi dans l'ordre de l'énoncé : le nom d'Ange intervient presque toujours à proximité de celui de Valérie et, en général, avant.

Prenons quelques exemples :

Au chapitre I, lorsque Marceau revient de la guerre, on lit : «Son premier travail fut de débaptiser Notre Cadet. Il l'appela ''Mon Cadet''. Après, il se maria» (p. 12). Et l'on ne saura avec qui qu'au chapitre II.

Au chapitre II précisément, on a un paragraphe qui finit ainsi : «Entre ses mains, Mon Cadet se laissait faire et souriait» (p. 18). Et le paragraphe suivant poursuit : «Quatre jours après son retour de la guerre Marceau s'était marié avec Valérie Galice» (*ibid.*). Si le plus-que-parfait rétablit alors l'ordre chronologique des faits, il n'empêche que la scène avec Mon Cadet intervient d'abord, dans l'ordre du texte, et la description d'Ange avant celle de Valérie, et qu'elle est du reste beaucoup plus détaillée.

Plus loin on pourrait citer la scène du dimanche matin où Marceau regarde Mon Cadet se changer devant l'âtre et où il veut être seul pour goûter ce moment. Il empêche Valérie d'entrer par ces mots : «Et, attends dehors, disait-il, il n'y a pas le feu» (p. 19), qu'il faut certainement prendre à contrephrase car en fait, nous le verrons, quand Ange est là, il y a bel et bien le feu.

La scène du bain est encore plus symptomatique à cause du parallélisme des phrases et des situations : «Valérie appela Marceau» (p. 20) : c'est elle qui est demandeuse car elle a besoin d'aide pour se laver ; et au paragraphe suivant : «Marceau appela Mon Cadet.» C'est alors Marceau et non Mon Cadet qui est demandeur et qui impose une aide dont, après tout, son frère pourrait peut-être se passer. La suite insiste sur les sentiments ou plutôt sur les sensations de Marceau : «Il fut étonné d'éprouver un contentement terrible, avant même de toucher le corps, rien qu'en approchant la main» (p. 20) ; et, plus loin, «il sentit qu'il prenait un plaisir inouï» (*ibid.*). On peut noter au passage que dans cette scène déjà Marceau semble prendre conscience qu'il arrive à la limite de l'interdit : «Depuis quelque temps, il avait envie de toucher ce corps. C'était la première fois qu'il s'était retenu devant une chose dont il avait envie» (*ibid.*).

Un autre élément de la relation Marceau-Valérie (et Mon Cadet) est à prendre en compte. Pour que Valérie ferme les yeux sur ses escapades et sur le plaisir qu'il prend avec Mon Cadet, Marceau lui donne des compensations : des enfants certes, dont il ne s'occupe pas lui-même et qui ont peu d'importance dans l'histoire, et surtout de l'argent, substitut traditionnel et commode de l'amour. Et ainsi son amour peut rester disponible. Par exemple lorsque les deux Jason s'en vont à la foire-mutte de Saint-Charles-de-la-Descente, Marceau arrive à vendre le mulet Gaspard ; à ses yeux cela suffit à justifier auprès de Valérie une équipée entreprise en fait pour le seul plaisir : «Si je vends c'est que c'est naturel qu'on sorte ainsi, même l'hiver, Mon Cadet et moi» (p. 22). Et le texte poursuit : «Non pas que Marceau ait besoin d'une excuse devant Valérie, bougre non, alors oui, il ne manquerait plus que ça. Ni même devant lui. Là peut-être. De toute façon, la bête une fois vendue et le Bellini ayant craché au bassinet, il se sentit plus tranquille.» (*ibid.*)

Toute cette réflexion agite la problématique de l'interdit, du remords et de l'absolution, de la mauvaise foi et des justifications qui l'accompagnent nécessairement.

Le deuxième exemple, spectaculaire, concerne le service militaire de Mon Cadet : Marceau abandonne tout, et en particulier sa famille, pour le suivre pendant un an. En échange, il envoie la grosse somme de vingt-quatre billets de mille à Valérie «qui dirait Amen, touchée à un de ses endroits sensibles» (p. 25).

Le troisième exemple est celui des courses de Lachau, escapade on ne peut moins justifiée. Bien que l'intérêt du chapitre soit tout centré sur l'histoire du cheval, on apprend incidemment que Marceau a quand même vendu une mule, au cours de la journée : « Les sous sont dans la veste, Valérie » (p. 105). S'il répond toujours à la demande d'argent, s'il la prévient même, quand il s'agit d'amour Marceau répond beaucoup moins bien, en tout cas il ironise, ce qui est le signe d'une distance, sinon d'un malaise. Lors de la scène du bain, lorsque Valérie « hennit de plaisir », il lui claque les fesses pour signifier que c'est fini : « Tu y prendrais goût », dit-il (p. 20), alors qu'il s'attachera longuement à frotter Mon Cadet. Et au retour de Lachau il se moque : « Celle-là, si tu lui parles de caresse […] elle se met tout de suite les jupes sur la tête » (p. 98) ; et il lui conseille de travailler, « au lieu de penser aux caresses avec [s]on derrière comme un coffre à blé » (p. 99).

A divers moments, Valérie est même tout à fait gommée du texte : en particulier elle n'apparaît jamais ni dans le lit ni dans la chambre avec Marceau. On se souvient du début des « Courses de Lachau » : « Marceau, dit Jason l'Entier, se lève », etc. (p. 34) ; puis on passe à Mon Cadet dans une autre chambre avec Esther. D'Ariane on nous dit que sa chambre est « prise dans le grenier au-dessus de la chambre de Marceau » (p. 18), et non pas de Valérie et Marceau. De Mon Cadet avant son mariage on nous dit encore qu'il couchait « dans sa chambre sourde à côté de celle de Marceau » (p. 22), et non pas de Valérie et Marceau.

Ce qui importe, on le voit, est la relation entre Jason de souche : Ariane, Marceau, Mon Cadet, en dehors même des alliances exogamiques et des enfants qui en naîtront. Puisqu'à la fin quand les deux frères seront morts le Chœur dira : « Il n'y a […] plus de Jason : Esther, Valérie […] elles ne sont Jason que par alliance. De la souche, il ne reste qu'Ariane » (pp. 184-5). Et même si, en bon paysan, on compte pour rien les trois filles de Marceau, ses fils, Jules et Maurice, sont eux aussi totalement oubliés.

Si l'on examine maintenant la relation Esther-Ange, on voit qu'elle est au contraire décrite comme une véritable relation amoureuse. Esther est une femme jeune, bien faite, sensuelle, amoureuse de son mari et désireuse d'avoir des enfants. Les femmes disent d'elle : « elle ne s'est pas mariée pour rien. Elle aura de la famille. Elle fait tout ce qu'il faut pour en avoir et elle aime faire tout ce qu'il faut » (p. 43). Les enfants même le sentent : lors de l'épisode de Lachau lorsque ses neveux reviennent de l'école, Esther prend la petite Marie dans ses bras et celle-ci cherche son sein et le tête malgré l'absence de lait (p. 66).

Ange, de son côté, est amoureux d'elle mais s'en laisse séparer. Dans la première scène des « Courses de Lachau », Ange et Esther sont allongés dans le lit, côte à côte, mais couverts des pieds à la tête et tout raides, comme des gisants plus que comme des jeunes mariés. Et aussitôt Marceau vient les séparer, dès l'aube, sans justification, au risque d'une dispute avec le frère d'Esther. Et comme celle-ci proteste, il n'arrive à donner que des raisons valables pour lui, mais pas pour Ange. C'est seulement sa volonté et son plaisir que Mon Cadet vienne. Et celui-ci ne dit rien et s'en va. Par ailleurs, bien que le couple ait été marié plus d'un an, Ange mourra sans avoir fait d'enfant à Esther qui pourtant semblait douée pour cela. Et le dénouement primitif publié dans *La Gerbe* insistait beaucoup sur ce point[6]. Comme si elle avait fait tout ce qu'elle avait pu, mais pas lui, dont la sexualité était mobilisée ailleurs, malgré lui : «Si, ce matin, j'avais fait ce que je voulais faire, je serais resté avec toi. Mais je ne pouvais pas puisqu'il est venu me chercher», dira-t-il à sa femme (p. 98).

Si l'on essaye à présent, toujours dans le cadre des structures du récit, de suivre le mouvement de la narration en fonction de la relation des deux frères, on s'aperçoit que le schéma en est à la fois très clair et très rigoureux. Le premier temps du récit, jusqu'au service militaire, établit entre eux, de façon systématique, un rapport de dominant à dominé. Le système d'opposition est d'emblée posé. En gros, l'aîné incarne la virilité sauvage : son nom Jason, qu'il porte en tant que fils aîné, est celui d'un héros mythologique intrépide et glorieux ; son prénom, Marceau, est le nom d'un célèbre général de la I$^{re}$ République. Et Marceau Jason, comme déterminé par ces deux références, apparaît lui-même dans le roman successivement soldat et lutteur, deux formes de la force. Son surnom, l'Entier, même s'il a aussi un sens moral, l'assimile à un étalon, encore la force et la virilité. Les métaphores, par ailleurs, le confondent sans cesse avec toutes sortes de bêtes féroces, le loup (pp. 11, 158), l'ours (p. 35), et surtout le sanglier (pp. 36-37, etc.) à la fois lourd, sauvage et primitif.

Marceau donc appartient à la terre, il est la pesanteur. Inversement, Mon Cadet est défini d'abord par ce surnom que lui a donné son frère : par le possessif il est désigné comme la propriété particulière de Marceau ; par le surnom, il est l'enfant par rapport à l'adulte, le «petit». Et en effet on le voit grandir, contrairement à Marceau. Mais, même adulte, il manque mourir du croup qui, ici comme dans les romans du XIX$^e$ siècle, apparaît comme une maladie infantile (p. 131). Par son véritable prénom Ange, il est situé face à l'Entier comme un être à la sexualité incertaine ; et l'on se souvient qu'il devait même initialement porter le nom de Raphaël, l'un des archanges.

Ce prénom d'autre part le lie à l'élément aérien et le texte insiste sans cesse sur cet aspect en l'assimilant à un oiseau : «Marceau toucha [...] les petits muscles d'oiseau qui liaient les flancs» (p. 18). La scène se passe alors que Mon Cadet est encore un enfant ; mais plus tard, lors de leur premier combat sérieux, son frère encore le comparera à un perdreau : «Vous êtes sûrs qu'il ne lui a pas poussé des ailes ? Je crois qu'il va m'emporter au ciel» (p. 165). Et la première version de l'épilogue insistait sur cette appartenance au milieu aérien : Ariane se rappelait les premiers gestes du bébé, qui amorçaient «les mouvements de l'ange et de l'oiseau»[7].

Enfin, toutes les descriptions s'attardent sur sa grâce et sur sa beauté qui en font un personnage presque féminin. Elles s'arrêtent sur son nez droit, sur ses yeux de gentiane, sur sa silhouette et surtout sur ses cheveux. Même devenu «un grand gaillard doré», il est encore remarquable par «ses cheveux blonds qu'il port[e] longs et qui mouss[ent] frisés autour de ses tempes étroites et de ses larges yeux» (p. 31). Et, à voir l'insistance des plans sur «la belle tête dorée» (p. 33), sur «les cheveux blonds» qui fument «autour de sa tête comme un casque à cimier d'or» (p. 161), le lecteur est légitimement conduit à se demander dans quelle mesure Mon Cadet ne représente pas, pour ce Jason aussi, la Toison d'or, l'objet de sa quête véritable.

Ce rapport d'adulte à enfant, d'Entier à Ange, de terre à air, se prolongera par la suite, mais en s'orientant de plus en plus jusqu'à la fin du chapitre «Tendresse» vers le schéma d'une relation homme-femme.

Si l'amour protecteur de Marceau est posé dès le début, Ange à son tour tombe amoureux, pourrait-on dire, de son frère : lorsque celui-ci vient l'arracher à sa caserne, il lui jette un «regard éperdu d'amour et d'admiration» (p. 26), et Marceau devient pour lui «cette tendre et terrifiante chose qui est plus que le monde» (p. 29).

Si Marceau initialement avait faim de voir et de toucher l'enfant, c'est désormais Mon Cadet qui s'arrange pour, à tout propos, toucher le bras de son frère (p. 31), qui, à tout moment, est appelé par «un furieux appétit à se serrer contre Marceau» (p. 32). Et c'est lui qui accomplit alors les manœuvres de séduction traditionnellement dévolues au sexe féminin : il repère les gestes qui attirent sur lui le regard de son frère, il les varie à l'infini, ayant l'instinct de «rendre cette répétition la plus meurtrière possible» (p. 29). Le texte parle encore de ruse et de coquetterie.

Les cadeaux qu'ils se font alors symbolisent tout à fait leur relation. Ange, en reconnaissance de la virilité de son frère et de son rôle dominant, lui offre «un de ces magnifiques fouets de Saint-Hilaire à manche court [...] dont la longe de deux mètres de long [...] se termine par une chasse en cuir de chèvre fine comme une queue de couleuvre» (p. 31). Et si les termes et les symboles ne sont pas suffisamment éclairants, il apparaît vite qu'il s'agit là d'un instrument offensif puisque le premier geste de Marceau avec ce fouet sera de tuer un blaireau. Ange lui offre ensuite un mors, des ornements de museau en argent, deux plaques de gourmettes avec en relief la couronne de duc, encore des insignes de pouvoir et de noblesse, soit de domination.

Pendant ce temps, Marceau offre à Ange une belle couverture en laine écossaise aux couleurs chatoyantes : il répète ainsi l'une des premières scènes où on le voit couvrir l'enfant de sa vaste blouse dans un geste de protection. Mais, bien au-delà de l'enfance et de l'adolescence, jusqu'au dernier combat, il continuera à porter la même attention inquiète à la fragilité présumée d'Ange : «Tu n'as pas froid?» demande-t-il à tout propos. Suzanne Roth, dans son article sur «L'objet aimé chez Giono»[8], soulignait bien le désir d'établir ainsi au sein d'une relation amoureuse le rapport de dépendance qui unit le nourrisson à sa mère.

Son plus beau cadeau à l'Ange sera un paon qui, dans les Hautes Collines, est l'équivalent du bouquet de fleurs et qui sert, perché sur son épaule, à rehausser l'éclat de sa beauté, comme aussi un bijou... ou une auréole. Et Pierre Citron, anticipant sur mon propos dans ses notes sur *Ennemonde*[9] pour l'édition de la Pléiade, soulignait le symbolisme sexuel volontiers attaché à cet oiseau. En tout cas on le voit faire la roue de plaisir lors des grandes randonnées où «les deux frères avaient toujours besoin de s'assouvir» (p. 33).

161

Ainsi, dans la première moitié du récit, le comportement des deux frères est bien typé et constant. Lorsqu'en compagnie ils se prennent le bras, s'assoient côte à côte et que Marceau passe son bras sur l'épaule de Mon Cadet, le rôle dévolu à chacun est explicite. Mais ensuite leur rapport évolue et se modifie par à-coups dans une série de scènes. A la fin du chapitre « Le Flamboyant », à l'hôtel, ils se déshabillent et se regardent dans la glace. Marceau s'étonne de voir Ange si costaud. Celui-ci se trouve même aussi musclé que son frère, qui refuse cette réalité avec deux mauvais arguments : en disant que la glace déforme et qu'un cadet est forcément « plus petit » (p. 156) que l'aîné. Il a ainsi le dernier mot. Dans le chapitre « Mon Cadet », un premier combat s'ébauche. Marceau l'écourte et en appelle curieusement à Esther comme adjuvant, elle qu'il avait jusque-là effacée. Et la réaction d'Ange est inverse ; c'est lui qui en repousse l'image : « Qu'est-ce qu'elle vient faire ici, ma femme ? C'est la première fois que tu en parles ! » (p. 162) Pour la première fois en effet Marceau reconnaît que son frère est un homme et un homme marié. Dans le même chapitre, le deuxième combat est d'emblée plus mauvais. Ange insiste, Marceau se bat déjà plus sérieusement et on peut noter qu'il tombe de tout son poids sur « l'homme » (p. 166), déjà désigné comme « l'autre » (p. 165), et qui n'est plus ni Mon ni Cadet mais un rival à part entière.

Survient la scène du gros orage où le rapport de force s'inverse définitivement. Si dans « Le Crou » Marceau a (naturellement, pourrait-on dire) sauvé son cadet, ici c'est Ange qui arrache à la mort, grâce à sa force, Marceau écrasé par un fayard. Me risquerai-je à voir là un symbole, un énorme présage de sa puissance anéantie ?

On arrive enfin au dernier combat, extrêmement violent et tout aussi symbolique. Cette fois-ci on assiste à l'affrontement de deux forces de la nature. Marceau attaque son frère « avec une brutalité contre laquelle il fallait faire l'homme », écrit Giono (p. 175). Mon Cadet est encore comparé à un oiseau, mais cette fois à un aigle soudain dépouillé de sa légèreté pour devenir une créature terrestre et pesante (p. 176). Il est aussi, et à son tour, assimilé à un ours (p. 175), puis à un serpent (p. 178). Pendant que « tendu en avant et les bras ouverts il sembl[e] que Marceau [veut] essayer de voler » (ibid.) mais sans y parvenir ; et l'Entier est finalement comparé à un bœuf (p. 177).

Marceau apparaît trop vieux en face d'Ange : « N'en peut plus », disent les spectateurs, ce qui est encore à lire comme la fin de sa puissance. Un coup reçu dans la figure le rend aveugle, autre forme de l'impuissance ou du moins de la déchéance. Et le coup final est porté par Mon Cadet à son sexe, ce qui est ouvertement un geste à la fois de castration et de dérision, la contestation en tout cas de la virilité oppressive de Jason qui voulait le maintenir dans un statut d'éternel mineur.

Ainsi la forme que prend le meurtre de Mon Cadet — il est tué à coup de serpe dans le ventre — entre bien dans la logique de ce rapport symbolique des deux frères.

Ce rapide parcours montre bien comment le rapport d'amour et le rapport de force évoluent de façon très régulière à la façon d'un destin qui s'accomplit sans appel. Et, sans doute, le signe de la mort violente par le fer est inscrit dès le début du texte dans l'histoire de la lignée par la référence à Jason le Vieux qui introduisit dans les vallées la guillotine républicaine.

Toujours du point de vue de la construction du récit et de la force du destin, on peut constater aussi que l'histoire d'amour et de lutte des deux frères ne fait que répéter les combats et l'amour où se sont affrontés leurs parents Ariane et Jason l'Artiste. Ces deux-là se sont même battus avant de s'aimer. Ariane avait accepté de se marier mais non sans se battre d'abord, et plusieurs fois. Même, un combat de dernière minute avait mis Jason hors d'état de consommer le mariage le soir des noces. Mais dans ces luttes ce n'est pas forcément Ariane, on le voit, qui avait le dessous. Comme si elle parvenait à rétablir sur le plan de la force l'égalité qui semble faire défaut a priori dans la relation sexuelle.

Dans l'histoire de Marceau et Mon Cadet, on a exactement les mêmes données, distribuées cette fois non entre un homme et une femme, mais entre deux frères : il y a l'amour, il y a la lutte, il y a la recherche de l'égalité de la part du héros le plus féminin. Mais il se trouve que les combats de Jason et Ariane précèdent et accompagnent l'amour et la lignée de demi-dieux, tandis que le combat prend peu à peu la place de l'amour entre les deux frères, sans qu'une égalité arrive jamais à s'établir, et qu'il entraîne, pour finir, leur double mort.

Pourquoi cela? La double mort précisément peut nous mettre sur une voie : l'une et l'autre en effet sont sans explication rationnelle. Celle de Marceau est d'emblée placée sur le plan de l'irrationnel puisque, l'autopsie le confirme, il n'est mort de rien, sinon bien sûr comme dans les légendes antiques parce que son frère était mort. Et comme dans les légendes antiques leur réunion dans l'au-delà est annoncée : «Il attendait quelqu'un qu'il doit avoir trouvé maintenant» (p. 188), dit le Chœur. La mort, le meurtre de Mon Cadet reçoit au contraire de la part des divers membres du Chœur et même du Coryphée, plusieurs explications; mais aucune n'est complètement satisfaisante. Tout ce qu'on peut dire c'est donc bien que, dans le système du récit, l'une et l'autre sont inscrites dans la logique d'une progression régulière et d'un ensemble de présages qui appartiennent à l'ordre du destin.

Or dans la tragédie grecque, constamment évoquée par Giono dans ce livre, le destin est très expressément chargé de punir la démesure des hommes : celle d'Ariane est son orgueil, celle de ses fils ne consiste-t-elle pas justement à avoir osé transgresser des interdits aussi forts que l'homosexualité sans doute et, plus que tout, l'inceste?

III

Mais, dira-t-on, la relation incestueuse ou homosexuelle n'est jamais de fait explicitement mentionnée dans le texte qui, au contraire, parle de «fraternelle passion» (p. 32); et les deux frères, à l'hôtel, nus, dans le même lit, s'endorment paisiblement côte à côte. Cette punition du destin ne serait-elle pas alors un peu forcée ou même tout à fait injuste? Il me semble au contraire qu'à lire de près le récit, un passage peut rendre cette double punition plus juste et plus compréhensible, du moins dans l'optique de la Loi : c'est la chevauchée fantastique qui se trouve dans le chapitre intitulé «Le Flamboyant» que je voudrais à présent étudier.

Le statut de ce passage est en effet extrêmement curieux par toutes sortes d'aspects. Tout d'abord, si le début et la fin du chapitre sont bien rattachés à la série des luttes de Marceau inaugurées par l'histoire du cheval fou de Lachau, puis par le combat avec Clef-des-Cœurs, le milieu, séparé du reste par des blancs, est lui sans rapport direct ni avec ce thème ni surtout avec le titre «Le Flamboyant». D'autre part, on y voit apparaître une foule de personnages avec des noms, des silhouettes. Or, aucun d'eux n'était connu avant et aucun ne reparaîtra par la suite et ne joue le moindre rôle dans l'histoire des deux frères, pas même Autane, pourtant évoquée assez longuement et, elle, dans les trois parties du chapitre. A tel point qu'on est en droit de se demander si l'on n'est pas là en présence d'un vestige, un peu déphasé, du projet primitif de Giono sur les jacqueries paysannes. Par ailleurs, les deux personnages principaux y figurent fort peu, surtout Ange qui n'est pas décrit, qui ne fait rien, qui ne dit rien. Enfin, il ne sortira apparemment rien de l'épisode qui est seulement l'évocation d'un trajet entre deux lieux de combats.

A ne considérer que l'action on peut donc déjà se demander pourquoi il a été conservé. En même temps, il est remarquable aussi par son inspiration tout à fait insolite par rapport à l'ensemble du roman. Si une série d'autres passages ont en effet entraîné les deux frères vers d'autres mondes sociologiques et géographiques (l'épisode de la vallée du Rhône ou celui du service militaire à Briançon), celui-ci se présente plutôt comme une escapade dans le temps, ce qui d'emblée implique le passage à un autre ordre qui serait celui du rêve ou de l'imaginaire. Car, curieusement, le ton est ici à la fois héroïque et médiéval, même si c'est de façon un peu dérisoire parfois, avec ces «chevaliers propriétaires des ombres sous les châtaigniers» (p. 149).

La forme emprunte au récit épique : par les noms des personnages (Romuald Tête-Carrée, Belle-Cravate, etc.), par les images («L'orage [...] claquait de la queue comme un saumon au bout de la ligne», p. 150; «la poix mordorée des pluies [...] huilait les branches nues», *ibid.*), par une écriture presque lyrique par moments, qui semble trouver sa forme dans le recours à l'alexandrin :

> «Les hommes désignés par le vent et la pluie» (p. 149)
> «Hauvière le Collet-Vert était un grand Gaulois» *(ibid.)*
> «ces effroyables rires qui déchiraient la nuit» (p. 151).

Et enfin, enchâssée dans cet épisode, se trouve une chanson, présentée comme telle, de forme par moments régulière, par moments non, et elle-même de tonalité médiévale avec un château, des cuirasses, des preux (pp. 149-50).

Cette inspiration, non seulement de la chanson, mais aussi de tout le passage qui nous renvoie à la fois à l'épopée médiévale et à la Gaule primitive, a de quoi surprendre dans un récit qui partout ailleurs se réfère systématiquement aux forces, aux légendes et à la construction de la tragédie grecque. Or malgré tous ces éléments d'étrangeté non seulement le passage a été conservé mais on peut même estimer qu'il a donné son

164

titre au roman puisqu'il s'agit du seul moment où les deux frères participent à une chevauchée sous l'orage : on les voit souvent à cheval ; il fait souvent mauvais temps ; mais là seulement ces deux composantes du titre sont réunies. Ceci confirme l'idée que quelque chose d'essentiel, et du domaine de l'imaginaire donc, se joue là.

L'étude plus détaillée de certaines autres particularités de l'épisode comme le statut et le rôle des divers personnages pendant la cavalcade, la description comparée d'Autane et d'Ange, le traitement de l'espace, ou la description de l'orage et des cavaliers, va nous renseigner en effet sur l'enjeu de ce texte. Si l'on regarde d'abord le statut des divers personnages au cours de cette équipée, l'impression dominante est qu'ils forment une unité homogène. Le texte parle d'envol «commun», de «bloc compact», et Marceau et Ange y semblent intégrés au même titre que les autres. Néanmoins, dès qu'on essaye de déterminer la place de chacun, et surtout si l'on prête attention aux chiffres, que l'on sait en psychanalyse toujours porteurs de sens, on relève toutes sortes de bizarreries. Plusieurs décomptes des personnages interviennent en effet. Dans le premier (p. 148), Romuald-Tête-Carrée dit :

> «On est neuf.
> — Ah ! il y a moi, dit la fille rousse. [...]
> — On sera dix alors, dit Marceau, et nous deux, ça fera douze.»

Le groupe se définit d'emblée comme composé de neuf personnes plus trois, qu'on peut scinder en une plus deux. Ce compte particulier est confirmé lorsque la troupe s'arrête chez le boulanger pour acheter du pain : ils en prennent neuf. On peut se demander pourquoi pas douze. N'est-ce pas là l'indice que trois des cavaliers ont d'autres faims que l'appétit de nourriture ?

Nouveau compte un peu plus loin (p. 151) où ils apparaissent ainsi placés : Hauvière en tête, qui chante ; Autane à côté ; les autres «botte à botte par quatre», soit deux rangées de quatre, autrement dit huit cavaliers. Il en reste donc forcément deux derrière ou à côté, à savoir Marceau et Mon Cadet, non nommés.

Autre évocation (p. 152), plus rapide, mais similaire : «tous les dix ils faisaient un bloc que la vitesse enlevait». Encore une fois il en manque deux.

Dans la fin de l'épisode (p. 156), lorsqu'il s'agira de prendre des chambres à l'hôtel, le même phénomène se produira : «il restait quatre chambres», pour les neuf hommes ; on croit Autane chez Beaux-Yeux mais elle a aussi pris une chambre à l'hôtel et «en tout cas, Marceau et Mon Cadet en prirent une pour eux deux», nous dit-on, et au passage on peut se demander la signification exacte de ce «en tout cas», qui a au moins pour effet d'attirer l'attention sur le couple.

J'ai laissé de côté un seul décompte, parce qu'il est plus précis : il s'agit du moment de la grande descente après Pignebœuf lorsque les cavaliers ont ralenti et marchent plus ou moins à la queue-leu-leu (p. 150) : Hauvière, Romuald, Jocelme, etc., puis «Mon Cadet et Marceau, côte à côte» et «Marceau [...] derrière l'Autane dont les mouvements de la selle soulevèrent l'odeur forestière».

Si la fréquence de ces recensements, cinq en quelques pages, et la place, toujours à part, de Marceau et Mon Cadet et celle, souvent à part, d'Autane montrent à l'évidence que tout au long de cette équipée quelque chose se joue entre eux trois et seulement entre eux trois, cette dernière citation confirme que cela se passe sur le plan de la sexualité.

Le personnage de l'Autane est en effet dès son apparition fortement sexualisé et, dès le début, sa relation s'établit très directement avec Marceau. C'est elle qui lui a enlevé ses bottes : « Et elle riait du pied nu qu'elle venait de déshabiller, et qui était vraiment un drôle de pied : noir, écailleux, mais très agile de doigts » (p. 143). C'est elle qui au début de notre épisode parle avec Marceau. Comme elle prétend monter à cheval à califourchon, il lui dit :

> « Tu feras voir tes cuisses !
> — Et après ? Ça n'enlève pas la vue ! » (p. 148)

Puis la fille rousse « releva ses jupons, découvrit jusqu'aux hanches de magnifiques cuisses de feu blanc et, écartant les jambes à la volée, se mit en selle » (p. 149). Cette sexualité féminine s'adresse donc évidemment à Marceau qui perçoit encore, nous le disions, l'odeur forestière soulevée par les mouvements de la selle. Or, on se souvient que ce roman évoque très peu d'odeurs et surtout que toutes renvoient au bonheur sensuel que les deux frères partagent lors de leurs grandes randonnées en forêt : dans « Tendresses » où il est question de la « bonne odeur du thym écrasé » (p. 15) ou des forêts qui au printemps sentent « le sureau et la clématite » (p. 22) et jusqu'à la fin où Marceau remarque encore : « J'aime cette forêt, [...] j'aime cette odeur, j'aime marcher lentement, comme ça, avec toi » (p. 160).

Mais si la communication s'établit ici entre Autane et Marceau, on s'aperçoit qu'elle n'est suivie d'aucun effet, d'aucun partage de quoi que ce soit malgré l'insistance d'Autane, qui pourtant délaisse pour lui Beaux-Yeux et vient à l'aube frapper à sa porte, sans succès ; qui va l'attendre sur le chemin des Hautes Collines pour lui proposer de s'attarder une nuit, en vain. Qu'est-ce qui explique donc l'étrange réponse que lui fait Marceau : « Pour quoi faire ? C'est fini, maintenant » (p. 159). Sa question est absurde en effet et son affirmation incompréhensible : qu'est-ce qui est alors fini ? Pour quelle raison Marceau, qui ne dédaigne pas de temps en temps de faire « un petit extra » (p. 32) à Valérie avec une veuve de petite vertu, refuse-t-il l'Autane qui lui est si bien assortie ? Elle est aussi forte que lui, aussi habile à cheval, elle galope même plus vite, elle prévoit son comportement et se présente en quelque sorte comme son double féminin.

En fait, il aurait pu reconstituer avec elle le couple originel Jason-Ariane. Si l'on s'intéresse en effet de plus près à l'Autane, on s'aperçoit que sur divers plans elle est bien à rapprocher d'Ariane : par son nom par exemple qui commence et finit de la même façon ; par le fait que dans cet épisode elle joue le rôle de l'Ariane mythologique en guidant les héros à travers le labyrinthe des forêts ; par son comportement, surtout, aussi peu conforme que celui d'Ariane à celui qu'on attend de leur sexe : Ariane se battait comme un homme (p. 8). Autane monte à cheval « à l'homme » (p. 148).

C'est précisément grâce à la médiation d'Ariane qu'on se rend compte que l'Autane partage bien des points communs avec Ange, ce qui, à première lecture, passe complètement inaperçu puisque celui-ci est tout à fait occulté dans cette partie du texte. On se souvient en effet que le Cadet ressemble à sa mère Ariane et que cette ressemblance a été souvent soulignée : il est «blond comme Ariane» (p. 12); il a «le nez droit» comme sa mère (p. 34); il est l'«héritier direct de la grande force d'Ariane et de tous les ancêtres du Pavon» (p. 31); comme elle encore il a le goût des paons («Ariane, en digne fille du Pavon, admira le paon; mais Mon Cadet trouva dans son cœur l'utilisation de l'oiseau», p. 32).

Indépendamment de cette ressemblance avec Ariane, bien d'autres détails viennent encore apparenter Ange et Autane : leurs noms peut-être qui partagent plusieurs lettres, communes aussi au nom d'Ariane. Mais surtout l'un et l'autre sont, par exemple, très liés à l'élément feu. D'Autane on sait qu'elle est une superbe rousse, avec de magnifiques cuisses de feu blanc; que le lit de Beaux-Yeux est de feu lorsqu'elle est là. Une phrase de la version parue dans *La Gerbe* la présentait ainsi : «La rousse, de plus en plus écartée devant le feu, prenait toutes les flammes pour elle.»[10] Or Ange, bien souvent, apparaît lui aussi, directement ou métaphoriquement, lié au feu. Rappelons «sa beauté qui fit merveille comme un feu» (p. 16) lors de l'épisode de la vallée du Rhône, ou encore la vision au matin de Cadet éclairé par les flammes de la cheminée, le jour de l'expédition à Lachau (p. 34), ou la phrase de Marceau : «Tu es beau, mon salaud, c'est très bien tout ça : on dirait presque du feu» (p. 156). Attardons-nous surtout sur une autre image tirée de l'épisode des «Courses de Lachau», lorsque Mon Cadet, qu'on a cru mort, arrive bien tard : «Mon Cadet le Blond entre [...]. Et ici dedans les reflets du feu se lancent sur lui, l'entourent [...] comme s'il était le seul être vivant de la maison» (p. 96). Dans ce roman, le feu semble donc choisir lui-même ses créatures : de toute évidence Autane et Ange sont ses élus.

Parents par le signe du feu, ils le sont aussi par la légèreté aérienne : dans le bestiaire du récit, Autane, comme Ange, est du côté de l'oiseau, elle qui s'assied à la volée (p. 149) et dont les cuisses sont blanches comme des ailes de pigeon (p. 150). Et leur nom même, entre tous ces indices, les réunit encore : l'Autane est le féminin de l'Autan, le vent d'ouest, et l'Ange, par définition, appartient à l'espace céleste.

Devant toutes ces ressemblances, essentielles, devant la place, importante dans ce chapitre, d'Autane, mais devant son rôle finalement un peu absurde ou du moins inutile dans cet épisode, on est donc amené à se demander si le vent n'est pas là pour cacher l'ange, si l'Autane n'intervient pas dans la trame lisible du récit comme un substitut de Mon Cadet, pour proposer la piste insistante, mais finalement sans issue, d'un échange sexuel permis, alors que le véritable désir, permanent dans le texte, est celui d'un échange interdit, de la double transgression dont nous avons parlé.

Dernier élément, qui expliquerait à quel point cet écran de l'Autane est nécessaire : il me semble que la transgression est non seulement désirée ou même ébauchée, mais que, dans ce passage du «Flamboyant», elle s'accomplit sous nos yeux — de façon bien sûr détournée et symbolique — à travers le récit de cette chevauchée fantastique. Le traitement de l'espace, la médiation du cheval, puis celle de l'orage, les images d'envol et de dépassement des limites ordinaires de l'expérience concourent, me semble-t-il, à organiser cette représentation.

L'espace tout d'abord ne correspond plus au cadre familier des Hautes-Collines tel qu'il est apparu depuis la première page du récit. Tous ces hommes en effet, et notamment les deux frères, connaissent à la perfection ces forêts et leurs chemins : ils passent leur vie à y randonner pour leur travail ou pour leur plaisir. Or soudain — conformément aux schémas initiatiques d'accès à une expérience et à un espace supérieurs, minutieusement décrits par Mircea Eliade[11] par exemple —, ces forêts deviennent le décor inconnu, inquiétant et même hostile de cette expédition particulière. Les personnages, brusquement privés du sens de l'orientation, ont à traverser une série d'embûches renouvelées à chaque étape d'un espace discontinu :

> «ils entrèrent [...] dans les bosquets de coudriers qui les fouettèrent d'eau»;
> «on trouva le brouillard, là-bas devant à hauteur du visage»;
> «Ils entrèrent dans le pays des bosquets»;
> «Il leur fallut se dépêtrer des érables»;
> «Il fallait se démêler des canaux que les gens d'ici entrecroisent dans ces prairies»;
> et aussi : «Le brouillard jouait [...] : il couvrait la route et découvrait des routes où il n'y en avait pas» (p. 150).

Et l'on ne peut s'empêcher de songer ici à l'espace truqué et changeant qui, dans *Faust au village*, dénonce la présence du diable et conduit le héros jusqu'à lui, dans une autre dimension que celle de l'expérience courante.

Autre élément symbolique : tout ce parcours s'effectue à cheval. Cela n'a rien d'étonnant, si l'on se souvient des diverses valeurs imaginaires attachées à cet animal d'origine chtonienne. Gilbert Durand, dans *Les structures anthropologiques de l'imaginaire*, le présente comme une figure liée à la sexualité et à la mort[12]. «Le sens psychanalytique et sexuel de la chevauchée apparaît bien, dit-il, dans la constellation hippomorphe; [...] il vient [...] surdéterminer le sens le plus général qui est celui de véhicule violent, de coursier dont les foulées dépassent les possibilités humaines»[13]. Par ailleurs le cheval est souvent imaginairement lié aussi au phénomène météorologique du tonnerre, sans doute à partir du «schème de l'animation rapide» qui renvoie à «la fulgurance de l'éclair»[14] et au bruit violent qui accompagne le galop aussi bien que l'orage. Il est donc logique que cet animal venu des ténèbres — et en rapport avec le ça — soit l'instrument d'élection qui permette aux hommes de dépasser leurs limites habituelles et d'accéder, dans le déchaînement d'un orage, à l'autre espace, celui où s'inscrit la réalisation de leur désir.

L'orage donc qui, traditionnellement — je renvoie encore à Mircea Eliade —, peut introduire à l'épreuve ultime et favoriser le passage vers l'au-delà (transe extatique ou révélation mystique) se présente ici comme un déchaînement élémentaire, une force supérieure avec laquelle il faut rivaliser, ce qui entraîne nécessairement un dépassement des limites, ou une transgression des limitations ordinaires.

Or le texte, dès le début, joue à loisir à confondre les hommes et l'orage :

l'un et les autres participent de *l'élément feu* : c'est vrai individuellement pour Ange et Autane donc, mais pour Salvador aussi, «brûlé de visage et de corps par le terrible incendie de ses yeux noirs» (p. 149), mais pour Belle-Cravate encore qui a, ce jour-là, choisi un petit châle rouge et or. Et surtout, tous ensemble galopent «dans un clapotement éblouissant d'étincelles sur les pavés» (p. 151). L'un et les autres sont accompagnés de *fracas* : «la terre dure sonn[e] [...] sous les fers» des chevaux *(ibid.)* ; les hurlements des hommes résonnent par intermittence. L'un et les autres connaissent la même *vitesse* : ils traversent le village «en trombe» *(ibid.)* et quand les gens, réveillés par le bruit, ouvrent les volets, ils sont déjà loin.

Si l'on ajoute à cela un certain nombre d'images disséminées dans le texte (ils sont les hommes «désignés par le vent et la pluie» ; Hauvière le Collet-Vert porte une «lampe tempête», citée deux fois ; la jument du Grand Pinier est «une carcasse du tonnerre de Dieu»), on voit que l'assimilation des hommes lancés au galop au phénomène de l'orage est extrêmement voulue. D'autant plus qu'inversement l'orage est personnifié : il bat des tapis de soufre. L'identification est même si totale, qu'à l'issue de l'épisode Giono écrira : «l'orage tourna à droite [...]. Ils tournèrent à gauche [...]» (p. 152).

Cette fusion, voulue et systématique, permet aux hommes de se dépasser et, par une sorte de miracle, de décoller du sol pour s'élancer vers le ciel. Devenus «un bloc que la vitesse enlèv[e]», «unis dans un envol commun qui les soulèv[e]» (p. 151), ils quittent terre et ce mouvement d'ascension symbolise l'évasion heureuse, et provisoire, aussi lois de la pesanteur et par conséquent des pesanteurs de la Loi. La capacité de s'élever dans l'air symbolise le pouvoir de transcender la condition humaine, dit en substance Mircea Eliade dans le *Traité d'histoire des religions*[15]. Et tout le passage module ce thème de la délivrance : la scène commence «à l'heure où la tendresse des saisons délivre les démons dans le chœur des hommes solitaires» (p. 149) ; au fur et à mesure qu'ils avancent, le soir «se délivr[e] de plus en plus» (p. 150) ; de temps en temps Hauvière pousse un hurlement : «il se délivrait ainsi» (p. 151), écrit Giono. Du coup, les choses et l'espace lui-même semblent s'ouvrir pour donner accès à cette autre dimension. Les cavaliers galopent «au milieu des éclatements de roseau et d'eau froide» (p. 151) ; et quand l'évasion s'accomplit éclatent «des rires qui déchir[ai]ent la nuit» *(ibid.)*.

Tout se passe comme dans *Pour saluer Melville*, lorsqu'Hermann pour Adelina invente un instant «un monde autre que le monde réel où il ne la perdrait pas»[16] malgré tout ce qui les sépare : la Loi comme toujours, et alors le tabou est celui d'un double adultère. Il l'entraîne dans la brume et l'invite à passer avec lui dans «une sorte de lieu d'asile» : «Il me semble [dit-il] que nous venons de forcer ensemble une pellicule d'air qui a éclaté à mesure que nous passions [...] Et ne dites rien, je crois en effet que nous venons de passer de l'autre côté»[17]. Et le paysage autour d'eux devient complètement imaginaire.

Quant aux cavaliers de l'orage, à partir du moment où ils adoptent le rythme du grand galop sous la pluie et où ils semblent prendre leur vol, ils se conduisent avec la facilité qui n'existe que dans les rêves : ils ne connaissent plus ni obstacles, ni effort. Eux qui étaient tout empêtrés dans les choses traversent désormais sans ralentir les gorges, le brouillard épais, les plaines, les marécages : «Il n'y avait plus à toucher aux chevaux, ni même à faire quoi que ce soit avec la bride ni les genoux» (p. 152), écrit Giono. N'est-ce pas une façon de dire qu'ils sont devenus «semblables aux dieux», comme Mircea Eliade l'écrit des initiés[18], c'est-à-dire libres, libérés ?

Quoi qu'il en soit, on peut au moins penser qu'ils ont cette fois atteint le pays merveilleux, celui dont il est question dans la Chanson de Hauvière, bien à l'abri de ses chemins scellés et, par là, interdits au commun des mortels, où, dans un château indifférent aux agitations et aux lois du monde, «les cœurs [restent] au chaud» (p. 150). Pays de l'héroïsme comme remède à l'ennui sans doute, c'est vrai pour les neuf autres. Mais aussi, pour les protagonistes, pays où la transgression change de nom, où les interdits n'existent pas, pas plus que la culpabilité. L'histoire particulière de Marceau et Mon Cadet avant et après cet épisode, leur statut, lui-même étrange au sein de ce curieux passage, le rythme enfin de cette chevauchée qui les mène du pas au trot, à un trot qui très vite s'allonge, puis au galop et à l'envol — un envol à vrai dire assez long — avant à nouveau le trot, l'arrêt et la question qui ramène au réel ces chevaliers des ombres : «Quelle heure est-il ?», tout cela conduit à penser qu'il s'agit là, de façon métaphorique, de la représentation à peine camouflée, sinon de la scène interdite, du moins de l'accès éphémère à cet ailleurs pacifié.

Ainsi s'éclairerait la raison pour laquelle Marceau écarte définitivement l'Autane qui, passée cette scène où elle était nécessaire pour sauver les apparences, n'est plus désormais d'aucune utilité ni pour l'histoire ni pour l'auteur. Ainsi s'éclairerait aussi sa réponse énigmatique : «Pour quoi faire ? C'est fini maintenant.» Ce serait pour Marceau une façon de dire qu'après cette expérience plus rien de nouveau ne peut intervenir, qu'il n'y a plus rien à attendre de personne : tout est symboliquement consommé; les bornes ont été dépassées, le destin n'a plus qu'à se mettre en marche pour punir la démesure des Jason.

Le roman pour cela n'a qu'à poursuivre les problématiques déjà engagées : celle du signe de la mort violente attachée à la lignée; celle de l'émancipation fatale du jeune frère dans le cadre plus général du double ennemi; ou tout simplement celle du temps qui passe et change l'enfant en homme, le fort en faible, l'amour en haine, la forme la plus sûre, et la plus innocente, du destin.

NOTES

1. Pléiade, tome VI, p. 861.

2. *Ibid.*, pp. 861-862.

3. *Giono aujourd'hui*, Édisud, Aix-en-Provence, 1982.

4. *Ennemonde et autres caractères*, Pléiade, tome VI, p. 308.

5. Les références comportant uniquement un numéro de page renvoient au texte de *Deux cavaliers de l'orage* dans l'édition de la Pléiade, tome VI.

6. Pléiade, tome VI, Appendice I, p. 906.

7. *Ibid.*, p. 905.

8. *Mélanges littéraires François Germain*, Faculté des lettres et de philosophie de Dijon, 1980.

9. Pléiade, tome VI, p. 1016.

10. *Ibid.*, p. 928.

11. *Le Chamanisme et les techniques archaïques de l'extase*, Payot, 1968.

12. Bordas, «Études», 1969, pp. 78-86.

13. *Ibid.*, p. 80.

14. *Ibid.*, p. 83.

15. Petite Bibliothèque Payot, 1964, p. 99.

16. Pléiade, tome III, p. 54.

17. *Ibid.*, pp. 56-57.

18. *Traité d'histoire des religions*, p. 99.

# «DEUX CAVALIERS DE L'ORAGE»
# OU LA FATALE INTROVERSION DE LA FORCE

### par Laurent Fourcaut

> «Mon Pégase n'obéit qu'à son caprice, soit qu'il
> galope, ou qu'il trotte, ou qu'il vole dans le
> royaume des fables. Ce n'est pas une vertueuse
> et utile haridelle de l'écurie bourgeoise, encore
> moins un cheval de bataille qui sache battre la
> poussière et hennir pathétiquement dans le com-
> bat des partis. Non! les pieds de mon coursier ailé
> sont ferrés d'or, ses rênes sont des colliers de per-
> les et je les laisse joyeusement flotter.»[1]
>
> Henri Heine

J'aimerais montrer comment *Deux cavaliers de l'orage*[2] constitue une nouvelle tentative romanesque pour résoudre un problème auquel Giono se
heurtait au moins depuis *Que ma joie demeure* : les hommes peuvent-ils ou
non parvenir à une relation harmonieuse avec l'univers en faisant l'économie d'un engagement dans les conflits qui affectent alors la société et
l'histoire? La guerre nie toutes les valeurs que revendique l'auteur; la
haine qu'il lui voue ne varie pas. Ce qui évolue en revanche, c'est le choix
des moyens les mieux appropriés pour éviter qu'elle ne se reproduise. Le
roman, conçu et rédigé pour l'essentiel de 1937 à 1942, prend le problème
en charge après bien d'autres écrits. En trois temps narratifs dont le dernier, l'histoire des deux frères, est de beaucoup le plus long, il le met à
l'épreuve de la logique des images et de la structure de l'imaginaire gioniens. On constate en effet que des questions de nature a priori différente
comme la condition tragique de l'homme dans le monde d'une part, les
conflits sociaux, le pacifisme d'autre part, sont pour ainsi dire digérés par
un même organisme, celui précisément de l'imaginaire. Ainsi celui-ci
contribue-t-il de façon sensible à repenser et à modifier les données préa-
lables d'une idéologie.

173

Une pulsion centrifuge gouverne l'univers gionien à tous les niveaux. C'est une force reptilienne qui se diffuse inlassablement dans des formes qui la captent ; mais si ces formes se figent et renferment la force au lieu de la déployer dans un enroulement que symbolise régulièrement la roue de paon, elles volent en éclat. Or cette force primordiale est aussi dans l'homme où elle s'appelle «passion»[3] ; elle suscite alors la tentation de la perte ou désir de se fondre dans le tout en mêlant son sang au grand flux du monde. Cette tendance provoque à son tour un désir de conservation, de thésaurisation de sa propre force, ou «avarice». Le couple des frères Jason est un mode particulier de gestion de la perte. La force brutale de Marceau se diffuse dans la beauté d'Ange. Ce dispositif donne naissance à un cheval ailé : Marceau «l'Entier» (34), comme un cheval, et Ange l'oiseau (18). La réussite de pareille conjonction se signale, conformément à la logique des images gioniennes, par l'efflorescence de l'être double dont le ventre reptilien colle à la terre, mais dont la tête — celle d'Ange, bien sûr — s'ouvre en roue de paon : «Et souvent, quand ils étaient côte à côte lancés ventre à terre dans la houle des plateaux déserts, l'oiseau [il s'agit d'un paon] sautait sur les épaules de Mon Cadet et ouvrait brusquement derrière la belle tête dorée sa grande roue de plumes vertes» (33).

Mais comme Ange est le frère de Marceau, son double apollinien («Un Jason ne peut aimer qu'un Jason», 77), la force s'épanche finalement en elle-même par reflet interposé ; si elle sort d'elle-même, c'est sans se perdre. Il s'agit là de la trouvaille d'une avarice supérieure. Mais on comprend qu'à ce compte la loi du mélange est en réalité tournée. L'être double doit donc être puni. Effectivement il s'autodétruit : la force orgueilleusement amassée et contenue fait exploser qui l'enferme. Échec et mort de la combinaison narcissique.

Mais si le système Jason est refus du mélange, il est aussi et surtout refus des batailles, c'est-à-dire du déploiement de la Force dans la société. Il se constitue pour offrir un débouché *interne* à la force en tant qu'elle cherche aussi à s'exercer dans le champ social. Il est capital de bien saisir *l'unicité de la Force* chez Giono : sur le plan individuel comme sur le plan collectif, c'est ce que le roman appelle «la force du sang» (84), qui transgresse toutes les barrières, celles de la peau *et* celles de la société compartimentée en classes. Désir et pulsion combative sont les deux faces d'un même élan fondamental, dont la réalisation seule permet le mélange convoité de l'individu et du monde.

Voici un bref état du problème de l'utilisation de la force[3 bis]. Dans les essais ou romans de 1934 à 1939, Giono lutte contre la guerre. Il le fait d'abord en déchaînant la révolte d'une force collective (celle des victimes du capitalisme, puis celle des paysans) contre «la société de l'argent»[4]. Indiquons ici une source, très significative, de *Deux cavaliers*. En 1934, *Je ne peux pas oublier* désigne nettement dans «l'état capitaliste» la cause de la guerre : «On ne peut tuer la guerre sans tuer l'état capitaliste.» La conséquence est aussi claire : «Il n'y a qu'un seul remède : notre force. Il n'y a qu'un seul moyen de l'utiliser : la révolte.» Le capitalisme paraît à l'auteur d'autant plus pernicieux qu'il inspire à ses victimes «l'attachement instinctif au régime bourgeois» et même «l'habitude de l'esclavage»[5], au point que les hommes ont perdu le sens de la révolte. Leur courage, réel, ne va plus qu'à des dévouements ou à des actes héroïques mais incontestablement stériles, puisqu'ils ne s'attaquent pas à la cause de l'asservissement et de la guerre : «Ils étaient capables d'un énorme courage, [...] ils pouvaient secourir des typhiques, des diphtériques, [...] arrêter des chevaux emballés, et marcher pendant des kilomètres sous la nuit des grands plateaux au milieu de ces orages de fin du monde où la foudre jaillit de terre pour aller chercher un chien enragé»[6]. Impossible de ne pas reconnaître, concentrés dans cette phrase, trois des futurs épisodes essentiels de *Deux cavaliers* : Marceau soignant son frère atteint du crou, le même arrêtant le cheval fou de Lachau, Mon Cadet bravant l'orage pour secourir l'aîné en péril sur la crête de Gavary. Il ne fait aucun doute que Giono a relu ce texte, au plus six mois avant de concevoir son roman ; il l'a en effet légèrement modifié au moment de le republier, début 1937, dans *Refus d'obéissance*[7]. Il est donc très probable qu'il a alors enregistré cette série d'exploits, et les a ensuite intégrés dans son nouveau livre, où ils présentent la même signification première : ne pas mener la lutte révolutionnaire réduit à des actes stériles. Mais cette signification y sera amplifiée et précisée : ces faits deviendront soit le signe, soit le résultat fatals d'une introversion de la force.

Des *Vraies Richesses* aux *Fêtes de la mort* (où elle est tournée aussi désormais contre la classe ouvrière), la révolte prend la forme d'une *descente guerrière* depuis les montagnes, ou encore celle d'un orage qui est la force collective du sang déployée dans le champ social en un mouvement libérateur. Dès lors qu'elle y trouve un exutoire, la force de l'orage vengeur devient à son tour cheval ailé.

Mais à partir de la *Lettre aux paysans* un revirement s'opère : la résistance passive se substitue à l'exercice de la force comme remède à la guerre, tout en se conjuguant avec la tentation de repli dans les hauteurs solitaires de la création, très lisible dans *Batailles dans la montagne*. *Précisions* et *Recherche de la pureté* expriment carrément le refus des batailles.

Telle est la problématique que reprend *Deux cavaliers de l'orage*, du reste contemporain des derniers essais, à travers les formes romanesques. Aussi bien ce roman a-t-il repris d'abord le titre initial des *Fêtes de la mort*, «Cavaliers de l'orage» : il s'agit donc d'une réponse nouvelle au même problème. Mais l'adjonction de «Deux» signale la prise en charge du problème par l'être double : la réponse sera donc sensiblement différente.

Le texte soumet le problème de la Force à une série de tests qui correspond à la série des générations successives de Jason, chaque occurrence textuelle reprenant et modifiant les données léguées par la précédente, dans un effort pour dépasser les contradictions sur lesquelles celle-ci achoppait. Le noyau initial est constitué par la brève mais essentielle aventure de «Jason le Vieux» qui, «En 93 [...] fit marcher» (3) la guillotine et mena donc le combat révolutionnaire. Or «C'est peu après que les Jason furent obligés d'entrer dans les Hautes-Collines.» *(ibid.)* Voilà, condensées en un court paragraphe, les deux grandes phases de l'évolution retracée tout à l'heure : usage vengeur de la force, puis repli dans les hauteurs. Telle est bien l'origine du destin de la «gens» des Jason dont les générations, comme dans *Les Burgraves* de Hugo, «forment une chaîne qui va se dégradant». Comme chez Hugo encore, «cette dégradation est conçue comme le châtiment de la faute de l'aïeul, véritable péché originel qui pèse sur toute la race»[8]. Ce péché, ici, c'est le refoulement de la force, la remontée dans les collines étant évidemment l'inversion du mouvement de descente insurrectionnelle. D'ailleurs, le texte associe d'emblée à la force un cadre spatial symbolique : «leurs ancêtres, qui étaient *des vallées, là-bas derrière*» (3, souligné par moi). La formule revient, identique, quatre fois (pp. 9, 100,157 et 905) ; elle désigne toujours le lieu des batailles. Au contraire, les hauteurs sont le lieu de la «désertion» : c'est là qu'a trouvé refuge, en 1916, «Ferry la Blache, le fils du bossu, qui avait déserté» (188).

A son tour, Jason l'Artiste descend vers les plaines. Il est enrôlé dans la bande de Bordier qui s'y livre à des entreprises violentes. Cette bande «galopait comme la foudre», sous l'égide de «Camp-Volant» ; c'est une «cavalerie spéciale»[5] : première occurrence dans le texte du cheval ailé, «lié aux orages, *portant le tonnerre et la foudre pour le compte du prudent Zeus*»[9]. Et voilà les premiers cavaliers de l'orage. Que le couple fraternel figure lui aussi un cheval ailé est hautement significatif ; dans les deux cas une même fonction s'accomplit : une force prend forme, forme narcissique ici, forme sociale là.

L'Artiste donc «avait fait partie de la bande», puis tué Bordier, enfin «avait été poursuivi à la fois par les gendarmes et par les bandits» (6). N'est-ce pas l'itinéraire de Giono lui-même, d'abord «compagnon de route» des communistes, puis s'en séparant brutalement, enfin renvoyant dos à dos les «fascismes de droite et de gauche» ? La découverte des variantes dans la Pléiade a confirmé cette hypothèse. La bande est appelée «le parti des chauffeurs», bandits et gendarmes «ces deux bandes rivales» et même les «deux partis» (6, var. b, p. 914).

Remarquons que l'Artiste étrangle Bordier. Initialement, Giono avait imaginé que Marceau étranglait son frère dans un marais[10]. Le meurtre de Bordier est par conséquent aussi une première annonce de celui du Cadet, le refoulement de la force entraînant la destruction du mécanisme qui la comprime. Il préfigure en outre l'épisode où Marceau tue cet autre cheval ailé que sera le cheval fou.

Retrait de Jason II dans les Hautes-Collines. L'*Artiste* alors, comme avant lui Saint-Jean, c'est l'écrivain s'isolant dans la pureté pour «y vivre avec ses propres joies» (7). Il est d'ailleurs l'écrivain-espion défini par Marcel Neveux[11], lorsqu'il regarde, caché derrière le feuillage d'un arbre, bandits et gendarmes s'entretuer sous ses yeux (6, var. b, p. 914). Situation typique de l'*avare* qui, bien à l'abri, jouit de la perte qu'il a déclenchée chez les autres. Le couple qu'il forme avec Ariane ébauche celui des deux frères. La force d'Ariane est égale à celle de Jason : elle accomplit «le travail [...] de trois gros hommes» (8), elle est capable de donner «une baffe d'homme» *(ibid.)*. En somme, elle est un homme, plus sa «beauté» (20). Dans le couple, elle tient le rôle de Mon Cadet (elle est du reste «la toute cadette de la ferme du Pavon», 7) : elle a «un peu de duvet doré sur le bas du visage» (7) ; Ange, blond comme elle (12), «un tout petit duvet d'or au-dessus des lèvres» (14). Telle est la Toison d'or que poursuivent les Jason : ils cherchent le bonheur dans le rayonnement de leur force en les belles formes que leur double leur renvoie comme un miroir. Ariane est d'ailleurs de la race des Jason («Vous êtes quand même une race!» lui lance Delphine, 70). Il s'agit donc d'un premier couple narcissique et consanguin. Peut-être est-ce pourquoi la première femme de l'Artiste «s'était faite sœur» (4) : Jason ne veut ou ne peut aimer que sa sœur (comme Marceau son frère). Mais le texte n'est pas encore «mûr» pour cette scandaleuse vérité, et il fait «dispar[aître]» *(ibid.)* ce personnage compromettant. Cependant, «Ariane, ma sœur...»

Dans ces conditions, l'amour de Marceau pour Ange peut certes être lu comme un déplacement du désir incestueux pour la mère, Ariane[12]. Mais comme celle-ci est déjà, selon une logique que le couple fraternel ne fait que radicaliser, plus sœur qu'épouse, plus homme que femme, l'interdit n'est pas davantage transgressé sur le plan des relations familiales que sur les autres; loin de se perdre (en l'occurrence de tomber sous le coup du châtiment œdipien), Marceau ne désire que lui-même, que ses propres figures : «on peut plus rentrer d'où on est sorti»[13]. Telle est la tragédie.

Le couple parental est donc déjà produit du repli sur soi. Il n'en faut pas plus pour justifier la *paralysie* de l'Artiste (9) qui subit donc le sort de Janet. Lui, «le plus vieux des Bastides»[11], n'était pas non plus des collines : «Il y était monté après avoir fait toutes les fermes de la plaine; on ne l'y voulait plus : il se battait avec tous les valets. Trois fois par semaine il fallait courir aux gendarmes et à l'esparadrap.»[15] On sait que, comme l'Artiste (et comme artiste), il finit paralysé; rançon de la substitution de la parole poétique aux batailles, et donc au mélange dionysiaque avec le monde.

Ariane étant officiellement femme, les apparences au moins sont sauves, de sorte qu'elle et Jason ne s'opposent qu'en des combats sans risque. Ceux-ci n'en annoncent pas moins à leur tour le mortel affrontement des frères. Dans le troisième combat narré, Ariane «étendit [l'Artiste] pour de bon pendant un long moment d'un coup de pied entre les jambes» (8), exactement comme, dans leur troisième assaut, Mon Cadet abattra son frère en le frappant «de tout son poids avec la pointe de son soulier, bien à l'emplacement où l'autre portait son sexe» (180).

Selon le principe du retour du refoulé (principe qui ne cessera plus de produire ses effets), l'Artiste et Ariane sont visités par la force en la personne des gendarmes venus «des vallées, là-bas derrière» (9). La «guerre» remonte des vallées où on a cru l'enfouir : «Ils dirent à quelle guerre ils allaient.» (10) Mais c'est une guerre pour rire (contrebande d'allumettes); de surcroît la chose se passe en «1903» : un zéro s'est glissé dans ce 93 des collines, le frappant de nullité. Il ne peut y avoir de vraies batailles dans les hauteurs.

Comme leur père, Marceau et Ange sont attirés par les vallées. Celle du Rhône où ils descendent (15) peut donner lieu à deux lectures complémentaires. Elle est d'abord allégorie de l'espace littéraire convoité («la vallée désirée», *ibid.*) par celui qui a renoncé aux batailles et aspire à l'autarcie des hauteurs. On y reconnaît en effet certains caractères des futurs domaines de *Noé*, dont j'ai tenté de montrer qu'ils figuraient eux-mêmes les conquêtes et les vanités de la création[16]. On y trouve des «domaines» (16) et des «parcs» (14), espace des artifices et des *reflets*, des forces (celles de l'eau en l'occurrence) captées et maîtrisées dans des formes, canaux et bassins contournés : «l'eau courait dans des canaux. Des châteaux assis sur de belles pelouses rondes miraient leurs façades poudrées dans des bassins biscornus.» Espace de la mimésis : le vent (autre force) y a «une colère bien imitée», où la «force» *(ibid.)* se déploie en «beautés» (13), telle celle des chevaux *entiers* («étalons flamboyants», 14, symbole de la force dans ce roman) s'épanouissant dans des «crinières qui tournaient sans cesse dans le vent» ou davantage dans «une roue de jambes fines» *(ibid.)* ; revoilà mariés le cheval et le paon en un Pégase qui figure «l'imagination créatrice et son élévation réelle»[17]. Comme tout épanchement de la force, il prodigue «un fascinant repos» (14)[18].

Or accéder à l'univers des formes implique un renoncement à l'exercice de la force dans le champ social : «dans ces endroits, la carrure ne sert pas à grand-chose» (14). C'est pourquoi le couple Marceau-Marat (lequel comme chez Hugo incarne 93) n'a pu y effectuer que des descentes avortées : «ils avaient été chaque fois arrêtés par le spectacle d'une magnificence *qui coupait les forces*» (13, souligné par moi). Marat doit donc mourir : il est de trop. Il n'accède du reste au statut de personnage que pour disparaître aussitôt. Le 18 octobre 1938 (Giono vient d'achever *Précisions*), l'auteur crée Marat : «un autre frère» tué à la guerre de 14[19].

Au contraire, Marceau et Ange sont à leur affaire dans la vallée. En vérité, ce couple est même la mise en abîme de l'«aventure» (19) littéraire, comme épanchement du désir de «l'Entier» dans la «rouerie de beauté» (15, encore le paon) d'Ange, comme invention d'un nouveau Pégase, procurant «un repos comparable» (14) à celui suscité par les chevaux ailés des domaines : bien sûr, puisque c'est la même *chimère* ! Voilà qui explique aussi que les frères soient vendeurs de mulets qui sont «des menteurs», qui «faisaient tout le temps semblant» (15), tout comme le vent dans les parcs mime la colère. On sait que la création littéraire est constamment donnée par Giono comme un art du mensonge, en tant qu'elle pervertit les données du réel pour le rendre accueillant au désir. Les Jason vendent des «bêtes pourries de vice, invendables» (13) comme plus tard dans *Ennemonde* Fouillerot placera ses «mauvaises actions».

Le mensonge, mais aussi le jeu littéraire, l'écriture jouant sans cesse avec le vertige de la perte à l'instar des inscriptions sanglantes de M. V. sur la page blanche de la neige. Effectivement, «Marceau était dévoré par l'envie d'aller jouer son jeu arrogant parmi les beautés» (13), et il trouve en Ange «un incomparable roi de cartes pour la partie des grands parcs» (15).

Comment expliquer cependant que la création soit d'abord représentée par un repli dans les hauteurs, et maintenant par une descente dans la vallée? Cette contradiction appelle une solution dialectique. La vallée («les fonds [...] gras» (23) connotent la viscosité du *«fond des choses»* de *Noé*) est le berceau des formes, et celles-ci ne peuvent en être coupées totalement; ainsi celles des domaines, qui captent l'eau, ne valent qu'autant qu'elles contiennent la force du fleuve. Pour dire la chose autrement, l'écrivain Giono est toujours hanté par la nécessité de rester ancré dans le réel et dans l'histoire, même si c'est pour les contester (voir le cycle du Hussard), de même que le cheval ailé est l'esprit qui s'élève de «l'impétuosité des désirs»[20], les dépassant tout en les conservant.

Or la vallée du Rhône est aussi l'espace symbolique de l'exercice de la force, de l'histoire. La forêt vengeresse des *Vraies Richesses* «se gonflait [...] le long des vallées du Rhône»[21]. L'armée paysanne des *Fêtes de la mort* faisait son «Entrée dans la vallée du Rhône»[22]. C'est pourquoi elle est ici «le pays des connaisseurs de chevaux» (13). Paradoxe remarquable : c'est précisément le pays que les frères choisissent pour venir y vendre des mulets. N'est-ce pas signifier que l'aventure (littéraire) dans la vallée est un certain rapport à l'histoire, qu'elle propose des créatures infécondes là où est attendue la fécondité des batailles et que, somme toute, pour user d'une formule chère à l'auteur, elle tente d'y faire prendre des vessies pour des lanternes ? Ces mulets ne suggèrent-ils pas déjà la stérilité de la solution élaborée par le couple consanguin ? Allons plus loin : les Jason viennent vendre sournoisement «des mules folles» (19, voir aussi p. 15), trompant les acheteurs sur la marchandise. En retour (du refoulé), les vallées leur enverront un cheval fou. Vanité de la création comme esquive de la force : au lieu d'y faire galoper des chevaux d'apocalypse, les frères doivent se contenter du seul «orgueil de [la] victoire» du mépris (17).

A ce compte, la vallée du Rhône est le champ social abandonné, après le retrait de la force justicière, aux «beaux messieurs» et aux «femmes désœuvrées» (14) bien à l'abri dans leurs châteaux derrière les «grilles de parcs» (15) où l'on ne songe plus à aller les inquiéter. Dans *Je ne peux pas oublier*, l'auteur, s'adressant aux «massacrés de l'usine», disait : «J'entends ! [...] Ne hurlez pas contre les grilles du château où l'on danse. J'entends !»[23] Tout au plus les frères se bornent-ils — faible concession au projet révolutionnaire rentré — à berner ces riches oisifs. Du reste, ils s'empressent de «retourn[er] dans les hauteurs» (17), derrière le «rempart» (3, var. b, p. 911) des Hautes-Collines et de l'être double. La «victoire» est donc, c'est le cas de le dire, de pure forme, elle laisse intact le problème de fond : celui de la nécessité d'une ouverture sociale violente et libératrice.

En descendant dans la vallée, les Jason répètent le couple formé par le chef aveugle des *Fêtes de la mort* avec l'enfant qui le guide. Mais si la force aveugle du chef avait un exutoire dans la musique et dans l'enfant, elle en trouvait un autre, aussi nécessaire, dans la descente guerrière «vers les vallées»[24]. Les Jason assument à leur tour cette fonction, mais ils en modifient le sens. Marceau avait pourtant lui aussi la vocation d'«entraîner avec [lui] la force des autres, comme le fleuve *des vallées, là-bas derrière*, emporte les ruisseaux et les rivières» (905, souligné par moi). Mais il a «choisi la domination» (*ibid.*) et son cercle vicieux.

Refoulée dans les vallées, la force vient relancer les Jason dans leurs hauteurs. «La vallée, dit Marceau, qu'est-ce que c'est la vallée ? Qu'est-ce que tu veux qu'on foute des vallées, ici dessus ? A quoi ça sert les vallées ? Il s'agit surtout d'être vainqueur des hauteurs.» (144) Qu'à cela ne tienne. La suite montre que, dans ce roman en tout cas, on ne peut être vainqueur dans les hauteurs.

La force sollicite Marceau en quatre temps successifs, plus un. Elle monte toujours des vallées. Chassez le naturel... Vient donc d'abord le cheval fou : «C'était peut-être la plus belle bête de toutes *les vallées là-bas derrière*»

(100, souligné par moi). Il appartient «à un nommé Mornas, un Mornas des vallées» (103). Le cheval est symbole d'une Force pareille à celle du sang; il surgit des «ténèbres du monde chtonien [...], galopant comme le sang dans les veines»[25]. Que la force s'investisse dans les batailles sociales, et ce cheval-là aussi gagne des ailes. Dans *Les Vraies Richesses*, les pigeons vont répandre la bonne nouvelle de la libération des villes; ils sont emportés par le vent dans le ciel qui «galope, volte et hennit au-dessus de la terre comme un cheval»[26]. Comme tel, il est de taille à affronter les espaces inhumains. Quand Marceau aborde avec son cheval la crête de Gavary, le manuscrit expliquait : «Rien ne peut traverser la solitude, ni la foudre ni le vent ni le cheval.»[27] Effectivement le cheval renâcle (108). Et pourtant, le texte actuel constate : «On ne peut pas venir ici avec des mules. Il faudrait se battre avec elles. On peut risquer d'y venir avec un cheval : les nerfs d'un cheval s'apaisent.»[28] (109) Le cheval, contrairement au mulet, est précisément la force capable de rivaliser, à condition qu'on l'y lance, avec la solitude paralysante des grands espaces déserts. Monde fermé, société fermée : la fonction libératrice du cheval est la même.

Le cheval fou de Lachau cherche justement à forcer une ouverture sociale pour y conquérir des ailes. Comparé tour à tour à un sanglier et à un loup (100), il veut devenir oiseau : «Marceau revoyait alors le cheval fou dressé au-dessus de lui debout *comme s'il allait s'envoler*»[29]. Il a été rendu furieux par un «forain [qui] faisait l'andouille pour faire marcher son commerce» (103). La colère du cheval riposte à cette pratique sociale dont l'épisode des moissonneurs a fait un symbole de l'antagonisme des classes (voir ci-dessous); jadis pareillement Jason le Vieux, obéissant par avance à la loi du talion, «fit marcher» la guillotine (mouvement symétrique et opposé) et «la monta» (3) comme il eût fait d'un cheval. Mais la force se déchaîne à Lachau et non plus dans les vallées, de sorte qu'elle se retourne contre ceux qui prétendent l'arrêter; beaucoup sont tués. Marceau enfin l'arrête : il tue le cheval. Il réitère donc le refus de la force. Résultat : le cheval stoppé dans son élan n'est plus qu'un «oiseau plumé»[30] (101). En tuant le cheval ailé, Marceau relance le cercle vicieux de la Force privée d'objet[31], et son geste préfigure l'autodestruction du Pégase qu'il a fabriqué avec son frère (Marceau est lui-même «sanglier» [34, 36, 37] mais aussi «loup» [11, 158]). Du reste, quand il frappe, Mon Cadet «tombe» (101). Premier grain de sable dans la machine narcissique.

Clef-des-cœurs est monté «des basses vallées» (110). Tout se passe comme s'il venait sommer la force Jason de se dépenser enfin pour de bon : «Ce n'est pas à des mulets qu'ils s'intéressent [les gens d'«en bas dedans»] : c'est à un cheval.» (113) Il porte «une cravate avec une épingle en fer à cheval» (112) comme le «baron» de la vallée du Rhône («Il avait [...] une épingle en fer à cheval piquée dans sa cravate de chasse.», 15) : c'est venir aiguillonner Marceau en lui reposant le problème des vallées. Clef-des-cœurs? La force ouvre les cœurs comme le reste, comme les corps : dans la bataille, Marceau «vit la bouche ouverte et il sentit l'odeur de l'intérieur cru de l'homme» (118). Mais les batailles individuelles, dans les hauteurs, se dégradent en coups bas, les pugilistes ne sauraient prétendre au titre de «soldats de la noble force» (117), ni non plus aux noces avec le monde, qui restent le but ultime. Autour du combat, le monde se referme, hostile ; la nuit est «complètement sourde de tous les côtés», «murée de partout» (125). La lutte n'a rien dénoué ; la force du sang de Marceau cherche en vain à sortir : «son sang [...] faisait toujours claquer de hautes vagues dans ses oreilles. [...] c'était une marée extraordinaire qui le lançait en vagues terribles d'un côté et de l'autre.» (125-126) Fermé sur lui-même, Marceau en est réduit à ses reflets : «chaque pas faisait allumer dans ses yeux ses propres étoiles» (126).

Violette a repris «l'*Hôtel de l'Ouest*» abandonné par les Jason. Car en se repliant sur soi, on laisse aussi le champ libre à 93. Violente Violette ! Qui est-elle ? Le texte se borne à quelques indications à son sujet : «c'est une veuve [...]. Elle est d'une vallée.» (129) Il l'a déjà présentée en effet. La Veuve des vallées, qu'entre-temps «les Jason ont vendu[e]», c'est la guillotine, dont la lunette reparaît dans le visage de Violette, «rond, très exactement rond». Comme en 93, on se garde de jaser sur son compte, on a peur : «C'est la femme sur laquelle personne ne dit rien dans le village : un mot plus haut que l'autre peut entraîner dans des histoires.» (*ibid.*) La variante b de la page 129 semble confirmer cette hypothèse : «Le fils s'étira encore un peu plus, *à moitié allongé sur la table et la chaise*, le ventre au feu. En entrant l'autre dit» et le texte enchaîne : «que *ça allait tomber*» (souligné par moi). La posture du fils évoque celle du supplicié basculé sous le couperet, et dont la tête tombe dans le panier. Marceau repousse les avances de Violette (139). Comme les batailles, «Eros, c'est la Perte»[32]. «Il y en a qui l'aiment beaucoup.» (129) Marceau non. Lui et son frère sont vite punis par où ils ont péché : pour avoir repoussé 93, le cadet a d'abord mal au «gosier» (1337, l'autre a «la gorge en feu» (135). Lors du second combat fraternel, Mon Cadet «lui tenait le cou, entre son bras et sa hanche. Il s'efforçait de lui faire entrer toujours plus profondément ce cou dans les ciseaux de ce bras et de cette hanche.» (165) Puis la main du Cadet «lui sauta à la gorge et serra» ; Marceau entend alors «craquer son gosier» (165-166). En fermant la gorge d'Ange, le crou le coupe de son frère, et chacun est bientôt voué à la perte.

Le Flamboyant est «vainqueur de la vallée du Rhône» (140). Les bourrelets de son crâne le coiffent «comme un bonnet de républicain» (142). N'est-ce pas le bonnet phrygien des sans-culottes ? Ce lutteur n'est-il pas délégué par la vallée, patrie des «étalons flamboyants» (14) ? De nouveau donc la force voudrait enrôler Marceau, elle le caresse des séductions de la perte. La sirène tatouée sur la poitrine du lutteur (145) réitère l'appel de Violette ; les muscles de l'homme sont «de gros serpents entortillés sans queue ni tête» (*ibid.*) : la force est un serpent en quête d'une tête. Dans *Noé*, la démesure de l'odeur de mollusque «séduisait comme un serpent tentateur pour l'homme»[33]. Vers quoi attirent sirène et serpents ? Vers «la mer» (145) qu'agitent les muscles du Flamboyant. La mer, les batailles : l'espace de la perte.

Les deux derniers combats ont lieu à Lachau. De Gavary à Lachau en passant par Saint-Charles, les batailles tirent de plus en plus Marceau vers le bas, comme si l'invitation se faisait plus pressante, plus précise. Bel-Amour est «des *vallées là-bas derrière*» (157, souligné par moi). Il est parfumé «à la violette», son amie porte de la «dentelle violette» (*ibid.*). Le chant des sirènes est têtu, amoureux les surnoms des lutteurs : Clef-des-cœurs, Mignon, Bel-Amour. Peine perdue : combats solitaires, loin des vallées, refus du «mélange» (158) par quoi se soldent les conflits, fussent-ils en réduction[34], et pour finir, toujours, remontée vers les hauteurs (159).

Le texte a pourtant multiplié les avertissements. Le châtiment est suspendu sur la tête des Jason comme un orage menaçant : «Gravité et orage quand le destin se noue.»[35] *Les Fêtes de la mort* se sont d'abord intitulées «L'Orage»[36]. Les paysans insurgés devaient être les «Cavaliers nuageux des orages qui dévastent la terre puis fondent comme des fumées»[37]. L'orage, c'est donc «L'orage de la force» (902). Le destin des deux cavaliers était de déferler comme l'orage, non de se replier. Avant de les punir, l'orage les prévient (dans l'épisode du Flamboyant) et va jusqu'à leur montrer le chemin, celui bien sûr de la descente guerrière : «L'orage était descendu de la montagne. Il fourgonnait encore, en bas dessous, à grands coups de barre de fer dans les vallons.» (148) Ainsi guidée, la troupe des «Gros propriétaires de désirs» (149), Jason compris, entreprend une longue descente à cheval vers Lachau ; c'est une «cavalcade» (150) de «Soldats» (149). Pourront-ils enfin y assouvir leurs désirs ? Seront-ils les cavaliers de l'Apocalypse ? On le croit tant qu'on les voit galoper «dans un envol commun» (151) et surtout «à cause de l'orage qu'ils venaient de rattraper» *(ibid.)*. Et puis ils présentent un autre point commun avec les paysans des *Fêtes de la mort*. Ces derniers avaient un chant de ralliement, la «chanson du *Pivert*»[39] ; le nom de ce chant s'est scindé et réparti dans les noms de *deux* des cavaliers : Pinier, Hauvière Le Collet-VERT (149). Le second chante d'ailleurs une chanson dont le caractère moyenâgeux (les «preux», 150) rejoint celui de la révolution paysanne : «Le sens de cette révolte. Ce retour au Moyen Age, aux grandes hordes.»[39]

Mais ils ne suivent pas l'orage jusqu'au bout et restent à mi-pente : «Enfin, l'orage tourna à droite, attiré par des tourbillons de la grande forêt de chênes qui bordait Lachau à l'est. Ils tournèrent à gauche, sous une pluie fine.» (152) Ils se retrouvent donc devant un Lachau désert : «Ils étaient brusquement capot.» *(ibid.)* Seule la force vengeresse des *Vraies Richesses* aurait pu faire de Lachau une ville ouverte au désir. Celui-ci est de nouveau contraint de se satisfaire dans l'imaginaire, et Lachau devient une ville double.

Certes, c'est un lieu vers lequel on descend. On passe du reste par «Saint-Charles-de-la-Descente» (21) que Giono a significativement préféré à Saint-Christol[40]. Mais les vallées sont loin : Mornas et son cheval en viennent, ce qui établit clairement la différence. Lachau est ainsi un lieu intermédiaire, dont la fonction au sein de la problématique doit être définie. Cet entre-deux géographique trahit le caractère partiel, ou mieux, avorté, des «descentes» qu'y effectuent les deux frères. Mais en fonctionnant comme leur substitut, Lachau tend du même coup à occulter, dans l'économie du texte, les vallées comme espace de la Force sociale[41].

Celle-ci, je l'ai dit, est le moyen, point suffisant mais nécessaire (question débattue par Bobi et le fermier dans *Que ma joie demeure*), pour épouser la cruauté du monde en libérant les hommes de leurs prisons artificielles. Ayant renié la force, les paysans des Hautes-Collines sont obligés de se mettre «à l'abri de la vie» (91) derrière les murs de leurs maisons où la paralysie les guette[42] : «ici plus rien ne bouge» (71) ; «tout le monde renfermé dans les maisons, plus de lumière, plus rien» (73). Comme il faut malgré tout échapper à l'ennui, ils cherchent une ouverture dans les paons ou, comme Delphine, dans une parole qui prodigue les baumes de l'imaginaire. C'est ainsi que, en guise de compensation, Giono invente d'abord avec Lachau une vallée mythique, offrant une permanente lumière («Il ne fait jamais nuit dans Lachau», 70), une ouverture généralisée (sept occurrences de l'adjectif «ouvert» dans les pages 70 à 73), et le mouvement ininterrompu d'une circulation élargie qui réunit les êtres, figurée par le va-et-vient des attelages de *chevaux*, «le roulage qui monte» et le «roulage descendant» (73) au long des rues, comme le roulement du sang social dans les artères de la cité, à partir d'un cœur, ce «large endroit où les routes partent dans toutes les directions» (71). On conçoit que dans de telles conditions «chevaux» et «oiseaux» soient également «tous réveillés» (*ibid.*).

Ville mythique cependant puisque la circulation rêvée n'y est commandée par aucune force tangible ; elle ne l'est qu'à distance, par le désir des femmes murées dans le double ghetto de la nuit cosmique et de leur sexe. C'est si vrai que le texte lui-même conteste cette vision euphorique en décrivant l'arrivée penaude des pseudo-cavaliers de l'orage dans un Lachau d'autant plus désert qu'ils n'ont rien fait pour le rendre à la vie.

Que penser alors de la rouge «ville des batailles» (79) ? L'appellation demande à être contrôlée. Certes, les moissonneurs s'y livrent à une violente «bataille» (84, 85). Mais ils ne le font pas dans un mouvement émancipateur de descente. S'ils «descendent se louer» (79) dans les plaines, ils y restent asservis, comme le montrait *Que ma joie demeure*, au «patron»[43]. S'ils se battent, c'est en «remont[ant] dans la montagne» (81). Faute d'avoir mené en bas la guerre sociale, et faute encore de s'y livrer à Lachau même (transposition, je l'ai dit, des vallées) contre les commerçants qui, «affaires» faites (82), se *ferment* pourtant devant eux[44] (*ibid.*), «ils se [font la guerre] entre eux» (84) puisqu'il faut coûte que coûte un débouché à «la force du sang» : «ils se battaient entre eux. Il semblait que, s'ils n'avaient pas pu se battre, ils seraient morts de faim.» (*ibid.*) Les moissonneurs sont des «loups» (81) que leur force inassouvie laissait «sans repos» (82). En s'entretuant, ils annoncent de la façon la plus précise l'autodestruction des Jason, coupables de la même faute : «deux plus sauvages [...] allèrent tout seuls [...] s'éventrer à coups de faucille.» (*ibid.*)

Dès lors, l'idéal d'une communauté sans barrières est contraint de se replier dans les collines où il prend la forme d'un communisme rustique (164) dans le bref épisode du battage du blé. Le déplacement vers les hauteurs et l'archaïsme de ce type d'organisation sociale en manifestent la nature mythique[45]. Autre symptôme : «le vin des Jacques» (164), boisson commune, se révèle imbuvable.

Moissonneurs, cheval fou, les signes du destin s'additionnent et déterminent un second dysfonctionnement dans la machine Jason : le crou, littéralement, ferme Mon Cadet, l'épanchement apollinien de la force n'est plus possible, Marceau réclame «un couteau» (138) avant d'utiliser un poireau pour rétablir, de force, l'échange interrompu. A l'idylle succède le viol, l'introversion de la force conduit déjà à un meurtre symbolique, la dénégation répétée valant un aveu : «Non, je ne l'ai pas tué.» (138) Cet épisode est directement lié, dans les carnets de préparation, à celui du battage du blé. Dans les ébauches, Marceau se jetait dans le travail pour «se débarrasser de la peur de perdre son cadet». Comme s'il pressentait que le refus des batailles est la cause de cet accroc au dispositif, il cherche dans la bataille pour le blé commun à reprendre pied dans la vie du monde : «Battre, se battre, frapper (répétition du mot battre dans un passage de désir de force de désir de combat. gagner. vaincre. être le plus fort) / puis vie (*extrême* richesse [...] *ainsi je me sauve*». Mais Giono précise deux fois : «Marceau Jason bat le blé tout seul.»[46] Ce recours à la force, du reste tardif, ne peut qu'être inefficace.

Une dernière fois l'orage prévient. Il déclenche un déluge vengeur (166-174) qui ébranle ou détruit (à l'instar de celui des *Vraies Richesses* faisant éclater la ville) tout ce derrière quoi les hommes s'enferment : «Les fenêtres tremblaient, les portes sursautaient, le mastic tombait des vitres», «des fleuves [...] crevaient les portes» (167). Il triomphe, comme un lutteur plus fort, de l'avaricieuse domination de Marceau : «Je suis renversé à plat par terre», dit-il (172). Il essaie une dernière fois d'entraîner les Jason dans les vallées pour y mener le combat qu'il symbolise, en vain : Mon Cadet «se battit un moment à coups de reins contre un courant qui essayait de l'emporter vers les terres basses et il s'arracha finalement des eaux, comme un chien, ongles dans la terre, pour monter sur le tertre où était la croix des missions de 1893.» (168) Mon Cadet cherche son salut («la croix») en se hissant au-dessus du torrent de 93 : cet écart est redoublé par celui qui sépare 18(93) de 17(93)[47]. Tout de suite après d'ailleurs Mon Cadet «remonta sur la hauteur» (169). Mais rien ne va plus ; en vain il tente de renouveler l'exploit emblématique de la race, abattre le cheval : «Il la frappa d'un coup de poing sur la tête. Mais la bête était comme plantée. Elle se cabra toute droite, et Mon Cadet, désarçonné, roula dans les pierres.» (170) L'être double ne fonctionne plus : Mon Cadet doit s'alimenter de son propre sang : «Il mordit encore sa lèvre et il avala son sang.» (173) L'orage à son tour en annonce la destruction : les branches sont «hachées comme à la serpe» (167), la terre est «éventrée» (170). Déjà, pour une faute analogue, Bobi avait été frappé par la foudre.

Les trois combats fraternels consomment la ruine de la machine autarcique. La force s'y glisse par le canal de Mon Cadet et la met en pièces. Il perd sa beauté («Que tu es vilain comme ça, dit Marceau.», 162), sa qualité d'oiseau («Il continuait d'écraser la gorge de son frère avec tant de force que les ailes des muscles qui enracinaient ses bras dans ses épaules s'étaient pétrifiées toutes ouvertes comme les ailes des aigles frappés en plein vol.», 176). L'aîné tente désespérément de rétablir l'équilibre : «Tendu en avant et les bras ouverts, il semblait que Marceau voulait essayer de voler.» (178) Privée de débouché aérien, la force n'est plus que serpent aveugle : comme Mon Cadet «tombait en même temps que son frère, sa force se réveilla : tel un serpent, elle jetait de tous les côtés des enlacements joyeux dans son corps.» *(ibid.)*[48]

La solution Jason a échoué. Et le monde redevient pour eux cruel, dès le premier affrontement : «Dans le ciel, que les frères ne pouvaient pas voir, les figures des constellations démêlaient leurs griffes, leurs poils, leurs pinces et leurs cornes, s'élargissaient loin les unes des autres, dans des espaces démesurés. » (163) Marceau va mourir dans un désert total («dans les vastes espaces de la montagne, ceux qui l'hiver sont juste contre le ciel noir», 187) : «il y trouve sa misère» (902).

Le refus des batailles, en laissant intactes les barrières sociales, interdit donc aussi à l'homme tout mariage avec l'univers. La leçon est la même que dans *Batailles dans la montagne*, mais s'aggrave d'une rechute : il n'y a pas d'arche contre le déluge ; la seule arche, c'est le déluge même de la force libératrice. Aussi, à la question posée, dans *Promenade de la mort*, par le curé de Saint-Robert au marquis amateur d'oiseaux : «Ne sens-tu pas qu[e …] ces petits bouts de papiers où tu écris le poème des oiseaux te transportent sans dommage, à travers toutes les batailles du monde ? »[49], l'étude de *Deux cavaliers de l'orage* nous conduit à répondre non.

L'Ange des formes éclate sous la serpe de la Force. Dans *Noé*, conquête d'une avarice dialectiquement supérieure, ce sont les formes elles-mêmes qui éclateront.

Ce roman est le point culminant d'une contradiction ancienne. Peut-être est-ce pourquoi, finalement, Giono a eu tant de mal à l'achever. Comment rendre compte du destin des Jason et du crime de Marceau autrement que par la psychologie (ce à quoi il se résoud plus de vingt ans après, en écrivant «Chœur»), sinon en reconnaissant cette vérité scandaleuse pour le pacifiste intégral qu'il était devenu : le refoulement de la force est une impasse. L'*Épilogue* de *La Gerbe*, certes bâclé, allait dans ce sens : «l'orage de la force a emporté les deux cavaliers» (902). On comprend que l'auteur ait ensuite voulu taire un tel enseignement, quelque ambiguë que fût sa formulation. Pareille hypothèse ne contredit nullement l'explication proposée par Robert Ricatte[50], qui voit dans les hésitations entre deux styles (baroquisme et nudité grecque) la raison des reprises et abandons successifs du livre. L'éloignement graduel du lyrisme n'est-il pas parallèle au renoncement à chanter le mélange de l'homme et du monde, dès lors que ce mélange ne s'opérerait que dans les batailles ?

NOTES

1. Cité par J. Chevalier et A. Gheerbrant, *Dictionnaire des symboles*, Paris, Seghers, 1974, t. III, p. 370, article «Pégase».

2. Sauf indication contraire, les références sont à l'édition Pléiade des *Œuvres romanesques complètes*. *Deux cavaliers de l'orage* figure dans le tome VI. Les citations qui en sont tirées, variantes comprises, sont directement suivies du numéro de la page entre parenthèses. Au seuil de cette étude, je tiens à dire ma dette envers l'admirable notice que Robert Ricatte a consacrée au roman dans cette édition.

3. *Noé*, t. III, p. 682.

3 bis. On pourra lire une analyse plus détaillée de ce problème, et des rapports entre les deux frères, dans notre étude «Le traitement de la force dans *Deux cavaliers de l'orage*», in *Bulletin de l'Association des amis de Jean Giono*, n° 22, automne-hiver 1984, pp. 85-95.

4. *Préface* des *Vraies Richesses*, t. II, p. 1355.

5. *Écrits pacifistes*, Gallimard, coll. «Idées», 1978, respectivement pp. 23, 25, 19 et 20.

6. *Ibid.*, pp. 19 et 20.

7. Voir J.-M. Gleize et A. Roche, «''Roman'', ''Poésie'', ''Peuple'' : situation du lexique gionien dans les années trente», *Giono aujourd'hui*, Édisud, 1982, p. 22, n. 2.

8. Charles Baudoin, *Psychanalyse de Victor Hugo*, 1943, rééd. 1972, Paris, A. Colin, coll. U2, p. 56.

9. *Dictionnaire des symboles, loc. cit.*

10. *Journal*, 19 janvier 1938, cité dans la notice de *Deux cavaliers*, p. 843.

11. Voir, dans ce recueil, Marcel Neveux, «L'espion et le procureur».

12. «[...] le roman en général semble laisser peser un tabou sur le thème de l'inceste maternel en tant que tel, il ne le traite que par l'intermédiaire de figures substitutives, parfois à travers un amour fraternel incestueux.» Marthe Robert, *Roman des origines et origines du roman*, 1972, rééd. 1981, Gallimard.

13. *Le Bout de la route*, I, 5, Gallimard, 1943, p. 30.

14. *Colline*, t. I, p. 131. Ce personnage est donc d'abord le lointain modèle de Jason le Vieux.

15. *Ibid.*

16. Voir L. Fourcaut, «*Noé* : le fond et les formes», *Giono : lecture plurielle, Études littéraires*, Presses de l'Université Laval, 1982, n° 3, p. 437.

17. *Dictionnaire des symboles, loc. cit.*

18. *Noé* radicalisera cette vertu de l'écriture qui autorise un épanchement passionnel sans risque puisque effectué dans des formes mobiles. Voir L. Fourcaut, art. cité sur *Noé*.

19. Notice de *Deux cavaliers*, p. 845.

20. *Dictionnaire des symboles, loc. cit.*

21. *Les Vraies Richesses, op. cit.*, p. 184.

22. Scénario reproduit dans t. III, p. 1274.

23. *Écrits pacifistes, op. cit.*, pp. 23-24.

24. Tome III, p. 1273.

25. *Dictionnaire des symboles*, t. I, p. 350, article «Cheval».

26. *Les Vraies Richesses, op. cit.*, p. 199.

27. Cité dans la notice de *Deux cavaliers*, p. 883.

28. Le texte établit semblablement que la foudre, elle aussi, peut «traverser la solitude». En effet, sur ces hauteurs proches de «l'épouvante même du ciel» (107), les quatre gros fayards sont seuls : «on ne les voit pas sortir de la terre mais *descendre* du ciel comme s'ils s'y ramassaient par tous ces minces rameaux pour venir se planter, *comme la foudre*, dans la terre. Et, à l'endroit où ils s'enfoncent, les troncs sont pleins de plis de cruauté.» (109, souligné par moi.) On voit que dans cette désolation, la foudre (associée au cheval dans la symbolique de l'orage) effectue un travail nécessaire, puisqu'elle *descend* à son tour dans un mouvement violent d'éventration de la terre, forçant le monde à s'ouvrir et montrant ainsi la voie au désir humain.

29. Cité dans la notice de *Deux cavaliers*, p. 852 (souligné par moi).

30. Dans *Ruy Blas*, «l'aigle impérial» (l'élan révolutionnaire continué par Napoléon), abattu puis remplacé par la Restauration, «Cuit, pauvre oiseau plumé, dans leur marmite infâme !» (III, 2, v. 1156 et 1158). La famille Jason, elle, fait frire la viande du cheval.

31. Ariane l'a pressenti : «Mon fils, tu as peut-être alors commencé quelque chose qui nous mènera loin.» (100)

32. R. Ricatte, «Giono et la tentation de la perte», *Giono aujourd'hui*, p. 224.

33. *Noé*, p. 681.

34. Après la cavalcade du cheval fou, déjà, «Tout le monde était mélangé» (150). Voir aussi Marceau à l'*Hôtel de l'Ouest* : «J'ai mis mon verre sur le poêle. Il ne se mélangera pas avec les vôtres.» (132)

35. *Carnet*, cité dans la notice de *Deux cavaliers*, p. 862.

36. T. III, p. 1269.

37. Cité dans la notice de *Deux cavaliers*, p. 862.

38. T. III, p. 1272.

39. *Ibid.*, p. 1269.

40. Notice de *Deux cavaliers*, p. 866.

41. Si Violette est la Veuve des vallées, incarnation de la Perte sous les deux espèces d'Eros et de la guillotine, il est donc structuralement logique que Lachau offre des «veuves» de substitution, permettant aux «montagnards» Jason d'assouvir leur avaricieux désir :«Ils ne se séparaient — et tout juste — qu'au seuil des veuves de petite vertu qui vendaient du charme pour montagnards dans les ruelles basses de Lachau.» (32)

42. Giono avait songé à multiplier le nombre des paralysés dans le village (notice de *Deux cavaliers*, p. 850).

43. *Que ma joie demeure*, t. II, p. 622.

44. L'antagonisme des classes est bien à l'origine de cette bataille : «Je crois surtout que ce qu'il y avait dans la bataille, c'était la ville : c'était tout ce commerce arrangé, toute cette façon de peser dans des balances et de mettre des sous dans des tiroirs, devant ces hommes qui jouent toujours le tout pour le tout.» (84)

45. Cette commune du blé reproduit à une petite échelle, qui le prive de sens, le vaste projet du fermier de *Que ma joie* : «On ne dira plus ni mes arbres, ni mon champ, ni mon blé, ni mon cheval, ni mon avoine, ni ma maison. On dira notre. On fera que la terre soit à l'homme et non plus à Jean, Pierre, Jacques ou Paul. Plus de barrières, plus de haies, plus de talus.» (t. II, p. 608) Aussi bien le projet était-il explicitement lié à un combat révolutionnaire dans lequel le poète était enrôlé : «Un jour nous parlerons de tout ça à coups de poing dans la gueule, nous contre les autres, nous contre ceux qui maintenant nous râclent notre joie sur la peau, nous la payent avec des sous de carton. Et tu seras avec nous.» (609)

46. Cité dans la notice de *Deux cavaliers*, p. 850.

47. La comparaison avec un chien connote l'avarice. Elle servait déjà à qualifier les voyeurs du théâtre du sang (95). Voir également, dans l'épisode de l'orage, les deux frères ayant reformé, de façon très provisoire, l'être double (174).

48. Depuis longtemps le ver était dans le fruit. Dès après l'épisode de la caserne, Ange était qualifié d'«héritier direct lui aussi de la grande force d'Ariane et de tous les ancêtres du Pavon» (31). Il était aussi comparé à «un serpent qui rôde» (21).

49. *L'Eau vive*, p. 360.

50. Notice de *Deux cavaliers*, p. 849.

# GIONO ET SES MONSTRES :
## FRAGMENTS D'UNE TÉRATOLOGIE ROMANESQUE

### par Denis Labouret

«Le monstre», écrit Max Milner en introduction au numéro de la *Revue des sciences humaines* consacré à la question, «[...] est notre parent. [...] Pourquoi pas moi? Telle est la question qu'il nous oblige à nous poser.»[1] Cette question, le Langlois d'*Un roi sans divertissement* meurt de ne pouvoir s'y soustraire. Mais elle résonne bien au-delà des personnages fictifs. Je voudrais tenter de montrer ici comment, à travers certaines figures privilégiées des œuvres d'après-guerre, elle atteint à sa source la parole romanesque.

Élément d'une thématique, le monstrueux est aussi, en effet, plus que cela. Comme l'abject selon Julia Kristeva : «Ce qui ne respecte pas les limites, les places, les règles.»[2] Ce qui, donc, échappe au seul *contenu* de la fiction pour toucher à son organisation formelle ; ce qui se refuse à n'être qu'un *objet* distinct du sujet qui imagine, parle, écrit.

Que le monstre perturbe ainsi l'identité de celui-là même qui, lui faisant face, semblait le mieux s'en distinguer, on le voit à la sympathie croissante qui gagne Langlois à l'égard de ce criminel en quête de divertissements sanglants qui, selon lui, *«n'est pas un monstre»* (III, 486)[3]. On le mesure également à la façon dont le romancier, dans *Noé*, se représente, mêlé corps et âme à ses monstrueux «personnages» en train de naître :

> «Parfois, leur avarice ressemble à la mienne [...]. Alors, ils sont d'abord des monstres composés moitié de moi et moitié d'eux-mêmes. Mais, comme leur avarice n'est pas toujours exactement semblable à la mienne, nous sommes, eux et moi, monstrueusement mélangés, mal soudés, abouchés à la diable et de guingois [...].» (III, 663)

L'expérience, pour romancée qu'elle soit, n'en traduit pas moins une vérité de l'écriture : à engendrer, à côtoyer des monstres, le «je» se métamorphose, transgresse ses propres limites, ébranle son illusoire stabilité. Giono et *ses* monstres : il s'agit bien d'une *relation*, qui ne laisse pas intacte la position du romancier.

Pour s'en assurer, il convient de considérer de plus près à quels «monstres» on a affaire. Mais une telle approche ne peut être que fragmentaire tant le monstrueux, chez Giono, est envahissant : il définit l'objet même de la quête dans *Fragments d'un paradis*[4], il satisfait le besoin existentiel de distraction dans *Un roi sans divertissement*[5], il caractérise les tentations totalisantes de la création romanesque elle-même dans *Noé*[6]... Cette prolifération, cependant, répond à une logique qu'il est possible de mettre au jour, au moins partiellement. On me permettra, en ce sens, de parler de «tératologie» : à la manière de la biologie qui étudie comment le développement des organismes vivants peut produire des anomalies, il peut être fécond d'orienter la lecture de Giono en direction d'une typologie des monstres *romanesques*. Soulignons l'épithète : ces monstres-là n'ont évidemment pas d'existence autonome. A la fois produits du récit et constitutifs du récit, ils ne prennent corps qu'au travers d'une trame narrative qui ne peut qu'être affectée de leur présence : considérer leur nature et leur histoire, s'interroger sur le type de monstruosité qu'ils portent en eux, c'est mettre en question le roman qu'ils habitent et, du même coup, construisent.

Trois de ces monstres, chez Giono, sollicitent en particulier l'attention, à des titres divers : la fantomatique marquise de Théus de *Mort d'un personnage*, qui permet de repérer le monstrueux aux frontières indécises de la vie et de la mort ; l'énorme Ennemonde, qui aide à comprendre comment la monstruosité de l'histoire peut rejaillir sur l'organisation du récit ; le chroniqueur bossu du *Moulin de Pologne*, enfin, qui déplace l'intérêt du récit au discours qui le produit — discours pris en charge par un être dont le goût pour l'horreur est trop prononcé pour que le ton et la visée de la chronique qu'il nous livre ne soient pas teintés, quelque part, de monstruosité. Regroupement bien disparate en apparence ; parcours trop partiel sans doute, mais qui, du *contenu* narratif à la *parole* narrative, conduit précisément au cœur du travail romanesque, du côté de la voix qui raconte et déploie monstrueusement la monstruosité de la fiction.

## 1. *«Mort d'un personnage»* ou le monstrueux aux limites du vivant

Un monstre, Pauline de Théus ? Il faut certes, pour l'admettre, dépasser les apparences. Mais le narrateur du *Moulin de Pologne* ne conseille-t-il pas justement de ne pas se fier au seul aspect extérieur ? «Il y a fort longtemps que je ne classe plus les monstres d'après la carrure ou l'abondance de la transpiration», affirme-t-il (V, 676). Et une variante lui faisait dire ailleurs : «Les monstres les plus extraordinaires ne sont jamais gros ni auréolés d'aurores boréales, du rouge des explosions ou de l'étincelle de l'acier.» (1379)[7] Faute de violence ouverte, faute d'abomination évidente, il faut donc prendre en compte, dans une large mesure, ce que l'être recèle au plus profond de son intériorité et que seul un témoin privilégié, parfois, est en mesure de saisir. C'est le cas d'Angelo, narrateur qui présente sa grand-mère, la marquise de Théus, dans *Mort d'un personnage*. De toutes les femmes rencontrées, dit-il, «Aucune n'était perdue dans le vertige d'un dénuement total comme ma grand-mère, plus aride qu'une de ces pierres qui voyagent hors des planètes dans le vide éternel, et gémissent au-delà des domaines du son. » (IV, 163-164) La métaphore dit plus qu'un simple éloignement : une rupture radicale d'avec le monde des vivants. Ce sont presque les mêmes termes qui désignent, dans *Le Moulin de Pologne*, l'existence de Julie de M. : « Elle n'avait plus aucun rapport, non seulement avec nous, mais avec le siècle. Elle était comme le fragment détaché d'une planète autre que la terre ; une comète qui tournait autour de nous en nous ébahissant. » (V, 691-692) Quelle parenté unit les deux femmes ? Si la terre n'est plus leur élément, c'est qu'elles sont toutes deux marquées par la mort, tournées vers les morts. Julie est l'arrière-petite-fille de Coste, dont la famille, de génération en génération, est frappée par un destin implacable auquel nul ne semble pouvoir échapper ; Pauline a perdu l'être qu'elle aimait, l'Angelo du *Hussard*, et si elle trébuche à chaque pas, ainsi que le souligne le texte de *Mort d'un personnage*, « comme s'il n'y avait pas eu de terre pour la soutenir, ou plus exactement comme si elle savait qu'il n'y avait plus de terre » (IV, 156), c'est que « ce mort qu'elle n'a jamais cessé d'aimer [...] lui a retiré *la terre sous les pieds* », comme l'indique un passage de *Noé* (III, 708).

Mais on ne saurait se limiter à une explication purement psychologique de leur comportement. A travers Julie de M. et Pauline de Théus, Giono peint les figures d'une même aspiration au néant dont les implications, dépassant l'analyse des « caractères », sont d'ordre à la fois ontologique et poétique : d'une part, la monstruosité de la grand-mère d'Angelo tient au paradoxe d'une présence physique bien réelle ressentie comme une absence, d'un être hanté par le néant, d'une vie qui n'est autre qu'une forme de mort ; d'autre part, cette tension extrême, inhumaine, ne peut être nommée autrement que par le recours aux mythes, aux références les plus profondément ancrées dans l'imaginaire.

Ainsi Pauline, comme Julie, chemine au cœur d'un labyrinthe : « Grand-mère, lisse et pointue comme un fuseau, lourde et muette comme un plomb, s'enfonçait dans l'enchevêtrement des ténèbres. » (IV, 194) Le dédale dans lequel s'enfonce Julie, et qui figure une même fuite éperdue vers le néant, c'est le « lacis ténébreux des vieux quartiers » (V, 709), « l'entortillement des ruelles » (710) où elle s'égare à la sortie du bal de l'Amitié. La valeur symbolique de ce décor sinueux s'éclaire à la lumière de cette variante d'un autre passage : « Julie s'exaltait avec Léonce [...], vivait enfin par personne interposée la seule forme de vie en accord avec les extraordinaires rencontres de monstres qu'elle faisait à chaque carrefour des ténèbres. » (1344) Lieu monstrueux, le labyrinthe est l'espace même où l'on *se perd*, à tous les sens du mot. Si Julie trouve un répit provisoire grâce à sa rencontre et à son mariage avec M. Joseph, ce dernier ne pourra parvenir en définitive à la détourner des monstres qui l'appellent. Quand Langlois, dans *Un roi*, annonce à Saucisse son intention de reproduire le labyrinthe en buis de Saint-Baudille, cette dernière se rend compte qu'elle a déjà commencé à « perdre Langlois » : « "Oui, je comprenais maintenant : ces petits chemins enchevêtrés dans de grands buis, je n'aime pas beaucoup." » (III, 581) La crainte de Saucisse prend tout son sens si l'on rapproche ce désir de Langlois d'une autre « tentation », celle à laquelle ne peut résister le camionneur de *Faust au village* :

191

«Je fais quelques pas. Devant la pointe de mes souliers part une avenue. De chaque côté : des buis, des genévriers. [...] Je fais une centaine de pas, une autre avenue part sur ma gauche, une autre sur ma droite, celle que je suivais se sépare en deux que je vois encore devant moi se séparer en cinq ou six, de chaque côté. [...] Je regarde bien autour de moi : des buis, des genévriers, des avenues de bruyères, un parc de château autour de rien.» (V, 130)

Par le dernier mot, cet étrange jardin aux sentiers qui bifurquent nous ramène à *Mort d'un personnage* : l'enchevêtrement, l'entortillement, le labyrinthe, disent une même tentation irrésistible du néant — un même enfermement, pour celui qui s'y perd, dans l'inhumanité que représente, plus que la violence ou la cruauté, le manque d'être[8].

«Derrière les yeux de grand-mère, il n'y avait rien. [...] [...] il n'y avait rien derrière ces yeux, rien dans quoi je puisse vivre. [...] Rien de ce qui existait sur terre ne pouvait vivre dans ma grand-mère, de l'autre côté de ses yeux [...]. [...] Rien.» (IV, 192-193)

Attiré par le néant, le personnage semble déjà lui succomber : d'où sa méconnaissance du monde réel. «Monstre» enveloppé de ténèbres, il s'efforce cependant de ne pas le laisser paraître, de continuer à jouer le jeu de la vie humaine : «[...] pour habiter notre monde et pour n'être pas à côté de nous un monstre, elle employait, avec une inlassable patience, des prodiges d'habileté.» (192) Mais le narrateur n'est pas dupe : du lieu où elle séjourne désormais, sa grand-mère ne peut se faire qu'une représentation *monstrueuse* du monde réel qui lui est devenu étranger. Ce qui est horrible, c'est de tenter d'imaginer l'idée qu'elle se fait de la terre et de la nature, *du point de vue du néant* :

«Derrière ses yeux, il y avait un endroit où l'on ne peut pas vivre. Un endroit où tout ce qui appartenait à la terre se volatilisait [...]. Derrière les yeux de grand-mère, il y avait un endroit où l'on ne pouvait vivre que d'une façon inimaginable, en perdant à la même seconde et le corps et l'esprit tels qu'on les a sur la terre. Peut-être alors rencontrait-on dans cet endroit-là des bosquets, des prairies d'asphodèles, des ruisseaux [...], des monstres qui tenaient lieu de ces éléments de notre vie. Si on acceptait de perdre son âme, si on arrivait à perdre cette préférence désespérée pour les objets de la terre, on devait pouvoir vivre parmi ces monstres, puisque grand-mère y vivait. Ils étaient peut-être là-bas tout à fait naturels; c'est même la certitude de ce monstrueux naturel qui terrorisait.» (195)

Plus terrifiante qu'un monstre de la mythologie, Pauline de Théus vit paisiblement tout en côtoyant l'inimaginable. C'est cette conjonction des apparences d'une vie ordinaire et de l'altérité radicale d'un être rongé par le néant qui justifie l'oxymore — une *monstruosité* d'autant plus inquiétante qu'elle est *naturelle*, vécue sous les dehors d'une apparence humaine normale.

Mais l'obscurité des ténèbres où elle glisse évoque un autre lieu mythique, le monde souterrain des enfers. Julie de M. connaît elle aussi, dans *Le Moulin de Pologne*, la «séduction de l'enfer» (V, 743) : elle est comme appelée du côté des profondeurs par ce que le narrateur appelle «l'irrésistible don Juan des ténèbres» (742). La marquise de Théus, elle, fuit «aux bras de l'ombre» (IV, 198), emportée par une force contre laquelle les vivants ne peuvent rien :

> «[...] elle échappait à toutes les mains et, quand nous croyions l'avoir saisie, elle glissait entre nos doigts, tombait toujours plus bas, plus profond, plus loin dessous [...]. Nous avions beau tendre la main et nous pencher, nous ne pouvions pas l'atteindre, ou, si on l'atteignait dans un effort où il fallait presque perdre l'équilibre et la vie, c'était pour sentir sa forme polie par la succion de l'abîme glisser de nos doigts et tomber encore plus bas.» (194)

Efforts tout aussi vains que ceux de M. Joseph cherchant à sauver Julie, à la retenir du côté de la vie terrestre... Si M. Joseph, dans sa tentative de lutte contre les monstres avec lesquels les Coste sont aux prises, s'apparente, pour reprendre la formule de Janine et Lucien Miallet, «à un Héraklès ou à un Thésée»[9], c'est une autre référence mythologique qui vient sous la plume du narrateur de *Mort d'un personnage* : «Plus tard, j'ai cherché son regard comme Orphée Eurydice; mais les dieux avaient imposé des conditions trop dures.» (154) Ailleurs, c'est le personnage de Caille qui représente, par son attachement aux choses de la terre, «l'espoir d'Orphée» (192), opposé aux «bosquets de l'enfer» préférés par Pauline de Théus. Le titre provisoire de «Perséphone», un moment envisagé pour *Le Moulin de Pologne*[10], convient encore mieux à l'expression d'un partage, d'une hésitation entre monde terrestre et monde souterrain. Que le nom serve à désigner Julie elle-même ou le «démon» qui, à la fin du livre, entraîne Léonce sur la voie de la «nullité»[11], il qualifie cette tendance humaine à se vouer au néant sans cesser d'exister : monstrueuse dualité qui paraît plus insupportable que la mort définitive.

Ce «complexe d'Eurydice», qui est la marque de plus d'un personnage gionien, est riche d'enseignements. En premier lieu, il apparente les êtres les plus étranges, les plus insaisissables, les plus monstrueux par leur fréquentation inhumaine de la mort, aux personnages romanesques en train de naître, eux aussi «monstres» du fait d'un statut hésitant, hybride. Avant d'acquérir une forme vivante définitive, les créatures issues de l'imagination romanesque, dans *Noé*, sont des ombres qui sortent des enfers :

> «Et j'entends voleter [...] d'autres ombres [...]. Des ombres semblables à celle du cireur de bottes, ou composées d'abord à la façon des monstres : moitié du cireur de bottes et moitié de cet allumeur de réverbères qu'il rencontre [...], moitié du cireur de bottes et moitié de cent, de mille, de dix mille hommes ou femmes, couchés ou debout, heureux ou malheureux, révoltés ou résignés, ayant cent mille passions diverses, mais ayant chacun en premier lieu et mélangée à toutes autres : l'avarice; attirés dans mon olivier par cette avarice toute fraîche qui va peut-être leur donner l'occasion de sortir de ce Hadès des personnages de roman où ils sont, en substance non créée, attendant l'occasion d'un sentiment qui leur donnera chair et os.» (III, 663)

Pauline de Théus, Julie de M., personnages en train de se dissoudre, de voir leur identité de personnages se dissiper au moment où ils deviennent des «monstres», rejoignent ainsi, curieusement, les personnages non encore créés, également tendus entre l'être et le néant. L'Hadès est à la fois l'origine et le terme, le vide dont seule l'imagination romanesque peut extraire de l'être, et où retournent à l'issue d'une existence purement romanesque des créatures qui aspirent confusément à retrouver le chaos de leur origine. Mais tout le travail poétique de l'écriture consiste précisément à saisir ces monstres sur les marges où ils apparaissent, à ce stade intermédiaire où ils sont en deçà et au-delà de l'humanité réelle, tout entiers suspendus au seul pouvoir de la parole romanesque.

Autre conséquence de cette vision du monstrueux comme d'une attirance pour le séjour des morts : Giono reprend, en le transposant dans un tout autre système romanesque, le thème fantastique de la «morte-vivante». Dans *Le Hussard sur le toit*, le médecin qui s'adresse à Angelo emploie cette formule pour caractériser les êtres atteints de mélancolie, cette maladie sans remède :

> «[...] la mélancolie fait d'une certaine société une assemblée de morts-vivants, un *cimetière de surface*, si on peut dire ; elle enlève l'appétit, le goût, noue les aiguillettes, éteint les lampes et même le soleil et donne au surplus ce qu'on pourrait appeler un *délire de l'inutilité* [...] qui, s'il n'est pas directement contagieux dans le sens que nous donnons inconsciemment à ce mot, pousse toutefois les mélancoliques à des *démesures de néant* qui peuvent fort bien empuantir, désœuvrer et, par conséquent, faire périr tout un pays.» (IV, 607)

Mais si Pauline de Théus est, elle aussi, comme l'a noté Claudine Chonez, une «morte vivante»[12], c'est moins du fait d'une appartenance à un «cimetière de surface» que parce qu'elle témoigne, à l'inverse, d'une vie des profondeurs : son sort est solitaire et échappe à toute «assemblée» ; à la différence du «nihilisme actif» qui caractérise, selon la lecture nietzschéenne proposée par Jean Decottignies, les mélancoliques décrits dans *Le Hussard*[13], l'anéantissement de Pauline procède de la passivité même de la passion. Comme Julie de M., elle répond à un appel qui touche au plus profond, au plus intime d'elle-même. Ce sont les forces inépuisables de l'amour qui la tournent de «l'autre côté» de l'être, vers le vide qui signifie l'absence de celui qu'elle a aimé. Elle prenait soin, dit le narrateur, de «cerner à l'aide des jeunes filles le vide que l'habitant des profondeurs avait une fois occupé» (IV, 205). Même désir sans mesure, exprimé plus clairement encore, chez la Julie du *Moulin de Pologne* : «Elle aimait de ce côté-là ; elle s'offrait.» (V, 744) Séduite, elle est sans doute aussi, ainsi que Robert Ricatte l'a montré[14], séductrice, puisqu'elle-même «fait des avances» au destin destructeur qui la tente. Mais chez chacun de ces deux «monstres» romanesques, la passion qui conduit aux ténèbres est bien plus qu'un trait de caractère : mêlant dans un même mouvement l'amour et la mort, elle semble dire, comme le livre de Marguerite Duras, *La Maladie de la mort*, commenté par Maurice Blanchot dans *La Communauté inavouable*, «l'accomplissement de tout amour véritable qui serait de se réaliser sur le seul mode de la perte»[15].

Parler de morte-vivante à propos de Pauline de Théus, ce n'est donc pas signifier en termes tragiques sa vieillesse avancée, mais nommer une structure ontologique indépendante de l'âge : le désir inhumain de devancer l'appel de la mort physique, la préférence intolérable du vivant pour le néant, ou encore la valeur négative du vivant qui se retourne contre lui-même en subvertissant ses propres lois. C'est la définition même que la biologie donne du monstrueux[16], ainsi transposée au plan de l'être par le texte de *Mort d'un personnage* :

> «Pourtant, elle était vivante. Nous ne nous serions pas escrimés derrière un mort. Il est naturel qu'un mort aille où il doit aller. Il était monstrueux, non seulement qu'elle s'efforce d'y aller sans mourir, mais que, sans mourir, elle soit déjà si loin de ce côté. Il était monstrueux qu'elle soit capable de préférer l'endroit où il est impossible de vivre suivant les lois de la terre, et de le préférer avec tant de violence qu'elle n'avait pas le temps d'attendre que la mort lui en permette naturellement l'entrée.» (IV, 196)

Peut-on encore, dans le cas de Pauline de Théus ainsi «décrite», parler de «personnage»? Le «monstre» qu'elle est devenue perturbe les catégories habituelles. Sur une telle monstruosité, on le voit ici, ne peut être tenu qu'un discours tissé d'anaphores et de métaphores, essentiellement poétique. C'est dire que le seul salut qu'elle connaisse, pour échapper au néant, est d'ordre littéraire : l'identification du narrateur à Orphée suggère les pouvoirs de la narration, et conduit, par là même, à s'intéresser au récit, à tout récit. Le monstre romanesque, doué d'une fonction *poétique* dans *Mort d'un personnage*, n'a-t-il pas ailleurs une fonction plus proprement *narrative*? Cette question amène à reconsidérer les apparences, les signes extérieurs de monstruosité, plus susceptibles sans doute d'être *lisibles* dans le mouvement dynamique du récit. A cet égard, Ennemonde Girard occupe une place privilégiée.

## 2. «*Ennemonde*» *et le corps monstrueux du récit*

Au centre du récit d'*Ennemonde*, en fait, la rencontre de deux monstres. D'un côté une femme obèse, trois fois meurtrière, représentative d'un «type» local :

> «[...] certaines Vénus deviennent des monstres effrayants, elles ont presque toutes des bouches du XVIIᵉ siècle, édentées ou pire encore, avec quelques grandes dents déchaussées qu'elles sucent. C'est assez abominable. Mais il ne faut pas prendre leur air niais pour argent comptant. Ce sont presque toujours de maîtresses femmes. Au pied du mur elles font merveille. On se souvient encore d'Ennemonde Girard.» (VI, 257)

De l'autre, Clef-des-cœurs, un «amas de graisse» à sa mesure, dont une première formule, trop explicite, affirmait d'emblée qu'«Il s'agissait d'un monstre» (1009). Mais il s'est avéré préférable de respecter le point de vue d'Ennemonde, dont les critères sont différents : «C'est en remontant du doigt au bras et du bras au reste du corps qu'elle fut éblouie par une beauté à sa convenance.» (291)

Par rapport à *Mort d'un personnage*, le changement de ton est évident : il y a place ici pour l'humour, et Giono ne s'en prive pas. Il cherche en particulier à déployer, tout au long du récit, le paradoxe d'une obésité à laquelle sont à tout moment associées des qualités de finesse, de pureté, de légèreté. En témoigne le raffinement de Clef-des-cœurs, qui raccompagne Ennemonde «en la tenant par le petit doigt», et dont on apprend qu'il porte un «caleçon rose» ( VI, 294). En témoigne, surtout, le corps même d'Ennemonde : «Elle était obèse, avec des fesses énormes [...] mais elle gardait toujours ses beaux cheveux du noir le plus luisant [...] et, merveille des merveilles, des chevilles d'une finesse extraordinaire.» (258) Même contraste dans ce corps en mouvement : «Elle pesait plus de cent trente kilos, mais qu'elle déplaçait avec une agilité surprenante.» (286) Mais ces fragments descriptifs, on le voit, ne visent pas à construire un portrait statique du personnage qui fixerait une fois pour toutes, avec son apparence physique, son identité. Ennemonde évolue elle-même dans le procès diachronique du récit, sur lequel elle pèse, précisément, par son aspiration au vertige de l'apesanteur. Plus Ennemonde grossit, plus elle gagne en légèreté — dans la conduite magistrale de ses affaires, dans l'accomplissement parfait des projets qui l'amènent au bonheur. Par là, le poids de son énormité en vient à signifier le refus des limites étroites d'une morale pesante, le détachement vis-à-vis des «normes» restrictives, donc un envol libérateur, que symbolise le vertige des descentes dévalées en roue libre : «Ennemonde [...] se laissait emporter. C'était magique. Il n'était plus question de poids et de volume : elle était la plume qui volait au vent.» (288) Plus loin, partant à la recherche de Clef-des-cœurs, elle «prend son vol», conduisant elle-même le véhicule sur la route enneigée : «Comme elle ignorait tout de la conduite automobile, dans l'état où elle était les dérapages lui plaisaient beaucoup : c'était de la danse.» (293)

Cette tension entre lourdeur et légèreté, incluse dans le corps monstrueux d'Ennemonde, joue donc un rôle actif dans la marche du récit. Or ce rôle se précise davantage si l'on observe les deux fonctions fondamentales d'Ennemonde dans le roman, comme personnage éponyme et comme personnage-anaphore.

Ennemonde, d'abord, donne son nom à l'œuvre tout entière : les «autres caractères», pluriel indistinct, ne sont que ces personnages secondaires qui viennent mettre en évidence, en reflétant à maints égards son image, la singularité de l'imposante figure centrale. Mais son *nom* même, de ce fait, attire l'attention. «Étiquette» donnée au récit, mais aussi «signifiant» d'un personnage romanesque, il intrigue par son originalité. Sans doute ne doit-on pas le réduire à une «signification» qui prétendrait l'englober[17], mais la syllabe finale est trop évocatrice pour qu'on puisse en négliger les connotations. Ennemonde, en effet, «c'est un monde», au sens que Giono donne à cette formule dans *Noé* : elle échappe à notre système de références ordinaire, elle suscite l'étonnement par sa «démesure», inaccessible à l'humanité commune[18]. Et d'un autre côté, son énormité, transgression de toute mesure morale ou physique, lui permet de se fondre dans l'infini du monde, de mieux vivre en symbiose avec lui. A la fin de sa vie : «[...] elle refuse d'être repliée sur elle-même et elle observe le monde. Grâce à l'intelligence de son observation elle en fait partie ; elle s'y engloutit, elle y disparaît.» (VI, 318)

Expression du monde, de sa violence et de sa démesure[19], la monstruosité d'Ennemonde donne au récit son unité. Par le retour anaphorique des portraits qui l'exposent, elle tisse même la trame serrée qui assure sa cohésion interne, et scande le rythme de sa progression. C'est en ce sens qu'on peut la compter au nombre des «personnages-anaphores» qui, selon

Philippe Hamon, ont une «fonction essentiellement organisatrice et cohésive» et par lesquels «l'œuvre se cite elle-même et se construit comme tautologique»[20].

Après cinq pages de commentaires sur le Haut Pays, la première métamorphose du corps d'Ennemonde correspond à la mise en place de la situation initiale du récit. Épouse du puritain Honoré, Ennemonde se voit imposer l'épreuve de la chemise de nuit à trou, «qui permet de faire des enfants sans fioritures coupables» (VI, 258). Cette pratique est attestée par Françoise Loux dans son ouvrage sur *Le Corps dans la société traditionnelle* : une inscription, «Ave Maria» ou «Dieu le veut», figurait parfois autour du trou — précision que ne donne pas le texte d'*Ennemonde*... Françoise Loux souligne que «le port de la chemise transforme l'acte sexuel de jouissance en obligation»[21]. A cette pratique, le corps d'Ennemonde réagit par un délabrement précoce : méprisé, il se libère en s'amplifiant ; comme si l'étouffement de sa réalité sexuelle entraînait, logiquement, des débordements charnels d'un autre ordre. «Elle perdit d'abord une vingtaine de dents et, finalement, elle fit sauter les deux dernières avec la pointe d'un couteau. Elle était obèse, avec des fesses énormes ; la ceinture de son mari, paraît-il, ne pouvait pas faire le tour de sa cuisse à sa racine [...]» (VI, 258).

Telle est Ennemonde à moins de quarante ans. L'autre réponse à l'absence de jouissance sexuelle est indiquée dans la même page : «[...] quelqu'un de prévenu aurait pu peut-être prédire un certain avenir en voyant avec quelle volupté Ennemonde triturait à la main le mélange de foie haché et de graisse de charcuterie familiale.» (258-259) Tendance doublement annonciatrice, en effet, d'un «certain avenir», puisqu'il faudra, pour satisfaire la «libido» d'Ennemonde, et la graisse de Clef-des-cœurs, et le sang de ses victimes. La fonction signifiante ainsi dévolue au contact des viscères, signe qui se donne à lire comme un avertissement, actualise dans le champ du récit un *monstrum* au sens que lui accordaient les Anciens — prodige destiné à *montrer* ce que l'homme ne saurait voir seul. La Delphine de *Deux cavaliers de l'orage* le confirme : «"On peut lire l'avenir dans le ventre des bêtes."» (VI, 53) Et sa réponse affirmative à la question : «"Les tripes des hommes aussi?"»[54] est corroborée, dans *Le Moulin de Pologne*, par l'atroce fin de Clara qui, «ouverte en deux par un gros éclat de verre», laisse apparaître «un cœur noir comme une motte de suie» (V, 670), signe de la malédiction des Coste. Mais dans le cas d'Ennemonde, les tripes ne parlent pas par elles-mêmes : c'est surtout son geste qui est révélateur d'un plaisir inquiétant. De cette façon, ce passage, plus encore que les deux autres, témoigne de la transmutation opérée par le roman : le signe monstrueux se déplace, de la verticalité d'un «langage» de la transcendance, à l'horizontalité du procès discursif. Les ventres ouverts, les chairs sanglantes, et la manière dont les êtres humains en jouissent ou s'en émeuvent ont fonction de prolepse. Ils posent un manque initial, l'appel d'un désir, l'horizon d'une attente, qui constituent la condition première de tout récit.

Chez Ennemonde toutefois, le corps lui-même est signe, par le quadrillage qu'il impose au dispositif de la narration. Après la première description, quatre autres portraits présentent son évolution physique et les transformations que subit son corps monstrueux.

Premier temps, une fois Honoré «réduit [...] à la portion congrue» :

> «Pour le corps, il était devenu, à force de grossesses répétées, semblable au corps de toutes les femmes du Haut Pays : il n'avait plus qu'un lointain rapport avec la forme humaine. Le visage était sympathique, malgré la perte de toutes ses dents, ses lèvres étaient assez charnues pour rester épanouies. Elle avait un joli teint frais et rose [...].» (VI, 286)

Seconde étape : nouveau progrès dans la marche au bonheur, puisqu'Ennemonde passe ses nuits avec Clef-des-cœurs dans la «maison des ubacs» :

> «Elle regardait souvent son visage dans la glace. Elle le trouvait beau, avec juste raison : il l'était. Les yeux n'avaient pas leurs pareils loin à la ronde, même chez de jeunes femmes ; le reste du visage était plein et lumineux, l'absence totale de dents ne gênait pas, au contraire [...]. Le corps ? Eh bien, mon Dieu, le corps n'était gâté que dans le buste ; sa gorge évidemment volumineuse mais sensible, et qui avait nourri treize enfants, n'était pas à la portée de tout le monde, mais Clef-des-cœurs n'était pas tout le monde.» (VI, 295)

Certains rappels (l'absence de dents, les lèvres épaisses) n'ont pour effet que de renforcer l'impression d'une présence charnelle bien vivante et d'assurer la cohésion de la trame narrative ; mais des différences sont également perceptibles : les traits qui mettent en évidence, non plus ce qui rapproche Ennemonde des autres femmes du Haut Pays, mais au contraire ce qui l'en distingue — le regard notamment. Grâce à l'accomplissement de sa passion amoureuse, Ennemonde se singularise, acquiert son identité propre.

Troisième image, celle d'une Ennemonde veuve d'Honoré, pour son plus grand bonheur : «Depuis la mort d'Honoré, Ennemonde avait embelli. Le bonheur lui allait bien. Son énormité s'était raffermie. Ses cheveux étaient toujours comme du goudron [...]. [...] Et l'œil ! Oh, quelle pureté ! Rien de plus pur que cet œil [...].» (VI, 303) La monstruosité du personnage, indiquée par le contraste appuyé entre la masse obèse du corps et la pureté du regard, s'épanouit pour attester à la fois la satisfaction du bonheur présent — l'amour de Clef-des-cœurs, la perfection des crimes antérieurs — et une énergie qui a toujours soif d'agir : on attend encore autre chose d'Ennemonde, on attend encore autre chose de la narration.

Quatrième «portrait», correspondant au moment où, après la mort de Clef-des-cœurs et la réalisation de tous ses projets, Ennemonde n'est plus portée par la force du désir :

> «[...] elle constata que sa beauté s'en allait. Malgré l'excellence du miroir, puisque c'était celui dans lequel à maintes reprises elle s'était trouvée belle, elle se voyait déformée, comme reflétée dans de l'eau. C'était la vieillesse dans laquelle peu à peu elle s'enfonçait. Sa grosseur, sans augmenter, devint de l'énormité ; son poids lui pesa [...].» (VI, 309)

Prenant enfin conscience d'une difformité et d'une énormité qui prennent un sens tout différent dès lors que ne les habitent plus la volonté de puissance et le désir de transgression, Ennemonde n'est plus qu'«une maman de cent trente kilos, et maintenant des kilos très mous» (311).

Si l'on suit dans l'édition de la Pléiade le rythme auquel sont parcourues, dans le temps de la narration, ces quatre étapes, après un premier portrait nettement détaché de la suite, et avant une expansion finale qui ne restreint plus la description du corps aux limites d'un passage précis, on se rend compte de l'accélération qui mène à l'assouvissement, puis à l'effacement, des «voluptés» initialement promises : le récit d'*Ennemonde* court de plus en plus vite vers l'accomplissement d'une passion qui mêle le crime et l'amour, jusqu'au moment où le désir, faute d'objet, meurt, laissant les chairs monstrueuses d'Ennemonde pantelantes, inutiles, passives :

> «[...] ces chairs, depuis qu'Ennemonde est paralysée [...], se sont mises à croître et à embellir à la va-comme-je-te-pousse. On a l'impression que si on ne les contenait pas à pleines mains dans le cadre et la limite du lit de sangle elles s'écrouleraient sur le parquet, tellement elles sont abondantes. Ça n'a plus, il faut bien le dire, de forme bien définie.» (VI, 324)

Au comble de sa monstruosité, ce corps incapable désormais de se mouvoir met un terme au récit, d'un bout à l'autre suspendu aux promesses, aux dispositions, à la capacité agissante contenues dans les replis de cette énormité. Le mouvement diachronique du récit, scandé et mis en branle par le motif répété de la monstruosité physique d'Ennemonde, cesse dès lors que cette dernière n'a plus d'avenir, sinon l'attente passive d'un printemps qui l'apaise pour toujours. Dans ce texte qui pourrait paraître disparate, tant la désinvolture du narrateur semble mêler les genres — de l'essai au roman — et les histoires sans rapport apparent — Kléber Bernard et les abeilles, Titus le long et Camille... —, la continuité narrative se trouve ainsi assurée par la récurrence discontinue des descriptions physiques d'Ennemonde : c'est son corps monstrueux, saisi dans la pause synchronique de chacun des portraits successifs, qui ordonne le déploiement diachronique de la narration.

Ainsi, l'énormité d'Ennemonde tire son sens de la place qu'elle occupe dans le récit. Au début de l'histoire, elle constituait une énigme vivante : «Ce n'était pas une femme vite expliquée. Ceux qui la voyaient tous les jours désiraient tous les jours percer son mystère ; il y avait toute cette monstruosité qu'on imaginait laiteuse et douce qui bougeait sous ses jupes [...].» (VI, 286-287) A l'autre extrémité du parcours narratif, celui qui soulèvera, si l'on ose dire, ces jupes, et lèvera en partie le mystère, c'est Siméon, surnommé «Siméon Chien-loup» pour avoir tué «l'horrible chose» (308), ces deux chiens traînant un cadavre qu'il n'identifia qu'après avoir tiré. Lui qui s'est montré «capable de tuer un monstre» (266), c'est à un nouveau monstre qu'il s'intéresse lorsqu'il participe aux soins que portent à Ennemonde ses enfants, alors qu'il n'est lui-même que le fiancé d'une de ses filles. Quand il voit la vieille femme dévêtue, il tremble «d'un tremblement dans lequel il ne sait pas encore distinguer ce qui vient de la terreur, et ce qui vient du plaisir» (324). «Terreur» et «plaisir» mêlés : ainsi se trouvent réunis, en une formule, les deux vecteurs qui ont porté, tout au long du récit, une action orientée à la fois dans le sens du crime et sur la pente de la passion. Cette double disposition à terrifier et à séduire unifie, dans la nature monstrueuse du personnage central, les deux fils thématiques de la haine et de l'amour, de la violence et de la paix, du tourment et de la pureté, qui se croisent dans le texte jusque dans les passages qui semblent le plus nous éloigner de l'histoire d'Ennemonde.

Ennemonde peut légitimement, au terme du récit, être comparée à une «baleine» (VI, 319) : non seulement elle n'est plus guère anthropomorphe, mais le statut de personnage de roman ne suffit plus à la définir. Elle s'identifie bien plutôt au corps du roman, corps-texte d'une insoutenable légèreté — puisqu'on glisse allègrement, dans un récit qui frappe par sa brièveté, sur des actes d'une évidente immoralité —, mais en même temps *énorme* au sens premier du terme, puisqu'il présente sous un jour sympathique une criminelle d'une habileté redoutable. C'est qu'Ennemonde se présente comme un double du romancier. D'abord *signe à interpréter* quand elle livre son corps monstrueux comme une énigme à déchiffrer, elle devient elle-même en définitive l'*interprète des signes* du monde à la fin du roman : le pouvoir attribué à son seul odorat — «Tout se sent, tout se sait par l'odeur.» (316) — est en réalité bien plus vaste. C'est d'imagination qu'il s'agit : Ennemonde est capable d'exercer une intelligence aiguë dans la connaissance des hommes et des choses, de «percer à jour» les êtres, de se représenter leur existence, de lire les mouvements du ciel. C'est tout cela qu'il faut entendre dans la phrase : «Ennemonde va encore plus loin dans l'interprétation des signes [...].» (317) Par cette aptitude, elle égale en puissance poétique le romancier qui déchiffre le monde et puise dans cette connaissance les récits qu'il donne à lire.

D'autre part, capable de produire un monde de souvenirs et de représentations qui n'appartient qu'à elle, elle rappelle la monstrueuse marquise de Théus, à laquelle l'unit par ailleurs une «homologie de situations inversées», ainsi que l'a remarqué Robert Ricatte : dans les deux cas, «une femme perd celui qu'elle aime, elle survit longtemps ; son corps paralysé dépend des soins intimes que la tendresse d'un seul ou de plusieurs descendants lui assure»[22]. Symétrie que la vision du corps et de l'espace inverse effectivement en opposition radicale : monstre par *excès* de chair et de vitalité, Ennemonde diffère de Pauline, monstre par *manque* d'être.

## 3. «*Le Moulin de Pologne*» *ou la voix du monstre*

Ce couple antithétique, comment peut-il paraître uni malgré ces différences, et malgré l'écart qui sépare dans le temps la composition des deux œuvres ? Sans doute parce qu'on en retrouve l'exacte image ailleurs, dans *Le Moulin de Pologne* précisément : la présence de Julie, «morte vivante» à l'instar de la marquise de Théus, est précédée dans le récit par l'intervention prétendument protectrice de Mlle Hortense, dont la monstruosité physique révèle en fait, comme chez Ennemonde[23], l'appétit de domination. Venue aider les Coste à se faire «oublier de Dieu», Hortense trouve dans la fréquentation quasi conjugale de leur destin peu commun de quoi satisfaire «ses monstrueuses qualités maritales» (V, 679). Comme Ennemonde, elle compense ainsi une frustration péniblement vécue par une jouissance sans mesure. Loin de s'opposer à la monstruosité du destin, elle en est elle-même un agent diabolique, annonçant en cela le «Démon» qui entraînera à sa suite, à la fin du livre, le dernier des Coste[24].

Hortense et Julie : deux monstres radicalement opposés, dont l'un est tout «égoïsme» (V, 680), avidité, volonté de puissance, tandis que l'autre ne semble voué qu'à se donner — jusqu'à se perdre. Cette antinomie chère à Giono atteint dans *Le Moulin de Pologne* une dimension particulière : elle structure la disposition d'ensemble des forces en action dans le récit, opposant à la sphère de l'exception, incarnée par la famille Coste, la sphère de l'intérêt et de la médiocrité, qui joint à Mlle Hortense l'ensemble de la bourgeoisie locale, animée avant tout par l'instinct de conservation. Ce face à face ne serait autre qu'une manifestation, pour reprendre les termes d'Alan J. Clayton, de «la lutte éternelle des valeurs nobles [...] et des intérêts mesquins»[25]. Mais on ne peut en rester au manichéisme d'un schéma trop statique qui ne prendrait en compte ni les transformations opérées par la dynamique narrative, ni le point de vue qui filtre et ordonne toutes les informations.

D'une part, en effet, le système des *oppositions* laisse bien souvent la place à un jeu complexe de *connivences* : d'abord extérieur, hostile et imprévisible, le destin devient *progressivement* la réponse des choses au désir et à l'appel des hommes[26]; Hortense *évolue* du statut d'adjuvant à la position beaucoup plus ambiguë d'instance de pouvoir; le narrateur, surtout, passe, comme l'a écrit Robert Ricatte, «de la persécution à la protection de Julie»[27] : d'abord spectateur du drame, porte-parole d'une société hostile et hypocrite, il devient ensuite un précieux auxiliaire de M. Joseph et de son épouse. Le procès diachronique du récit déplace les rôles, perturbe les fonctions, transcende toute bipolarité.

Or, d'autre part, tout le récit est suspendu à la *voix* qui parle, à la parole de ce narrateur qui ne livre jamais que *sa* version des faits. Giono n'avait-il pas envisagé dans ses carnets préparatoires la possibilité d'un point de vue tout autre?

> «Renverser la situation. Donc reconsidérer tous les événements décrits par N[*arrateur*] et en faire donner par L[*éonce*] une version différente contraire ce qui rend sujet à caution tout ce qui a été dit précisément par N. et bouleverse toute la lumière du livre [...].»[28]

Mais il n'était pas nécessaire de faire de Léonce un second récitant, un «contre», à la manière du texte des *Ames fortes*, pour laisser entrevoir au lecteur le jugement qu'il porte sur le narrateur. Ce dernier le dit lui-même : «[...] il inventait, pour les besoins de ses colères [...] des monstres infâmes, caricatures abominables de nos turpitudes les plus courantes et les plus naturelles.» (V, 739) Vus par Léonce, le narrateur et ses pareils sont des «monstres». C'est confirmer, pour le lecteur, l'impression laissée à la fois par le récit lui-même, qui contient plus d'une fois l'aveu d'une cruauté jugée naturelle, et par l'image finale — une silhouette difforme dans l'obscurité de la nuit : «Ai-je dit que je suis bossu?» (753) Si Julie, de son côté, est «perdue dans un labyrinthe» (1343), le narrateur n'en ignore pas les détours : «J'étais au cœur même de l'enchevêtrement ténébreux dans lequel Julie faisait son chemin avec indolence et terreur.» Encore un monstre, donc, mais cette fois un monstre *qui parle*, et c'est en cela qu'il nous intéresse : s'il est vrai que le destin des Coste paraît monstrueux, n'est-ce pas l'effet d'un discours qui constitue en *fatum*, produit d'une parole unifiante, une série d'accidents épars ?

L'homme qui est censé relater les faits n'est pas n'importe qui. Rétroactivement, la révélation finale de sa disgrâce explique sa méchanceté, donc la visée même du récit. Dans une des nombreuses variantes du chapitre IX, il avouait bien connaître, en raison de son propre état, «la méchanceté désespérée [...] des déshérités» (V, 1377)[29]. On a déjà signalé que sa bosse rappelait d'autres infirmes de Giono, comme le Toussaint du *Chant du monde*[30]. On peut aussi songer à d'autres figures, en particulier celles qui apparaissent dans certains textes préfacés par Giono. Thersite, dans l'*Iliade*, est lui aussi boiteux, bossu... et lâche : «C'est l'homme le plus laid qui soit venu sous Ilion. Bancroche et boiteux d'un pied, il a de plus les épaules voûtées, ramassées en dedans.»[31] Esprit mesquin, veule, envieux, il est aussi bavard, et se fait réprimander par Ulysse en ces termes : «Thersite, tu peux être un orateur sonore ; mais tu parles sans fin.»[32] Compenser par la facilité du discours les faiblesses du corps et du cœur, n'est-ce pas le propre de notre chroniqueur ?

Le nain bossu de *Tristan et Iseut*, Frocin, est lui aussi «plein de grande malice et mauvaiseté». Mais il se singularise dans son appréhension du destin : «Il connaissait les influences des étoiles et des planètes ; il savait ce qui devait être ; à la naissance d'un enfant il pouvait en deviser toute la vie.»[33] Sources inconscientes ou coïncidences ? On retrouve en tout cas, chez le narrateur du *Moulin*, cette double aspiration au plaisir de parler et au désir de nommer le destin. Même s'il s'agit, chez Giono, d'un récit rétrospectif et non d'une prédiction astrologique, on assiste à la maîtrise d'un devenir donné comme l'accomplissement d'une fatalité. Sur ce destin, le discours narratif vise à établir son emprise.

Le montrent déjà, en deçà du récit définitif, narration homogène et continue dont une voix unique est la source, les multiples discours auxquels ce récit se réfère, ensemble hétérogène de propos divers qui trouvent leur unité dans leur pouvoir performatif : dire le destin des Coste, c'est contribuer à le faire ; proclamer la monstruosité qu'ils portent en eux, c'est lui donner réalité.

Cette activité discursive prend parfois la forme de simples rumeurs. Ainsi la disparition du fils aîné de Pierre de M. «fit beaucoup de bruit» (V, 668). Or ce «bruit» ne se limite pas à une communication purement circulaire : ses conséquences sortent du champ du langage et accélèrent la marche du destin en *action*, en entraînant la famille de Paul de M., l'autre gendre de Coste, sur la voie d'un nouveau drame :

> «Ce bruit qui subsista, se déforma, prit mille tonalités diverses et dans lequel les gens de l'époque ont dû s'en donner à cœur joie, semble avoir d'un seul coup affolé les de M. de la Commanderie. En tout cas, il leur fit prendre brusquement une décision qui eut des conséquences incalculables.»

Tous quatre, en effet, partent en voyage pour ne plus revenir : ils meurent carbonisés dans les flammes d'un accident de chemin de fer.

Encore cette conséquence est-elle bien indirecte : on peut admettre qu'elle relève d'une ruse diabolique du destin. Mais dans le cas du langage tenu dans l'entourage de la jeune Julie, le monstrueux *pouvoir des mots* est patent. Les fillettes qui l'appellent «la morte» n'en restent pas là :

> «On l'attirait [...] dans un coin et on lui racontait l'histoire des Coste avec beaucoup d'embellissements. Les filles se délectaient de cette horreur où elles pouvaient enfin mettre du leur. Elles se faisaient peur à elles-mêmes. [...] Tout le plaisir était de terroriser *la morte* et de se terroriser avec elle.» (V, 683)

On voit nettement ici que l'activité narrative ne se borne pas à transmettre une histoire : elle la façonne à sa guise pour mieux agir sur les êtres — «se faire peur et faire peur à Julie». Il est logique que la parole cède la place à l'acte, plus directement efficace : «Il fallait aller plus loin. [...] On fit éclater brusquement près de son oreille des sacs en papier; elle en eut des crises nerveuses de plus en plus graves que ces demoiselles contemplaient en secret.» (684) Mais c'est l'histoire de l'horreur qui a rendu possible cet ajout à l'horreur de l'histoire : la défiguration «accidentelle» de Julie[34], sa solitude et son étrangeté si particulière sont les produits logiques d'un récit qui aspirait déjà à la contenir comme un *nouveau* «monstre» à la suite des précédents.

Le destin des Coste n'existe donc pas en dehors d'une parole qui le décrit comme tel, dans sa nature monstrueuse[35], et qui du même coup alimente son devenir. Les «enchevêtrements de cadavres» du train de Versailles accidenté, à cet égard, ne deviennent abominables que dans le récit mythique qui s'élabore à leur sujet dans le climat de psychose collective né du drame des Coste.

> «On disait que le spectacle des cadavres de Versailles recroquevillés et charbonneux était horrible [...]. On disait que Clara, ayant fait effort pour s'échapper au dernier moment en crevant la vitre à coups de tête, avait été ouverte en deux par un gros éclat de verre [...]. On brodait.» (V, 670)

Il s'agit encore de rumeurs, mais qui ont valeur fondatrice, justifiant l'isolement ultérieur dans lequel on tiendra les Coste, et tous les «ouï-dire» possibles sur leur monstruosité (675).

Or le narrateur ne se contente pas de *rapporter* ces paroles déformantes en les tenant à distance : en tant que personnage de son propre récit, il contribue lui aussi à dire et à faire le destin des Coste, à transformer les mots en maux. Ainsi, envers Jean :

> «Dès que les garçons de l'école commencèrent à reprocher à Jean son nom et le destin qui y était attaché, il se jeta sur eux et leur imposa sa façon de régler les incidents de cette sorte. Je crois bien qu'une fois ou deux je fus personnellement de la partie. [...]
> [...] Nous détestâmes le petit Jean de M. On lui trouva des surnoms désobligeants; on les inscrivait sur les murs. On l'appela *le mort*.» (V, 682)

«Je», «nous», «on» : glissement insensible en apparence, qui assure pourtant l'inclusion implicite du narrateur dans l'indéfini de la dernière phrase. Et la part active qu'il prend à la cruauté de certains discours se poursuit avec Julie :

«On critiqua très sévèrement son chant qu'on appela *des cris*. L'émotion contre laquelle il fallait *se gendarmer* et l'admiration forcée firent trouver et prononcer des phrases fort méchantes.

Je participais à la chose plus par politique que par passion personnelle.» (687)

Avant de raconter l'histoire des Coste, le personnage du narrateur est de ceux qui en fabriquent la matière — essentiellement verbale. Niveau intermédiaire : il se constitue narrateur à l'intérieur même de son récit, en relatant l'histoire des Coste à M. Joseph, proposant ainsi une version des événements qui non seulement annonce le récit définitif, mais lui est presque identique, de l'aveu même de son auteur :

«Il me demanda de lui raconter l'histoire des de M.

Non pas ce que tout le monde sait, ajouta-t-il, mais ce que *vous* savez ; moins les faits que ce qu'ils vous ont appris à vous-même. Ce que je veux, c'est votre opinion.»

Je lui fis le récit en partant des Coste, à peu près tel que je viens de l'écrire [...].» (724)

Entre l'intention proclamée à plusieurs reprises de se soucier uniquement de la vérité[36], et cet aveu indirect d'un récit orienté en fonction d'une *opinion* personnelle, la contradiction est évidente. Ce passage, brève «mise en abyme» de la narration globale, en dévoile la vraie nature, nullement objective.

En réalité, le discours narratif construit la monstruosité du destin qu'il raconte au moyen de sa propre monstruosité : jubilant à tout moment des horreurs qu'il prend plaisir à dire, le narrateur reprend à son compte, sous sa plume, la jouissance dans le mal propre aux sources qui l'inspirent. Nulle complaisance, affirme-t-il[37] — voire : comment ne pas s'apercevoir qu'il se délecte à redire que Dumont d'Urville, l'explorateur mort avec les de M. dans l'accident du train de Versailles, «perdait sa graisse comme un rôti tombé de sa broche» (V, 670), ou à décrire encore, comme s'il ne pouvait en détacher son esprit, «ces ballasts imbibés de sang, ces momies de ramoneurs qui avaient servi de torches, et dans lesquelles il était désormais impossible de distinguer un amiral d'un convoyeur»? A tout moment il pourrait dire, comme le récitant de *Silence* faisant l'apologie du sang versé : «Rien que d'en parler, l'eau m'en vient à la bouche [...]» (176). On pourrait multiplier les exemples de métaphores comparables ou de «gros plans» insistants[38] qui visent à amplifier l'horrible : le plaisir d'écrire s'assouvit dans ces phrases qui s'attardent sur l'abominable. La narration s'inscrit en cela dans une esthétique du mal : le charme et la beauté ne peuvent être que noirs. «La vie des autres, avec ses vicissitudes, ses malheurs, ses défaites, est extrêmement agréable à regarder. Il s'agissait, comme toujours, de belles haines, de splendides méchancetés, d'égoïsmes, d'ambitions.» (662) Même plaisir chez les gens de Prébois au moment des vendanges :

«Nous nous délectons à ces choses lugubres et tristes [...].

[...] Si nous pouvons nous souvenir d'une chose bien laide : aspects d'une plaie ou cris de souffrance, ou peut-être d'un épisode où il a fallu lutter à bras-le-corps avec un moribond qui se débattait violemment pour mourir, c'est pain bénit.» (203)

N'est-ce là que le point de vue d'une humanité vulgaire que Giono laisserait s'exprimer pour mieux la dénoncer ? Explication trop limitée, quand cette délectation du mal en vient à régir le dispositif d'ensemble du discours romanesque, comme c'est le cas dans *Le Moulin de Pologne*. Ce que l'on apprécie plutôt, c'est la mise en œuvre d'une *poétique du monstrueux* qui permet que se libèrent par l'écriture les pulsions les plus noires de l'âme. D'où l'évolution du narrateur — presque plus intéressante, en définitive, que l'histoire des Coste, si l'on admet que le monstrueux du dire importe plus que le dire du monstrueux. C'est sa parole purifiante qui, allant jusqu'au bout de l'horreur, conjuguant l'aveu de sa propre cruauté au récit inévitablement cocasse des pires atrocités, lui ôte sa médiocrité malsaine et le fait accéder, paradoxalement, à la sphère de «l'exception». Plus que les événements successifs de l'histoire, c'est l'élan du discours narratif qui l'amène à se placer, dans une dernière image, *aux côtés* de Julie. L'«**acte de la purification poétique**», selon Aristote commenté par Julia Kristeva, n'est-il pas déjà ce «processus lui-même impur, qui ne protège de l'abject qu'à force de s'y plonger»[39] ?

Angelo III, narrateur de *Mort d'un personnage*, reconnaît lui aussi que la terreur peut être source de plaisir. A propos de la vision effrayante de la «bouche mangée d'ombres» de sa grand-mère, il confesse : «[...] je jouais délicieusement avec l'horrible» (IV, 155). Mais la jouissance n'est totale que lorsque ce *jeu* s'inscrit dans l'écriture : alors Angelo devient Orphée, parce que sa parole arrache Pauline de Théus à l'horreur du néant ; alors Ennemonde échappe à l'accusation d'immoralité, parce que l'on juge en elle un rythme, une esthétique ; alors le narrateur du *Moulin* dépasse à son propre insu les limites de son égoïsme mesquin, parce que le pouvoir cathartique de son récit le lave de sa propre cruauté. Ce qui sauve la première, ce qui rachète la seconde, ce qui transfigure le troisième, c'est une même descente aux enfers de la monstruosité humaine par l'écriture romanesque : en allant au plus profond de la délectation de l'horreur, le récit met en question notre propre complicité avec l'accomplissement de la mort. D'où le plaisir du romancier lui-même, qui jouit de ses œuvres, dit-il, «comme d'un corps»[40]. Je est un monstre, mais un monstre *qui écrit*. Je reviendrai, pour finir, à *Noé*, pour évoquer ce passage où l'ombre de M. V. rencontre l'auteur en train d'écrire à sa table de travail : «A un moment même, nous avons coïncidé exactement tous les deux [...]. [...] pendant cet instant [...] j'étais M. V. [...]» (III, 615). Et, plus loin : «M. V. [...] a coïncidé avec moi le temps d'un éclair (il n'y avait que le petit geste que j'étais obligé de faire pour écrire qui dépassait un peu) [...].» (617-8) Ce qui distingue en dernier ressort l'écrivain du monstre : la plume seule.

NOTES

1. *Revue des sciences humaines*, n° 188, 1982-4, p. 5.
2. Julia Kristeva, *Pouvoirs de l'horreur, essai sur l'abjection*, Seuil, coll. «Tel quel», 1980, p. 12.
3. Voir aussi, dans *La Mission*, l'un des *Récits de la demi-brigade*, ce propos de Martial

à qui l'on indique qu'il aura «affaire à des monstres» : «''Je ne vous cache pas qu'ils m'ont été souvent sympathiques.''» (V, 50)

4. Quête dont le sens est défini dans *Pour saluer Melville* : «L'homme a toujours le désir de quelque monstrueux objet.» (III, 4)

5. M. V. ne s'assouvit qu'en commettant une «chose monstrueuse» (III, 490) : tuer pour le seul plaisir de voir couler le sang frais sur la neige, et accumuler les cadavres dans les branches d'un immense hêtre — «monstruosité» découverte par Frédéric II.

6. Comme dans la peinture de Breughel, «c'est le rêve de Giono que de réaliser par l'écriture cette présence simultanée de personnages dispersés» (R. Ricatte, Notice de *Noé*, III, 1402).

7. Pour les variantes, nous indiquons directement la page où figure le texte cité.

8. Ce motif du labyrinthe apparaît aussi dans *Les Grands Chemins*, dans *Deux cavaliers de l'orage*, dans *L'Iris de Suse*... Voir R. Ricatte, Notice de *Faust au village*, V, 961 ; Notice de *Deux cavaliers de l'orage*, VI, 883 ; ou encore Luce Ricatte, Notice de *L'Iris de Suse*, VI, 1027.

9. Notice du *Moulin de Pologne*, V, 1220.

10. Voir note sur le texte, V, 1248-1249.

11. On peut, avec J. et L. Miallet, hésiter sur ce point : voir Notice, V, 1215.

12. Claudine Chonez, *Giono*, Seuil, coll. «Écrivains de toujours», 1956, p. 113.

13. Jean Decottignies, *L'Écriture de la fiction*, P.U.F., 1979, p. 142.

14. R. Ricatte, «Giono et la tentation de la perte», communication au colloque d'Aix-en-Provence (1981), publiée dans *Giono aujourd'hui*, Édisud, 1982, p. 219.

15. Maurice Blanchot, *La Communauté inavouable*, Éditions de Minuit, 1983, p. 71. Plus loin, M. Blanchot évoque l'attrait de «l'Aphrodite chtonienne ou souterraine qui appartient à la mort et y conduit ceux qu'elle choisit ou qui se laissent choisir» (p. 77).

16. «C'est la monstruosité et non pas la mort qui est la contre-valeur vitale. La mort c'est […] la limitation par l'extérieur, la négation du vivant par le non-vivant. Mais la monstruosité […] c'est la limitation par l'intérieur, la négation du vivant par le non-viable» (Georges Canguilhem, «La monstruosité et le monstrueux», *Diogène*, n° 40, 1962, p. 31).

17. Pierre Citron a raison de rejeter toute «traduction» restrictive : «Son prénom recherché […] est-il destiné à suggérer ''haine du monde''? J'en doute fortement : cela restreindrait à l'excès le personnage […].» (Notice d'*Ennemonde*, VI, 986).

18. Voir *Noé*, III, 620-621.

19. En ce sens, le premier «panorama» proposé par le narrateur (VI, 269-272) annonce l'ultime phase descriptive du récit (317-322), prise en charge par le regard et le pouvoir du personnage, qui mêle à la vision actuelle («elle peut contempler cent kilomètres de neige», 320) l'interprétation des odeurs (317), la remémoration de ses actes passés (318) et la réflexion sur les diverses «passions» familiales (320-321). La position dominante d'Ennemonde, trônant comme une «reine» (319) sur la terrasse du chalet suisse, justifie rétrospectivement la présentation d'ensemble du Haut Pays : Ennemonde incarne ce monde, unie à lui par un lien et métonymique (l'être dans son milieu) et métaphorique (un semblable défi des normes).

20. Ph. Hamon, «Pour un statut sémiologique du personnage», in *Poétique du récit*, Seuil, coll. «Points», 1977, p. 123.

21. Françoise Loux, *Le Corps dans la société traditionnelle*, Berger-Levrault, 1979, p. 87.

22. Préface aux *Œuvres romanesques complètes*, I, XLII.

23. Le parallèle entre les deux femmes a déjà été établi par Janine Miallet dans «Les trois héroïnes du *Moulin de Pologne*», *Bull.*, 18, 1982, p. 111.

24. «Par bien des points le démon aura été schématisé dans Mademoiselle Hortense (son donjuanisme).» (*Carnet*, cité par J. et L. Miallet, Notice du *Moulin*, V, 1222).

25. *Revue des lettres modernes, Jean Giono 3*, Minard, 1981, p. 173.

26. Plus précisément : «Le destin n'est que l'intelligence des choses qui se courbent devant les désirs secrets de celui qui semble subir, mais en réalité provoque, appelle et séduit.» (V, 744)... Variante moderne du vers d'Eschyle : «Quand un mortel s'emploie à sa perte, les dieux viennent l'y aider.» (*Les Perses*, vers 742, cité par J. de Romilly, *La Tragédie grecque*, P.U.F., 1970, coll. «Quadrige», p. 172). La formule convient à la rigueur pour Julie ou Léonce... Mais la petite Marie? Et l'accident de train?

27. Préface aux *Œuvres romanesques complètes*, I, XXXIX.

28. Cité par J. et L. Miallet, Notice, V, 1241.

29. On pourrait estimer que son goût pour les fleurs témoigne en sa faveur et trahit un tempérament doux et sensible. Mais il n'en est rien, et là encore la signification existentielle contredit l'interprétation psychologique. S'occuper de fleurs, ce n'est en effet qu'un palliatif pour qui ne peut trouver de divertissement plus noble, c'est-à-dire plus cruel. Voir *Silence* : «[...] méfiez-vous des jardins de fleurs, ou tout au moins, tenez-en compte, car c'est là que vous trouverez la frontière entre les apparences et la réalité. [...] Ce que nous cherchons dans les fleurs, c'est une distraction.» (V, 177)

30. ... Ou le «petit bossu» de *Noé*, le cireur de bottes dont l'image est attachée à l'idée *monstrueuse* du mollusque à sang chaud, donc au mystère même de la création romanesque (III, 680-681).

31. *Iliade*, II, trad. P. Mazon, éd. «Belles Lettres», p. 37.

32. *Ibid.*, p. 39.

33. *Tristan*, adaptation d'André Mary, coll. «Folio», p. 120.

34. Bel et bien provoquée, en fait, ainsi que son évolution morale ultérieure, par les agressions dont elle a été victime (voir V, 684).

35. Sur les différents aspects monstrueux de *l'histoire*, voir notre article : «*Le Moulin de Pologne*, une histoire de monstres», *Bull.* n° 21, 1984.

36. Jean-Claude Coquet a bien marqué les limites de ce «discours de la vérité», vite supplanté par le travail de l'imaginaire à l'œuvre dans «la mise en scène, l'humour et l'ironie» («Le discours et la vérité dans *Le Moulin de Pologne*», *Revue des sciences humaines*, n° 169, 1978-1, p. 26).

37. «[...] je connais le cœur humain. Rien ne lui paraît plus cocasse que le récit de malheurs accumulés. Or, c'est précisément ce que je dois faire et je ne voudrais pas qu'il y ait de quoi rire. Je sais qu'avec un peu d'habileté certains feraient autour de ces faits une sauce assez piquante et qui réussirait à les faire avaler avec art. Ce n'est ni dans mon rôle ni dans mes intentions. Je me borne à dire ce que je sais de source certaine et le plus simplement du monde.» (V, 664)

38. Telle cette description de Jean, mort «défiguré par un coup de feu» : «Seuls étaient intacts son menton, toujours volontaire, et sa bouche maintenant paisible et légèrement ironique sous la bouillie de sang, de cervelle et d'os.»

39. *Op. cit.*, p. 36.

40. Cité par R. Ricatte, Notice de *Deux cavaliers de l'orage*, VI, 846.

# LE SAC DE PEAU

## par Anne et Didier Machu

L'espace, chez Giono, est continuité et contiguïté. Ce n'est que dans ce monde sans vide aucun que prend valeur le pouvoir de démesure. Ce qui sépare les êtres est un tégument si fin qu'il prend parfois figure de limite abstraite : petite peau d'eau, pellicule d'air, pellicule d'os. Les règnes peuvent bien abolir leurs distinctions et l'écorce des hommes avoisiner la peau de la mer, les êtres demeurent, sauf en des moments d'exception, contigus et fermés comme autant d'outres accolées. Et l'homme selon Giono, celui qui s'est, par la force des textes, imposé dans la mémoire collective, est peut-être ce contenant de toutes les vies, de toutes les formes, de tous les sangs, évoqué dans *Le Poids du ciel*, cette enveloppe de peau qui porte en elle l'écheveau des artères de toutes les bêtes du monde : cette figure est la formalisation mythique des personnages de la veine «paysanne», «panique», «visionnaire» et certains traits en subsistent dans les œuvres ultérieures. Ce qui nous intéresse ici est la frontière entre cet homme immergé dans la vie cosmique et le monde qui l'irrigue : cette peau qui enferme et protège, tout à la fois instrument de connaissance sensuelle et support métaphorique de multiples fantasmes. Nous voulons essayer d'en définir les fonctions et d'en ordonner les rôles, et nous interroger sur les conditions de l'osmose par laquelle se font l'adhésion au monde et l'amour des êtres[1].

## 1. Vents

> «Je suis seulement l'ouvreur de fenêtres, le vent entrera après tout seul.» (*EV*, III, 103)

«Rien ne serait arrivé sans le vent bleu.» (*Joie*, II, 568). Vent nocturne, vent de printemps, ce vent par lequel tout commence a d'abord une fonction lustrale, il nettoie, il vide. De Panturle, couché à plat ventre sur la terre et que le vent «presse comme une éponge» (*R*, I, 365), tout coule jusqu'à ce qu'il se sente «lavé de haut en bas comme un drap avec une brosse» et «vide tout d'un coup». Presque au même moment, le vent, en lequel Arsule verra son «marieur», la déshabille, lui coule partout sur la peau, la rafraîchit comme un bain : quand il s'arrête, elle n'est plus «qu'une peau toute vide» (364). C'est dans ce vide de tous deux que le vent installe le désir et l'idée de l'autre. C'est dans le «creux» qu'abritent les flancs d'Antonio que vient s'enrouler comme une herbe la longue plainte du vent qui le porte vers les femmes (*CM*, II, 203). On rencontre cette même idée d'un vide préalable dans la description du nouveau-né de Clara qui présente d'abord «une peau comme trop large» où va s'épanouir la graine du visage de sa mère (226). L'image confond des personnages très différents : la turgescence qui presse hors tout ce qui était en Panturle se retrouve dans l'évocation d'Archias, «gonflé comme une éponge», et qui s'exclame : «''[...] j'ai tout le vent dans ma peau.''» (*NO*, I, 9).

Sans doute la fonction lustrale de «ce beau vent laveur» (*GT*, I, 569), de ce vent balsamique venu d'ailleurs investir l'être, explique-t-elle la fréquente assimilation de la peau à un drap à l'étendoir. Mais plus souvent que le bonheur d'Arsule et Panturle quand vient la nuit avec «ses bras tout humides comme une laveuse» (*R*, I, 412), plus souvent que le drap qui s'enfle de vent, ce qui est évoqué est le drap qui faseye : et c'est Lazare qui refuse de renaître si c'est pour connaître à la fois l'impuissance et le désir de vivre pleinement, «avec toujours ces os malades / Et cette peau qui claque sur moi comme du linge de lessive» (*EV*, III, 113), c'est le drap qui se détache, flasque : et c'est, pour Hélène de Troie la venue de la messagère d'Hadès, «molle comme un drap tombé du séchoir» (*Th.*, 349). Et quel sens donner à cette peau sanglante qui, jetée par l'écorcheur, tombe avec «un bruit de linge mouillé» (*EV*, III, 93)? Ce vent ne laissait pas, déjà, d'être sourdement inquiétant. Nous voudrions accorder ici une place à un vent tout particulier, et clairement artificiel, à partir de cette mention de l'écorcheur.

Cet errant d'une espèce singulière fascine et effraie non tant parce qu'il tue que parce qu'il ouvre cette cave qu'est, dit Ariane, le ventre d'une bête. La mélopée d'Onuphre le boucher évoque «le bruit du soufflet qui gonfle le ventre [du mouton] et la tringle qui tape dessus» (96). Or ce sont les mêmes notations qui viennent dans *Le Grand Troupeau* en contrepoint à la boucherie de la Grande Guerre : «On gonflait un ventre de mouton avec un gros soufflet. On tapait sur le ventre gonflé avec une tringle de fer.» (I, 630). Pareille description ne fait pas seulement écho à celle des ventres gonflés qui éclatent, elle suggère une permanence du délire panique dans la folie de Verdun. Et il y a homologie entre cette terre «crevée de plaies» par la démence des hommes (*SP*, I, 471) comme la terre pleine de trous par où Pan sort en multiples vapeurs (*EV*, III, 107), et la peau des hommes sous laquelle Pan, et «le grelottement de son cœur», «tinte poésie ou folie» (*Prés.*, I, 773). Folie, ici! Terre et peau s'enflent pareillement en une pâte qui gonfle et évoque un tambour. Certes, Giono n'y désigne pas l'attribut de Ménades ou Thyades mais ce qui agit est bien une forme de dieu[2], au même titre que ce dictateur de la *Danse des âmes modernes*, «devenu le dieu et le créateur» et qui saisit enfant après enfant, leur déchire des dents la peau du crâne, leur souffle la tête comme des bulles de savon et la fait sonner «comme les bouchers font sonner le ventre des moutons morts» (*PC*, 22). Arrêtons-nous mais retenons cette image d'un tambour inquiétant qui peut signifier l'irruption, sous la peau, de la poésie ou de la folie, du désir d'amour ou de mort.

Ainsi l'être cave qu'enveloppe cette peau résonne de l'ouragan du désir comme de la visitation des dieux ou du vent panique. Battement de sang ou pulsion de la terre évoquent tous deux «le bourdonnement monotone d'un tambour de danse», «un tambour sauvage» (*Joie*, II, 141) : et c'est l'énorme bonheur qui entre en Marthe, Barbe, Honorine. Mais doute ou frénésie peuvent au même titre faire résonner l'être : sous les coups du sort, Ulysse frémit tout entier «comme le tambour d'airain des veilleurs» (*NO*, I, 121). Et s'il venait aux dieux le caprice de se glisser dans sa peau, il ne percevrait d'abord qu'un léger battement de clochette dans le vide de lui-même mais prendrait bientôt «le son de l'airain» jusqu'à ce que le grelottement de son cœur le laisse, au terme de sa folle danse, carcasse pourrie, et s'en aille sous la peau velue d'un satyre (32-3). Peut-être faut-il voir la survivance de cette horreur dans la description de tels villages morts, thorax dont «restent la peau comme une peau de tambour et l'os : une cage vide grondante de vent et d'abeilles» (*Car.*, VI, 602) ou de tel mort oublié, «momifié et avec un nid de guêpes dans la cage thoracique» (*Cœurs*, VI, 546). Or, ce sont des tambours bien réels qu'entend Valérie à l'hôtel de Lachau, quoiqu'elle se les rappelle comme «un tambour qui frappait des coups comme sur mon estomac et une grosse caisse qui me frappait comme sur mon ventre» (*DC*, VI, 76). Et l'on sait qu'elle danse peau contre peau, enceinte de deux mois. L'image de ce tambour est si porteuse d'inquiétude que, quand le meurtre rituel du sanglier vient mettre un terme à l'angoisse de *Colline*, la peau animée par le vent «bourdonne comme un tambour» (I, 218) : ce sourd bourdon nous rappelle que, si tout s'apaise par ce pacte que le sang met entre les hommes, ce n'est pas dans une réconciliation avec la nature.

Mais ce vide qu'il crée, le vent l'emplit et la peau est alors une voile qui se gonfle. Bien sûr, Clef-des-Cœurs en offre une version dérisoire avec sa poitrine tatouée d'un grand bateau à voiles que le mouvement de ses muscles anime d'un ouragan tumultueux (*DC*, VI, 145). Pourtant, ce qui emplit Archias est autre chose que ce qui inspire le lutteur de foire : c'est la visitation des dieux et : «Ça claque comme une voile!» (*NO*, I, 9). Et c'est un dieu parmi les dieux qui fait s'exprimer maladroitement le narrateur de «Prélude de Pan» : «[…] ça agitait notre sac de peau comme des chats enfermés dans un sac de toile.» (*SP*, I, 454). C'est une frénésie du même ordre qui vient un jour au Toussaint d'*Angiolina* quand il cherche patiemment à apprivoiser la montagne : «"Plus rien tenait dans ma peau : mon cœur, mon ventre, mes soufflets, tout ça ruait comme une nichée de lapins…"» (I, 750). Et de fait, on songe souvent à l'expression «ne pas se tenir dans sa peau», qu'il s'agisse de la joie élémentaire que le marchand d'huile de Megalopolis retient avec peine «dans sa peau tendue» (*NO*, I, 45) ou d'Ulysse lui-même, inquiet de sentir les figures du périple boursoufler «l'enclos de sa peau» (53).

Il apparaît que le vent, s'il s'introduit selon un mouvement involutif, comme la respiration vient «se rouler sur elle-même» (*CM*, II, 201), anime en revanche l'enveloppe de peau d'une force dynamique qui pousse l'être vers le monde. C'est la force de la graine, silencieuse explosion, cette graine du désir de *fuite* que le vent sème en l'enfant (*JB*, II, 38). Quoiqu'incohérente avec la précédente, l'image de la voile prend alors tout son sens : dans sa passion insatisfaite, Mme Hélène, qui perçoit contre ses seins les gémissements du vent et, dans sa chair, ceux de la girouette, applique les mains contre sa poitrine et imagine «des voiles de navire que le vent gonfle et emporte» (*Joie*, II, 691). L'image n'est pas si différente qui vient à Kalidassa appuyant la main sur son sein gauche : celle d'un grand oiseau chaud qui chercherait une issue entre ses côtes (*NO*, I, 69). Comme «l'arbre du sang» tient la peau de l'homme «écartée et sonore dans le vent» telle une voile qui claque, ce vent soulève la poussière et anime «l'arbre de toutes les routes» qui «tient la peau du monde debout» et invite à l'ailleurs (*EV*, III, 211).

## 2. *La transparence et l'obstacle*

> «Des serpents sans peau, avec une peau mince comme une feuille de papier à cigarettes, juste de quoi tenir leur cœur et leurs boyaux.» (*JB*, II, 28)

Mais comment sont conçues ces enveloppes où le vent du désir vient se lover — tel le serpent, dont toute la sensibilité est dans la peau (*JB*, II, 82) — pour mieux écarteler les êtres sur le monde? Ces êtres sont désignés comme des sacs de chair, isolés par leur peau mais susceptibles de communier par une sorte d'osmose. Quand Gondran, en bêchant son champ, «tache de dartre» dans le poil sain et bourru qui couvre la peau de la terre (*C*, I, 145), vient à penser que, sous les écorces, monte un sang pareil au sien, il va vers une intelligence du monde; et si Jaume, pendant l'incendie, croit mourir et a une vision des origines, ce qu'il voit danser sur les flots de son sang, ce sont «tous les sacs où se fait la vie» (202). Ces visions sont des illuminations. C'est la grande force du soir qui fait voir le monde, minéral ou organique, comme fait de multiples «vessies de sang les unes contre les autres» (*JB*, II, 99).

Bien sûr, en l'image du sac, se nouent plusieurs réseaux d'images. Sa forme renvoie à la poche utérine et à la conception de l'être comme une figure ronde fermée sur elle-même et homogène. Ainsi, à Aubert qui lui demande de se montrer femme, Catherine, dans *Lanceurs de graines*, répond d'une façon à la fois maladroite et lumineuse : «Je le suis en plein, comme un sac bourré d'une grosse femme toute nue.» (*Th.*, 188). Mais, par assimilation ou synecdoque, les outres faites de la peau entière de l'animal et encore semblables à des bêtes aux pattes raides (*BM*, II, 791), les sacs des trimardeurs, des cueilleurs d'herbes et des lanceurs de graines sont peut-être à invoquer. Albin, c'est un homme «tout bon, d'une peau à l'autre peau, tout plein de bonté, comme un sac bien rempli, et même une petite fleur de bonté dépass[e] de ses yeux» (*Prés.*, I, 775). La bonté l'emplit «comme la menthe fleurie emplit un sac» (777). «Tu es un sac de graines», dit Pauline à Jean dans *Le Bout de la route* (*Th.*, 93) — formule qui n'est pas sans rappeler celle jetée à propos de Gina et du besson : «des poissons pleins d'œufs» (*CM*, II, 342). A l'inverse, le Toussaint d'*Angiolina* est «une peau d'homme bourrée d'herbes sèches et qu'un vent particulier bouscule» (I, 745) : il est tout cela, il n'est que cela et, malgré ses pouvoirs, il est pareil à cette ammonite, ce «sac plein d'os» (*Cœurs*, VI, 537), le consul dont les «ossements cliquettent dans sa peau», comme l'os du rocher perce sur ses territoires (541). Le Toussaint d'*Angiolina*, qui sait de quelle pauvre peau il est fait, vilipenderait sans doute comme son homonyme face à Matelot et Antonio la manie de se mettre nu… Et en vérité, si chaque être est un sac de peau, qu'est donc la chemise ?

Peau ou pelage sont le premier vêtement, dans lequel on peut «marcher nu dans ses poils» (*EV*, III, 243). Panturle arrache «comme une peau» ses vêtements trempés et reste «nu sous ses poils» (*R*, I, 378). L'homme chargé de forces, «animal plein de poils», s'oppose ainsi aux autres qui sont «creux» sous la veste qui sonne «comme un tuyau» (*SP*, I, 526-8). Ces formules donnent sens à l'emphase avec laquelle, dans «Promenade de la mort», Giacomo s'expose jusqu'au dernier vêtement : «''Tiens, je m'ouvre la veste, je m'ouvre la chemise, je m'ouvre la peau.''« (*EV*, III, 311). Mais à l'inverse, le vêtement s'assimile à une seconde peau, pour autant qu'il conserve l'empreinte de son propriétaire. Il peut alors être le support de substitution d'un rapport amoureux inabouti. C'est ce rôle analogique que jouent pour Ulysse les linges de femme qui gonflent au vent «leur peau humide» (*NO*, I, 117) ; c'est le même rôle que joue plus tragiquement pour Aurore la veste de Bobi. A ceci, rien d'étonnant puisqu'au même titre, la maison, le pays sont autant de peaux qui enveloppent l'être. Et cela va parfois jusqu'à faire songer à ces portraits arcanes que sont tels paysages anthropomorphes italiens ou flamands ; ainsi, pour Ulysse, sa ferme et Ithaque sont-elles à la forme de Pénélope. Et Virgile peut éprouver la joie de se draper, de s'enrouler dans les champs de sa Lombardie. Allons plus loin : la terre tout entière est dans le ventre du ciel. Témoin la chanson du Sarde censée être rapportée dans *Le Serpent d'étoiles* : «La terre est accroupie dans le ventre du ciel comme un enfant dans sa mère.» (*SÉ*, 162). Une variante de *Que ma joie demeure* va dans le même sens mais il s'agit alors non d'une gestation mais d'une éventration : Bobi, son rêve avorté, est reparti sur le plateau ; il se voit alors dans le ventre d'une énorme bête, et ce qui y est replié, ce sont cette fois des boyaux sanglants. Dans cet emboîtement cosmique, la première enveloppe peut apparaître inessentielle, voire indésirable. Ainsi, Julia tire ses bas «comme on écorche un lapin» pour «avoir autour de la peau cette belle nuit» (*GT*, I, 568-9). Et le pouvoir de Melville est, pour Adelina, de rouler le ciel d'un bord à l'autre pour le redérouler en «une grande peau qui enveloppait à même les artères et les veines» (*Melv.*, III, 51).

L'être élu échappe au cloisonnement des êtres. Il connaît le privilège redoutable d'être exposé à vif au contact du monde. Ainsi Bobi dit-il avoir «la peau trop mince» : «Sa peau ne faisait pas barrière, mais, au contraire, elle était comme de la glu et elle le collait tout vif et tout écorché contre le monde barbelé.» (*Joie*, II, 418, var.). Mais c'est d'abord Giono qui reconnaît avoir hérité de sa mère «cette peau si fraîchement posée sur le cœur, les poumons et le foie, cette peau si mince qu'elle n'est plus une protection, mais seulement comme un enduit de glu qui colle mes viscères à vif sur le monde» (*EV*, III, 279). L'artiste, en se représentant pareillement en écorché, suggère que la sensibilité au monde, la perception de la vie éparse ne sont octroyées qu'au prix d'une vulnérabilité accrue. Le visage de la dame du mur, figure seconde de la mère et initiatrice sans concession, est fait de chair «vive», «non protégée», exposé à la vie qui le façonne (*JB*, II, 39). Et n'est-ce pas une figure sœur du jeune Jean que la fille de l'acrobate qui rêve, en entendant bourdonner les peaux du tanneur, à la bête dépouillée qui, nue dans la colline, attend le retour de sa peau gonflée de vent (49)? Ce vent, ce «souffle du monde», c'est avec lui que, à l'occasion de la mort de Costelet, vient la première mention de «l'ange», né de ce contact organique avec le monde, façonné par «toutes ces petites mains à peau fine» avec lesquelles, à travers tous nos organes, le sang touche le monde (85).

Ainsi, cette mince peau joue un rôle double comme est double le monde qu'elle défend et contre lequel elle défend : en protégeant l'être, elle le prive d'un monde aussi désirable que redoutable ; et si le vent cosmique parfois investit l'être sujet pour l'écarteler contre le monde, l'être objet, partie de ce monde, invite aussi à l'effraction brutale par la transparence de sa protection, et sa nudité. Le savant mis en scène dans le dialogue péripatéticien de *Présentation de Virgile* le formule lucidement : la nudité, qui montre le tracé de veines et artères, et le jeu des muscles, est «une invitation irrésistible à me servir de mes couteaux» (III, 1039). Mais il n'est pas seul, dans l'œuvre gionienne, à avoir cette tentation à la vue d'une peau blanche comme du lait[3] qui laisse anticiper un «sang très beau» (*Roi*, III, 461). La raison commande de laisser à leur place dedans et dehors, sans viol : «''On ne voit le sang qu'à travers ta peau. C'est beau le sang à travers la peau. Le sang à sa place''», dit le capitaine à Olivier (*GT*, I, 659). La passion, au contraire, parle en Marceau quand il contemple Mon Cadet, «tout glorieusement sanguin sous sa peau transparente» (*DC*, VI, 12). Et le sang Jason jouit en lui à la seule perspective de l'étriller, d'approcher de sa peau et de faire affleurer son sang. L'hallucination que provoque l'envie de sang chez Jacquou ne prend pas l'aspect d'une boucherie, mais d'«admirables bêtes aux formes transparentes» (*Joie*, II, 697). Ici encore, l'attente est plus précieuse que l'exutoire. Aussi la tentation de l'ouverture se sublime-t-elle en une appréciation de la beauté. Celle, pateline, qui vient à Ennemonde après la mort d'Honoré est de cette nature, mais c'est en sens inverse qu'ici joue la transparence et s'exercent la passion et la menace : «sa peau claire, fine, douce, transparente avait des affleurements du sang le plus vif» (*Enn.*, VI, 303). Menacée est en revanche la peau du ventre de Firmin demeurée mince comme du papier à cigarette. Le sang est là, et le sang, on le sait, est un autre monde : pour qu'il le demeure, Thérèse ne touchera pas à cette précieuse peau. Quand Firmin cesse de craindre que les longues aiguilles à tricot en veuillent à sa peau, c'est d'une autre façon, figurée et bien plus redoutable, que Thérèse joue indéfiniment avec son enveloppe : «Elle le laissa se gonfler ''d'importance'' jusqu'à ce qu'il soit transparent comme une bulle de savon.» (*ÂF*, V, 458).

Parfois, pourtant, le déchirement signifie une libération. Nous ne parlons pas de ces héros qui trouvent une mort fulgurante ; leur modèle n'est pas autre que le rossignol du père Jean qui s'use l'os du crâne contre ses barreaux et, quand il n'en subsiste qu'une «pellicule» sous laquelle bat la cervelle, prend un large envol et s'éclate la tête (*JB*, II, 128). Nous pensons plutôt à ces moments privilégiés où l'être et le monde échangent leurs substances, où, dit Giono, mon corps et le monde sont dans un si intime mélange que je ne puis faire le partage (*EV*, III, 206-7). Mais c'est l'amour qui me porte, sans lequel tout mélange, propre ou figuré, serait horreur ou dérision. Comparons deux pages. Panturle, lavé de vent, est las comme si, de trous dans ses bras et jambes, on eût laissé couler sa force pour mettre en la place «du lait avec des fleurs de sarriette» (*R*, I, 345). Accédons maintenant aux sentiments de Joseph, blessé au coude dans la glaise de 14-18 : «Ça le vidait. Il lui semblait que l'air entrait dans lui par ce trou, qu'il n'était plus entier et bien fermé au milieu de l'air mauvais, mais que déjà tout cet extérieur […] commençait à entrer dans lui […]» (*GT*, I, 631). Où est-il, ce vent qui met du petit lait dans la cervelle ? A titre de confirmation, comparons encore deux formules de Giono : dans «Magnétisme», il lamente le sort des hommes des villes qui respirent un air déjà respiré sortant du boyau des autres, tandis que d'autres, au prix de la solitude et du désespoir, inhalent un air pur (*SP*, I, 526). Mais n'est-ce pas la même image, renversée dans sa valeur, que nous évoque Albin, à la Douloire, collant sa bouche à la serrure et glissant sa voix dans le fer froid ? Angèle colle sa bouche de l'autre côté et lui répond en quelques mots tout chauds qui passent d'une bouche dans l'autre sans se rafraîchir à l'air ; et cette fois, il s'agit de la caresse d'un vent parfumé : l'élection mutuelle de deux êtres fait toute la différence. La porte se substitue à cette membrane perméable qu'est la peau entre deux êtres amoureux.

## 3. Le partage de l'amour

> «[…] le gouffre imaginaire de l'amour simplement physique est, si j'ose le dire (et je l'ose), un cul-de-sac.» (*PC*, 11)

C'est la leçon du baïle au petit pâtre : «''[…] aimer, c'est joindre.''» (*SÉ*, 65). Cette adhésion aux choses, cette jonction avec les êtres va jusqu'à évoquer une «gluante succion de poulpe» (*EV*, III, 207). L'image n'est pas isolée dans son excès. Julie, qui vient de danser seule, avec sur son visage «l'extase des femmes accouplées» (*Pol.*, V, 704), éveille dans l'assistance une réaction semblable à celle que suscite le spectacle de «chiens collés» (707). Voici une comparaison bien brutale[4]. Et pourtant, c'est ce terme qui revient constamment dans la description de contacts amoureux : Joséphine est «de la cheville à la hanche […] collée contre» Bobi (*Joie*, II, 703). Valérie, évoquant la danse rouge à l'Hôtel des Deux-Mondes, use du terme avec insistance : «On dansait collé de partout. On était attaché dans […] tout ce qui se frottait contre vous, partout. […] J'avais ce grand blond collé si fort sur mon devant que je sentais bouger le plus petit de ses os.» (*ÂF*, VI, 77). L'habile Pénélope «colle sa chair humide» contre le flanc d'Ulysse afin qu'Aphrodite puisse mieux l'assister (*NO*, I, 100). Les îles, femelles, ne dépêchent-elles pas vers la carène vents et oiseaux comme «pucelettes [...] se frottant contre le flanc de la carène» (5)? Faut-il encore citer Jacquou souhaitant une femme pour «se la plaquer contre» (*Joie*, II, 633) ou le berger avançant et reculant dans sa danse avec Antoinette en sorte qu'ils demeurent soudés «ventre à ventre» (*JB*, II, 113)?

Nous avons à dessein mêlé ces illustrations, non seulement parce que, chez Giono, l'élémentaire n'est pas ignoble, mais aussi parce qu'il peut demander une science non commune du rapport à autrui. La baronne et Murataure «se frottaient» mais ils ne se frottaient pas «tout simplement» : au contraire, c'était «très compliqué» (*IS*, VI, 414-5). C'est très compliqué parce que tout le mystère du monde est dans cet accolement peau contre peau. Revenons à l'hôtel de Lachau. Valérie avise les portes rondes grand ouvertes. Emportée par le cavalier qui la prend, elle perçoit le rond clair de l'entrée qui s'éloigne vertigineusement. Et de l'homme contre elle, elle voit le gros œil comme un œil de bœuf contre son œil. Quand elle mentionne «le rond de clair pas plus gros que cent sous» que figure la porte, elle se souvient qu'entre elle et l'homme est l'enfant qu'elle porte en son ventre. Et c'est en ce sens que nous prenons la formule par laquelle W.D. Redfern définit l'amour chez Giono : «une force centripète et adhésive»[5]. Le couple ne fait que s'inscrire et s'enfoncer plus profondément dans un cercle. Les amants s'accolent en une sphère.

L'amour est rond. Le cercle, où s'inscrit l'union des corps accolés, est plénitude[6]. Intuitivement, l'enfant comprend que «toute la rondeur du monde, tous ces fruits de lunes et de soleils [sont] portés dans les rameaux des bras noués, des bouches jointes, des ventres assemblés» (*JB*, II, 97). On retrouve la métaphore du fruit partagé dans la description de Mme Tim en Pomone effusive, foulant des grappes d'enfants, en saisissant un pour le faire s'écarquiller «de membres et de rire; et quand il était ainsi bien ouvert comme une pêche qu'on a partagée par le milieu, [...] elle se l'appliquait sur la bouche pour le baiser» (*RD*, III, 519). Mais des lèvres de Joséphine, si différente, le gémissement amoureux coule «comme du jus de fruit» (*Joie*, II, 703); et Joseph embrasse Julia «comme s'il mordait dans une tranche de melon» (*GT*, I, 568). On pourrait multiplier les exemples de cette union fruitive, de ce «rond mélange qui forme le fruit du monde» (*SP*, I, 512). Il s'agit bien d'un mélange, et d'un échange, d'humeurs : la plus belle image qui l'illustre est l'épilogue du *Chant du monde* : Clara et Antonio sont deux bouteilles qu'on vide l'une dans l'autre, alternativement et qui «s'illuminent l'une l'autre avec le même vin» (II, 410). En travail comme du vin nouveau, le corps d'Arsule exaspéré ne trouve que le dos de Gédémus. Et Panturle et Arsule ne seront pas pleinement réunis avant d'être accolés en «une même boule de chair» par le silence, eux que le bruit de la foule a «tranchés comme un couteau» (*R*, I, 411-2). On songe, bien sûr, au mythe d'Aristophane dans *Le Banquet* et c'est Odripano qui lui donne ici sa formulation, en s'adressant au père Jean : «On est toujours des moitiés.» Ainsi, chacun a «la moitié du cœur qui saigne parce que l'autre lui manque, celui sans lequel il ne sera pas un beau fruit de la terre» (*JB*, II, 175).

De ces échanges d'humeurs par lesquels la vie se communique d'un être dans un autre, «Promenade de la mort» donne l'illustration la plus sauvage sous la forme du *nocturne*, où un animal s'emplit aux dépens d'un autre qui se vide, où «la vie se transvase» (*EV*, III, 345), nocturne qui «fait flotter la nuit comme un drap à l'étendoir» (349). Mais évoquons une autre nuit chaude : celle qui réunit Antonio et Clara dont il frotte la peau avec de l'eau-de-vie : «Toutes les vallées, tous les plis, toutes les douces collines de ce corps, il les sentait dans sa main, elles entraient dans lui, elles se marquaient dans sa chair à lui à mesure qu'il les touchait avec leurs profondeurs et leurs gonflements [...].» (*CM*, II, 220). On sait la fréquence dans l'œuvre de ces onctions, massages, frictions, dispensés par le plus fort au plus faible. Mais ce qui nous retient ici, c'est que cette communication tactile mène à une identification, voire à une coïncidence des corps ; laquelle a ici une fonction très particulière : réunie à lui en un seul corps, Clara pourra bientôt, médite Antonio, non seulement le connaître tactilement, toucher le fleuve «avec toute sa peau», toucher les poissons qui feront «claquer leurs nageoires contre sa peau» (246-7), mais, *par* Antonio, toucher «les renards, les chats [...] et les aurores» (258). Connaissance par procuration, comme elle ne fait que s'ébaucher pour cet autre aveugle, Fidélin, au milieu des couturières «bien gentilles, bien frotteuses» (*SP*, I, 483). Ainsi, Clara est dans Antonio, mais Antonio est «dans Clara», «entouré d'elle» (410).

Mais évoquons une autre de ces nuits où le ciel est si souvent tendu comme une voile : celle où Joséphine retrouve Bobi dans la chaleur du cerf. C'est ici l'isorythmie qui mène à la coïncidence des corps : «Ils balançaient doucement leurs bras et, de temps en temps, le dos de leurs mains se frôlait.» Puis un jeu de pas les fait s'accoler l'un à l'autre, terme pour terme : «[...] ils s'étaient subitement trouvés l'un contre l'autre : elle arrêtée, lui qui était venu s'appliquer sur elle depuis le ventre jusqu'aux épaules. Pour ne pas tomber, il la serra dans ses bras. Alors, doucement elle avança la tête et elle l'embrassa de sa pleine bouche, sur sa pleine bouche à lui au moment où il allait parler.» (*Joie*, II, 566). C'est encore par l'isorythmie des gestes, puis le mélange des sangs — l'irruption du sang du plus fort dans le corps du plus faible — que s'opère la communion amoureuse, si l'on en croit les propos de Jean à Albert dans *Le Bout de la route* : «Tu n'as jamais essayé [...] de ne plus faire qu'un poing de sa main et de la tienne ? Et les deux corps sont unis, comme ça. Alors, tu marches et tu te balances ton bras et voilà que toute ta force passe dans elle, et [...] c'est toi qui fais rouler ton sang par tout son corps, du même roulement que le tien roule [...].» (*Th.*, 17)[7].

Giono n'emploie d'ailleurs pas d'autres termes pour désigner la façon dont il entre dans un personnage et essaie de coïncider avec lui. Le pas plus long qui fait se rejoindre et se joindre Bobi et Joséphine est le même par lequel Giono devient Melville au retour des collines : «[...] je n'avais toujours que quelques pas à faire pour le rejoindre et, dès la nuit noire tombée, au fond des ténèbres, le devenir. Comme si d'un pas plus long je l'avais atteint et que je sois entré dans sa peau, mon corps se couvrant aussitôt de son corps comme d'un grand manteau [...]» (*Melv.*, III, 4). Le romancier et ses personnages sont dans la même relation que deux créatures de fiction en mal de *sympathie* : si tel personnage est pour son voisin un homme «tout en marbre» où «n'y a pas de trou pour entrer dans son dedans» (*Angiolina*, I, 727), Thérèse est, pour Giono, un personnage tel qu'il n'y a «pas moyen de pénétrer dedans»[8]. Le narrateur d'*Un de Baumugnes* est romancier quand il imagine le comportement de Clarius après qu'Angèle se soit enlevée : «Cette Douloire, c'était dans ma peau», avoue-t-il (I, 306), pour préciser tantôt : «[...] cette Douloire, [...] le Clarius, ça avait pris de la place dans moi.» (306), tantôt : «Il me semblait que j'étais dans sa peau [...]» (305). Il ne s'agit pas d'amour au sens ordinairement restreint, mais, on l'a suggéré, de sympathie, de compassion, au sens plein des termes ; ainsi est permise cette présence de chacun dans l'autre. Certes, quelques pages, telle celle où Giono dit avoir «coïncidé exactement» avec M. V. (*Noé*, III, 615) sont un jeu quelque peu complaisant. Pourtant l'image garde sa vérité et, quand l'écrivain évoque le «Hadès des personnages de roman» (663), si l'on songe inévitablement à ces ombres qui implorent Ulysse de leur faire boire un peu de sang pour qu'elles accèdent à un semblant de vie, il faut se souvenir que le don du sang passe ici par un accolement, un accouplement, où se véhiculent les humeurs. Mais faute qu'à ces ombres, elles-mêmes composites, et attirées par «ce sentiment tout frais, prêt à couler dans leur chair d'ombre», il revienne un sentiment exactement semblable, le créateur et le personnage expectant sont «monstrueusement mélangés, mal soudés, abouchés à la diable et de guingois», les conduits de l'un ne se prolongeant pas parfaitement en ceux des autres. Ainsi naît le personnage véridique et inventé. A cet égard, l'écrivain n'est-il pas l'émule de l'astucieuse Pallas dont — médite Pénélope — «on ne sait jamais si les ruses sont ruses, tant elle a de malice à souffler le mensonge dans la peau vide des réalités» (*NO*, I, 78) ?

Jusqu'où peut aller cette communion avec la création, cette osmose universelle ? Le principe en est sans doute à trouver dans les simples propos du berger de «L'Eau vive» :

> «"[...] voilà ma peau, tu vois ma peau, tu la vois ? De deux choses l'une, d'un côté de cette peau il y a dieu, de l'autre côté de cette peau il y a moi. Si c'est ça alors lui et moi nous ne pourrons jamais nous rencontrer. [...] On sera séparé de lui par notre peau, par l'écorce.
> Ou bien la peau ne fait pas barrière et il est de chaque côté. Mais dans ce cas, moi je suis un morceau de dieu. Choisis."» (III, 109)

Or, le narrateur, cette *persona* de Giono, est impuissant à choisir. S'il le faisait dans le sens du panthéisme et de l'immanence, le mouvement involutif, puis explosif qu'on a vu à l'œuvre se prolongerait en un élargissement continu à travers toutes les écorces du monde. Mais pareille vision est rare. C'est parfois une lumière particulière qui l'inspire ; ainsi pour le jeune lecteur de Virgile à qui, à la tombée du jour, hommes et bêtes ne paraissent plus «séparés par les contours étroits de leur peau», mais fondus ensemble (*Virg.*, III, 1052). C'est l'obscurité naissante qui, du groupe des charpentiers, ne propose plus que «des formes mélangées et unies» (*Joie*, II, 926). C'est une *vision* passionnée que celle de cette grande vie qui n'est pas «enfermée dans chaque nuage, homme, bête ou cheval mais qui passe de l'un à l'autre sans barrière» (568). Et si ténue soit-elle, la barrière subsiste entre l'arbre et l'oiseau : «Il n'y avait que ces barrières de peau entre les sangs [...].» (*JB*, II, 99). La communion, quand elle est fugitivement perçue, est entre des êtres distincts. Être épandu dans le monde est une vertu des dieux, de ces dieux qui se continuent hors de l'homme, passent «de l'homme à la bête, de la bête à l'arbre, de l'arbre à la terre comme le fleuve et le vent traversent et unissent d'immenses pays» (*Virg.*, III, 1057). Cette peau qui nous sépare du monde en demeure le moyen de connaissance privilégié : la sensation qui vient au narrateur de «La Vie de Mlle Amandine», après qu'il ait gravi la montagne, est celle «d'un corps immense qu'on a tenu et qui a été sympathique à tous les plis de votre corps» (*EV*, III, 138). Est-elle tellement différente, toutes proportions gardées, de l'appréhension de la montagne qu'acquiert le Toussaint d'*Angiolina* en se battant avec elle toute la nuit, tel Jacob, elle avec ses grands os plats, lui avec ses mains qui griffent la glace ?

Toutes les expériences de Bobi échoueront : il viendra toujours le moment du doute où l'on vient à conclure : « "Il n'y a pas d'espérance puisque mes artères rebroussent chemin quand elles arrivent près de ma peau et qu'elles ne feront jamais un canal continu avec les artères de ceux que j'aime." » (*VR*, 86) et à désespérer avec Bobi, près de sa fin : « "La chair est seule. Il n'y a pas de compagnons." » (*Joie*, II, 773). Il n'importe : l'homme pur, «solidement attaché au ventre du monde» et que les artères du monde irriguent sans changer de ruisseau (*PC*, 38), contenant toutes les vies dans sa peau, cet homme mythique existe bien par la force du rêve, même si c'est le rêve d'une Arcadie. S'il est un «archange animal» (33), c'est un archange déchu qui veut toujours la guerre, et nous serions tentés de conclure avec Jean Decottignies dans le sens de la *mélancolie*. Peut-être Giono n'a-t-il jamais cru en une symbiose qui abolirait l'altérité. Il faut, pour l'imaginer, la lumière trompeuse issue des pages de *Virgile*. Peut-être est-il même exclu de s'interroger sans poser, ce faisant, une partition du réel et de l'imaginaire.


NOTES

Les références sont, sauf indication différente ci-après, aux tomes I à VI de l'édition Gallimard de la «Bibliothèque de la Pléiade» : *Les Âmes fortes (ÂF). Angiolina. Batailles dans la montagne (BM). Caractères (Car.). Le Chant du monde (CM). Cœurs, passions, caractères (Cœurs). Colline (C). Deux cavaliers de l'orage (DC). L'Eau vive (EV). Ennemonde et autres caractères (Enn.). Faust au village (FV). Le Grand Troupeau (GT). L'Iris de Suse (IS). Jean le Bleu (JB). Le Moulin de Pologne (Pol.). Naissance de l'Odyssée (NO). Noé. Le Poids du ciel (PC),* Gallimard («Idées», 253), 1971. *Pour saluer Melville (Melv.). Présentation de Pan (Prés.). Que ma joie demeure (Joie). Regain (R). Le Serpent d'étoiles (SÉ),* Grasset, 1933. *Solitude de la pitié (SP). Théâtre de Jean Giono (Th.),* Gallimard, 1943 [*Le Bout de la route, Lanceurs de graines, La Femme du boulanger, Esquisse d'une mort d'Hélène*]. *Un de Baumugnes. Les Vraies Richesses (VR),* Grasset, 1972. *Un Roi sans divertissement (Roi). Virgile (Virg.).*

1. L'abondance des références textuelles que nous donnons pour étayer nos conclusions pose notamment le problème de l'énonciation. Notre conviction, que nous souhaiterions pouvoir davantage justifier ici, est que, notamment dans les premiers textes mais également dans les suivants, il n'y a pas d'écart majeur dans

la pratique des images entre le narrateur et les divers actants privilégiés ; les usages de l'un et des autres évoluent parallèlement au fil des œuvres.

2. C'est encore par un geste démiurgique que l'écorcheur (ainsi désigné), de son couteau pointu, sépare «la peau de la terre chargée de sa laine d'arbre de la viande de la terre» (*BM*, II, 980). Il n'est pas un simple émule de Philémon ; il est, dirait Bourrache, celui qui peut rouler le tapis quand il veut» (1002) comme s'arrachent les champs de blé traînés par les armées, telles des peaux de lion. S'il est vrai qu'à la fin du monde «la terre se secoue comme un drap» (*Joie*, II, 587), on ne peut manquer d'évoquer aussi ce «spasme de la terre» que Giono appelle presque de ses vœux — pour peu qu'il compte parmi les sauvés (*SP*, I, 728).

3. L'image du lait, si banale soit-elle, n'est pas gratuite. C'est le narrateur de «Silence» qui compare l'effusion éblouie du sang au premier lait sucé par le nouveau-né aveugle (*FV*, V, 179).

4. Ne peut-on croire que Giono, de même façon, charge délibérément le sens du terme *peau* dans la collocation suivante : «Elle faisait la *peau* avec sa fille. Elle habitait le quartier des tanneurs. [...] Six mois avant, elle s'était *collée* avec un vieux.» (*ÂF*, V, 414). Une ligne du *Moulin de Pologne* confirmerait notre soupçon : il y est dit que Julie courtisait le destin, ayant ce besoin «dans le sang comme d'autres ont le besoin d'être *peaux*» (*Pol.*, V, 744).

5. «Giono et la rondeur de l'amour», *La Revue des lettres modernes* [*Jean Giono 1*], n° 385-390, p. 183.

6. A cet égard, l'amour gionien comme rondeur partagée présente un cas tout particulier sur lequel il y aurait lieu d'interroger l'inconscient de l'écrivain : c'est le thème de la gémellité. Les bessons sont bien, en effet, deux sacs accolés (ou un sac partagé), donnant un sens inattendu à la formule selon laquelle toute connaissance est d'abord co-naissance. Nous n'en parlerons pas davantage, sinon pour rappeler avec quelle force Bobi affirme à Jourdan : «"Avant de naître, [...] tu savais plus. Et tu savais juste. Et ce qui t'a appris, c'est l'endroit où ta tête était collée dans le ventre de ta mère. Un morceau gros comme ça."» Et il montre l'ongle de son doigt en ajoutant : «"Mais ça a une voix comme qui dirait... électrique !"» (*Joie*, II, 461). La même force électrique que Giono prête à la graine : «une vieille force électrique qui traverse les peaux les plus coriaces» (623). De là à voir dans l'amour gionien une nostalgie des origines, il n'y aurait qu'un pas, à franchir avec circonspection.

7. S'il fallait confirmer ce rôle de l'isorythmie des sangs dans la relation amoureuse, on évoquerait les termes en lesquels Gina apostrophe le besson dont le désir ne voyait, à travers sa robe, que le modelé de son corps : «"Tu n'as jamais eu l'œil assez aigu pour entrer dans moi au-delà de ma peau. [§] Qu'est-ce qui entre en toi quand tu me touches ? Ce chaud, ma peau douce, c'est tout. Tu crois qu'un jour tu pourras entendre un peu le bruit de mon sang ? Jamais de la vie !"» (*CM*, II, 314).

8. Entretien avec R. Ricatte, août 1955, III, 1295.

# GIONO ET L'ALPE IMAGINAIRE

## par Robert Ricatte

Simple remarque sur ce titre : il se réfère au terme de «Sud imaginaire» par lequel Giono, dans la «Préface» de 1962 aux *Chroniques romanesques*, désigne la Provence de ses livres, créée, prétend-il, de toutes pièces (III, 1277). Or cette Provence fictive est loin de constituer toute la géographie littéraire de Giono : il a voyagé et séjourné, et souvent avec passion, dans les Alpes françaises; mais celles-ci, en passant dans l'œuvre, sont, elles aussi, devenues un espace mythique. D'où cet emploi d'un singulier, généralisateur et annexionniste, cette «Alpe imaginaire» où je me permets de faire entrer sans vergogne une gorge du Jura suisse ou l'à-pic de Tristan-da-Cunha.

Plutôt que du mouvement qui intéresse à la fois l'homme et son entour et qui caractérise moins bien peut-être l'Alpe de Giono, il sera ici question d'espace et de matière. De l'espace d'abord, d'un espace perçu dans les hauteurs. Giono célèbre les privilèges de l'altitude. «La montagne est ma mère», dit ce Provençal dans le *Voyage en Italie*[1]. Passons sur son affirmation aventurée qu'il y a moins d'imbéciles à mille mètres qu'au niveau de la mer[2]. Moins contestable est la réflexion de Tringlot, son truand en fuite. Dès qu'il aborde au Jocond, il se sent hors d'atteinte et dans un autre monde; il se dit : «Je comptais aller loin, mais ici, c'est autre chose que loin, c'est ailleurs» (VI, 383). Cet «ailleurs» va favoriser la métamorphose du bandit, qui optera pour la vie la plus dépouillée, la plus nue. L'altitude purifie. Dans *Un de Baumugnes*, le mot qui revient sans cesse pour caractériser l'extraordinaire rayonnement d'Albin, fils des Alpes, c'est le mot de «pureté» : si Clarius, au dernier moment, a baissé son fusil, c'est qu'il se trouvait devant «un homme pur comme de la glace» (I, 314). Pureté liée d'ailleurs ici à un aspect religieux de la montagne. Les ancêtres d'Albin étaient des martyrs hérétiques montés se réfugier dans le plus haut asile que les Alpes leur offraient et qui a fait de leurs descendants des hommes à tout jamais limpides. Marie, la jeune protestante de *Batailles*, se dit avec simplicité : «Dieu est assis sur les montagnes». Par opposition au monde d'en bas, caché par les nuages, «notre monde véritable apparaît», songe-t-elle en regardant surgir d'innombrables glaciers : «Oh ! c'est la grande immobilité des hauteurs [...]. Tout se fait dans le calme et le temps éternel» (II, 1070 et 798). Aux yeux de cette enfant, l'altitude à elle seule introduit à la paix, à l'éternité du royaume de Dieu.

Les effets de l'Alpe imaginaire ne se réduisent certes pas à ce rêve piétiste, dès qu'on y regarde de plus près et que l'on définit cet espace en termes d'ouverture ou de clôture, ou selon l'orientation de sa verticalité.

Espace ouvert, d'abord. La haute montagne prodigue l'étendue. Une sorte d'allégresse panoramique s'empare du style de Giono dès qu'il offre à Tringlot, parvenu au but de la transhumance, l'immense diversité d'un vaste paysage éclairé par le soleil levant :

> «A mesure que l'heure passait, la lumière écartait davantage les branches de son éventail ; des décors s'effaçaient, d'autres se dressaient ; un pan de forêt en écailles noires, des rochers ruinés qui échangeaient quelques gros oiseaux, la couronne grenat d'un village de bois au sommet de vertigineuses prairies [...], une étroite chute d'eau dressée immobile sur le socle des bosquets, bourdonnant comme un bourdon, une forteresse dépenaillée dans des ardoises, la fourrure des frênes le long des sentes, les éclats de lumière dans les pierriers [...]. Quelqu'un, loin, balançait en mesure dans les herbes roses l'étincelle d'une faux ; à un détour, apparaissaient en plein ciel comme des îles quelques triangles de sucre, des taches de corail.» (VI, 383)

Tout concourt ici à la joie de voir : Giono se dilate à cette ouverture du monde[3]. Et pourtant il semblerait parfois espérer une *clôture* à laquelle il faut donner sa signification monastique : sa maison des Queyrelles avait le caractère d'une «chartreuse», une «allure de couvent»[4]. Lors de son premier séjour à Tréminis, il saluait l'espace restreint du Trièves, qui le laissait «seul dans ces grands murs de mille mètres d'à-pics», car «cette construction-là avec ses quatre énormes montagnes où s'appuie le ciel» — il s'agit du Jocond, du Ferrand, de l'Obiou et du Grand Veymont —, «cette construction, c'est la chartreuse matérielle où je viens chercher la paix»[5].

Mais on s'étonne alors du caractère souvent sombre, voire tragique, de ces premières nouvelles, inspirées par le Trièves et reprises dans *L'Eau vive*, par exemple cette *Possession des richesses*, que je viens de citer et qui se termine par une fusillade, ou *L'Automne en Trièves*, qui conte les maléfices de cette saison et de cette région. Quand Giono centrera à Lalley le drame de *Un roi sans divertissement*, la clôture du lieu aura un sens univoque : elle est faite pour le drame et rien que le drame. Et d'abord elle se perfectionne ; au lieu de quatre montagnes dont Giono parlait jadis, en voici sept et qui forment un «fer à cheval» ; et ailleurs, il n'hésite pas à aller prendre dans la vallée de la Romanche le massif du Taillefer pour l'ajouter au Jocond, au Ferrand, à l'Obiou et au Veymont, le Veymont qui d'ailleurs appartient lui-même au Vercors (III, 458 et 481). La région semble verrouillée, pour peu que le mauvais temps s'en mêle et que le col de la Croix-Haute devienne infranchissable, tandis que les nuages recouvrent graduellement Lalley jusqu'à cacher le clocher de son église : voici venir le temps de la peur et les divertissements macabres de M. V.

Autre forme de la clôture : les défilés et les gorges. Il n'en manque pas dans les Alpes, mais Giono se plaît à les multiplier et à les peindre du noir le plus noir. Voici Tréminis à sa première apparition anonyme dans *Le Chant du monde* :

> «C'était une haute vallée noire d'arbres noirs, d'herbe noire et de mousses pleines de pluie. Elle était creusée en forme de main, les cinq doigts apportant toute l'eau de cinq ravinements profonds.» (II, 206)

Châtillon-en-Diois, d'abord présentée comme une petite ville ensoleillée, ce qu'elle est, devient, ce qui est faux, «un carrefour de vallées» où «les gorges de la montagne déversaient des torrents de vent glacé et des grésils» (V, 354). Avec l'Ubaye où se situe *Hortense*, Giono s'en donne à cœur joie, encaissant à plaisir son village entre des murs de schiste noir. L'ascension ferroviaire de Jean le Bleu dans *Le Poète de la famille*, a quelque chose de fantastique, tant la voie grimpe presque à la verticale dans des détroits de plus en plus serrés :

> «A chaque instant de l'eau, de la glace et du rocher étranglaient le passage, ou bien des abîmes tranchants et bleus comme des couteaux le traversaient.» (III, 416)

On croirait lire *Le Puits et le Pendule* d'Edgar Poe, où l'on est menacé à la fois par le rétrécissement des parois et la coupure des lames aiguisées. Il ne reste plus à Giono, dans ce jardin des supplices, qu'à faire agir entre les deux flancs de la gorge une irrésistible poussée verticale ; c'est à quoi il recourt, pour expliquer que les loups, dans *Un roi*, soient éjectés, littéralement, du Vercors ou du Dévoluy vers le Trièves :

> «Les vallons obscurs de Bouvante et de Cordéac furent serrés comme dans un pressoir à vis par les gels qui y écrabouillaient tout ce qu'il y avait de vivant ou le faisaient gicler hors des frontières.» (III, 522)

L'Alpe fait donc travailler l'imagination de Giono sur des schèmes de constriction passablement inquiétants.

La circularité est encore chez lui une des formes favorites de l'espace restreint. La description pourtant luxuriante de l'automne, dans le même roman, procède par des cercles juxtaposés ou successifs : «horizons fermés du Grand Ferrand», semblables à une mâchoire de fauve, «conque d'herbe», «cratère de bronze», «bol de faïence»... Plus significative encore, la façon dont Giono dispose autour du hêtre flamboyant de M. V. «les forêts, assises sur les gradins des amphithéâtres des montagnes, dans leur grande toilette sacerdotale» (V, 472, 473, 474).

Enfin l'espace montagnard est souvent un espace du dedans. Il n'est point fatalement dangereux : Tringlot, parvenu à l'altitude voulue, se réjouit d'être «"caché sous la montagne"». Il ne disait pas "sur la montagne", mais "sous la montagne". Il avait l'impression d'entrer dans des vestibules sombres et sonores, comme au fin fond de la nuit déserte» (382). Il s'agit d'un creux encore imaginaire, mais qui, par le sentiment de sécurité qu'il inspire, en dit long sur la valeur *utérine* que peut prendre la montagne. Ses cavernes ou ses tunnels offrent chez Giono de curieuses combinaisons structurales. Dans *Batailles*, deux grottes s'opposent : celle du glacier où les paysans de Villard mettent leur vin à mûrir et qui les en a punis en les écrasant, puis en les inondant ; et, d'autre part, celle de Rognon où les forestiers ont caché la dynamite qui va permettre de vaincre l'inondation : rôle maléfique de l'une et bénéfique de l'autre. Dans *Le Poète de la famille*, de nouveau une cavité dans la montagne, l'usage d'un explosif et le jaillissement de l'eau se trouvent associés, mais différemment : Djouan place dans un tunnel que sa mère a creusé un mélange détonant inventé par lui, et il fait ainsi jaillir une énorme chute d'eau, sacrilège et triomphale. Pour l'heure, c'est lui, le «poète de la famille», grâce à sa capacité de détruire et de transformer, en accouchant la montagne de ses eaux : celle-ci fait rêver à son dedans comme à un désirable objet d'effraction, et elle sollicite chez Giono un rêve tenace d'éventration, lié à la fonction même de son écriture.

Elle est, cette montagne, essentiellement, ce qui se tient debout, et souvent très haut, ce qui se dresse au-dessus de vous. Il en va de cette verticalité ascendante comme de la clôture spatiale : elle offre à Giono ou à ses personnages tour à tour des plaisirs et des terreurs. Quand Marie et Saint-Jean, partis chercher l'indispensable dynamite, ont contourné en rampant le flanc de Verneresse, ils ressentent, à voir s'élancer dans les airs la falaise de Rognon, une curieuse exaltation : «C'était vraiment», se disent-ils, «comme si on sautait d'une vie dans l'autre.» (II, 1102)

Au contraire, toujours dans *Batailles*, la montagne qui domine Villard jaillit comme une menace «au ras des maisons», d'où l'on ne peut monter que par un sentier «raide comme une échelle, comme si on se tirait d'un puits» (II, 806). Or l'on sait quel signe de perdition représente le puits dans toute l'œuvre de Giono. Même si la verticalité se dessine par la plus invisible et la plus mélodieuse des trajectoires, celle d'un oiseau, on se sent soudain perdu au sein d'un univers totalement étranger ; c'est le sentiment que ressent Saint-Jean, en train de redescendre du Sauvey :

> «Une alouette s'était mise à chanter. Puis il l'entendit monter dans le ciel en chantant et disparaître, laissant seulement ce grésillement acide planté devant lui.»

Et Saint-Jean s'écrie en lui-même :

> «On était donc vraiment rien sur terre ? [...]. Le monde semblait avoir des répondances avec tout sauf avec l'homme.» (II, 946)

Une ligne droite qui monte au ciel, une simple ligne, et elle vous exile du monde.

Quand cette ligne descend au contraire devant lui, les rêveries de Giono témoignent d'une imagination plus uniformément dysphorique, mais également plus riche. Une montagne à pic l'invite à songer à une invasion de bêtes ou d'hommes qui en tomberaient vers lui. Dans *Prélude de Pan*, le vagabond divin déclenche, venue du Garnesier, la plus inattendue des avalanches, celle des bêtes de la haute forêt qui dévalent pour venir s'allier en un monstrueux coït avec les hommes et les femmes du village. Dans le projet des *Fêtes de la mort*, ce qui assurera la victoire aux paysans insurgés, c'est la furieuse descente des troupes montagnardes de l'aveugle de Saint-Véran, venues, violon en tête, massacrer tout sur leur passage. Et que, dans l'imaginaire de Giono, ces dégringolades maléfiques soient nées de la vision hallucinée d'une pente, on en a la preuve par une note de son *Journal* et le commentaire oral qu'il en donne ; on est en avril 1935, *Batailles dans la montagne* s'appelle encore *Choral*, et Giono écrit : « *Choral* a des rapports profonds avec de vieux rêves dont la graine se trouve dans le vallon de Tréminis, dans le Val Noir. » Et il explique en 1970 : « Dans une première construction, il y avait un chef de jacquerie paysanne [...]. On y voyait le personnage, qui était un homme aveugle [...] et qui descendait sur sa mule dans un chemin que je connais très bien, qui est celui du Val Noir. » (III, 1390)

En fait, dans *Batailles*, la boue remplacera les hommes ou les bêtes, mais, on le voit, face à l'inclinaison d'une étroite vallée, Giono unit dans une même vision une énorme chute inerte de fange et une fantastique descente de vivants forcenés.

Déjà la boue fournissait à la cascade d'animaux en rut, dans *Prélude de Pan*, un équivalent stylistique : « Ça dévalait sur les pentes comme un éboulement, comme un écroulement de boue » (I, 456). Et, inversement dans *Batailles*, Marie, luttant de vitesse avec la montagne qui s'effondre, voit « glisser avec elle [...] des sortes de grosses bêtes qui étaient des tas de boue fraîche » (II, 814). Aussi bien en ce premier chapitre qu'au chapitre 6, inlassablement Giono montre au lecteur halluciné cette gigantesque coulée qui précipite du haut de la montagne des pans entiers de forêt.

Il ne s'agit pas seulement de catastrophes physiques : du point de vue psychologique, la montagne amène les personnages de Giono à une vision bouleversante de la vie, à une sorte d'horreur sacrée. Il se trouve que le même épisode de l'exploit de Saint-Jean et de Marie présente successivement trois de ces effets presque surnaturels de l'espace.

Le premier est bien connu, c'est le vertige. Les deux personnages progressent pas à pas au flanc de Verneresse, qui s'avance en saillie au-dessus de la vallée :

> « Le vide s'ouvrit brusquement devant eux, arrondissant en bas comme une roue de plumes de paon. L'air du gouffre était gluant ; il collait contre le corps [...]. Il poussait des doigts de colle jusque dessous, jusqu'à la peau. Il tirait vers lui. [...] A chaque pas, battait doucement cette roue de plumes de paon avec ses ronds gris et roux, ses plumes jaunes, ses duvets de neige, ses pâturages, ses forêts noires. Elle était là comme si on pouvait la toucher avec la main, haletante de toutes ses plumes à la cadence du pas montant, haussant les pâtures rousses, les forêts, les champs, l'étendue de l'eau, les laissant doucement retomber en bas au fond d'un mouvement qui attirait ; venant d'un coup en caresser les yeux comme d'une aile souple de grande plume faite de champs et de pâturages, et de forêts qui se collaient d'un coup sur le visage. » (II, 1087)

Je connais peu de descriptions du vertige qui en désignent aussi exactement les composantes. Sans doute les deux personnages de Giono n'ont-ils pas une claire conscience de l'importance existentielle du vertige ; il n'en reste pas moins que Giono prête à Marie le sentiment d'un manque de présence au monde qui résulte du vertige : elle s'applique à répéter quelque chose à voix basse ou à souffler très fort en cadence, « pour être là », dit Giono (II, 1089)[6].

Le second effet de la verticalité sur ces deux personnages, Saint-Jean et Marie, ne doit rien à cette peur très naturelle qu'est le vertige : ils sont parvenus à un endroit d'où ils peuvent regarder sans danger la réalité qui s'étend sous leur yeux, et c'est la réalité qui, cette fois, sort victime de ce regard; ils voient, grande comme la main, cette étendue liquide qui recouvre leurs pays: «Toute cette catastrophe d'eau était vraiment trop petite. Vue d'ici c'était même une chose dont on ne voyait pas pourquoi on s'en occupait.» Ce subit désintérêt est une expérience aussi mystérieuse que l'attirance de l'abîme; c'est, se disent-ils, «une autre magie» (II, 1092 sq.).

Peu après, troisième expérience, lorsqu'ils entrent dans l'épaisse forêt qui couronne Verneresse — sapins noirs, énormes lichens, et la «farine blanche» du nuage:

> «Cette farine qui passait contre le visage et qui engloutissait le corps, le corps des arbres, le corps de la montagne [...] n'avait ni corps, ni forme, ni poids, ni couleur. Pas moyen de sentir son existence.»

On pourrait marcher ainsi, sans fin, et Giono ajoute: «Dans rien. Et devenir soi-même rien.» C'était le «même écœurement que devant le vide ouvert de Verneresse» (II, 1094 et 1096). Là donc, aussi, angoisse existentielle: il reste à préciser son rapport à l'espace. Parvenus au terme de leur difficile ascension, dans ces «hauteurs inhumaines», que trouvent et Saint-Jean et Marie, sinon le non-espace, l'absence même d'espace?

Cette Alpe imaginaire est donc composée de quelques bonheurs propres à réchauffer simplement un cœur d'homme, mais elle est bien capable aussi de provoquer en lui quelques-unes des grandes expériences métaphysiques — positives ou négatives — qui s'attachent à la situation de l'homme dans l'espace.

L'Alpe de Giono, c'est également une matière, et une matière qui peut être inerte ou vivante, fluide ou solide.

Le paysage de pierre et d'eau où s'efforce Bourrache, c'est de la matière brute et il se dit: «Dès que ta respiration est seule au milieu de ces choses qui vivent sans respirer, qu'est-ce que tu veux qu'on fasse?» (II, 855) Il arrive que le minéral à l'état pur inquiète ou angoisse Giono: qu'il parle des pierrailles qui, dans *Un roi*, encombrent les abords du Ferrand (III, 472) ou des sommets nus et meurtriers de l'Himalaya, le même terme de «paysage tellurique» revient sous sa plume comme une menace[7]. Par deux fois, il a décrit une forêt massacrée par les pierres de la montagne: dans *Batailles*, les sapins de Sourdie «déchirés de blessures jaunes» (II, 1086) et surtout dans *Mademoiselle Amandine* (III, 142-145), sous l'effet du gel et du dégel, le Ferrand mitraillant à mort tous les arbres qui s'élèvent de l'autre côté du ravin.

La cause paraîtrait donc entendue, et il faudrait opter pour le végétal victime de la pierre. Mais la prolifération du vivant nous trouble à son tour. Que raconte *Prélude de Pan*, sinon l'érotique invasion d'un village par une animalité sortie à flot d'une monstrueuse arche de Noé échouée sur la montagne? Quant aux plantes des Alpes, elles ont aussi leur manière à elles de nous désespérer par une plus subtile expansion: la plus étrange des nouvelles de *L'Eau vive* inspirées par le Trièves, c'est *L'Automne en Trièves*; d'abord à Tréminis, des herbes qui vaporisent une gluante poussière de pollen: «L'odeur de ça entrait en vous jusqu'au profond du corps,

jusqu'à cette ombre où dorment les grandes terreurs de l'homme [...].
On en avait le sang noirci. » Puis à Saint-Baudille, «une effroyable marée
de champignons» dont les «sporanges» envahissaient les maisons et y ren-
daient des femmes folles à lier. Il n'y a rien là, direz-vous, qui n'eût pu
se produire en plaine ? Mais attendez cette étonnante clausule à
renversement :

> «Dans les jours qui suivirent, l'odeur des champignons vint jusqu'à nous.
> Et le reste ne mérite pas d'être dit, car il n'arriva rien. Rien. Et nous
> avions tous le désir de voir arriver quelque chose. » (III, 196-198)

Autrement dit, la *transe* vaut mieux que l'*ennui* — l'*ennui* inhérent à la
haute clôture alpestre du Trièves — mais en fait, ici, la montagne et ses
végétaux, c'est la *transe* et l'*ennui*.

Que l'arbre puisse être abominable, un détail dans l'analyse du vertige
de *Batailles* nous en convainc ; le pire, pour Marie et Saint-Jean, c'est
d'apercevoir, dans la profondeur qui les attire, la forêt de Sourdie : «On
était obligé de savoir qu'il y avait quelque chose de vivant en bas» — en
l'espèce, des arbres au lieu du schiste plat. «Et tout d'un coup on en comprenait si violemment l'épaisseur, et cette lourde monstruosité d'éponge
noire que [...] les genoux manquaient.» (II, 1090) Je ne cite que pour
mémoire le maléfique signal que la couleur verte du végétal se met soudain à adresser aux hommes, aussi bien dans ce roman que dans *Faust
au village*, avec ses buissons de buis vert qui annoncent l'apparition du
diable[8].

Conséquence d'une telle suspicion à l'égard du vivant : la balance flé-
chit maintenant en faveur de la pierre, de cette masse de pierre qu'est
la montagne. Celle-ci, aux yeux du pasteur, de Bourrache, de Marie, est
une œuvre divine ; le texte, prétendument biblique, de la stèle élevée sur
le massif qui domine Villard, invite à y voir l'entassement vertigineux des
ossements de tous les troupeaux du Seigneur, sur lesquels il a encore jeté,
pour former le glacier de la Treille, le squelette de Léviathan (II, 794).
Ce texte participe d'une théologie du minéral plus radicale encore que
celle dont témoigne le mythe de Deucalion et Pyrrha : invités, sur une
montagne de Thessalie, après le déluge qui a détruit le reste de l'humanité, à semer les os de leur mère, ils ont compris que l'oracle parlait des
pierres de ce sol dévasté ; et de celles-ci, des vivants — hommes et femmes — vont naître, au lieu que les ossements pétrifiés qui forment la Treille
sont destinés, pour la plus grande gloire de Dieu, à rester pierres. Giono
lui-même s'exalte à l'idée du minéral à l'état pur, celui, par exemple, des
falaises de Tristan da Cunha, «noires comme de la suie» et qui, jaillies
de la mer, «montent d'un seul élan jusqu'à trois mille mètres dans le ciel» :
«Ça, mes amis», s'exclame-t-il, «chapeau bas, c'est de la pierre»[9]. Et il
se réjouit que ce ne soit que de la pierre, tout comme le personnage de
*Fragments d'un paradis*, Noël Guinard qui, grimpant sur ce même à-pic pro-
digieux, se met à scruter tous les débris de serpentine, heureux de ne point
apercevoir, «aussi loin que le regard pouvait porter, la moindre trace de
végétation» (III, 961).

Parler de matière inerte, c'est parler de matière solide à quoi on se rac-
croche pour fuir les pièges de tout ce qui se liquéfie, s'écoule ou s'éva-

pore. Dans les récits alpestres de Giono, le fluide en général a mauvaise presse. Je n'ignore pas les bonds des torrents qui sont comme des cerfs ou des chevaux, ni le fleuve du *Chant du monde*, mais a-t-on remarqué qu'à mesure qu'on se rapproche de la montagne, celui-ci cesse d'être le lieu des actives délices d'Antonio? Quand il coule en pays Rebeillard, il se prend de glaces ou bien il n'est qu'un chemin de fuite. On attendait Giono à la peinture de la Haute-Durance, sujet du film *L'Eau vive*, dont *Hortense* est le prélude écrit. Or, dans *Hortense*, il n'est jamais question de la Durance, sinon dans une furtive réflexion de Félix Fabre quand, descendu en Provence, il l'y trouve un peu trop sage; et pourtant, le domaine de toute la famille Fabre, c'est le confluent de la Durance et de l'Ubaye, un torrent dont on ne voit jamais l'eau, mais les rochers qui l'encaissent.

En revanche, l'eau est tristement souveraine dans *Batailles*, roman d'une inondation gigantesque. Les rivières y reprennent toute leur importance; grossies, elles emportent les ponts et elles font se former, grandir et monter un lac qui, bloqué en aval, envahit toute la vallée et sous lequel, d'ailleurs, elles continuent leur existence furieuse, une vie, si l'on ose dire, sous-marine, qui est l'occasion d'une des grandes réussites du récit.

Cette hydraulique forcenée n'est cependant pas l'aspect le plus original des fluides mis en œuvre, dans l'imagination de Giono, par le choix des Alpes. Les états de la matière l'intéressent par leurs échanges et leurs transformations. D'où provient à Villard cette abondance ravageuse des rivières, sinon d'une fonte trop rapide des glaciers? Mais la glace, c'est de l'eau solidifiée, et la voici qui retourne à sa forme première. D'autres mutations créent les substances favorites de *Batailles dans la montagne* ou d'*Un roi sans divertissement* : ce sont des *hybrides*, d'inquiétants mélanges du liquide et du solide, de l'air et du liquide.

La boue d'abord. On a dit quelle importance obsessionnelle elle avait dans *Batailles*, jusqu'à entraîner par mimétisme un empâtement furibond de l'écriture. Je ne reviens pas sur le déboisement fantastique qu'elle opère à vue d'œil au flanc de la montagne. Deux remarques seulement sur l'horreur qu'elle produit, et qui tient d'abord, et c'est assez particulier, à l'impression qu'elle donne d'une dilacération du solide : je songe moins au thème de l'écorchement, lié à ses effets sur le végétal, mais plutôt à celui d'une manducation ignoble du minéral par le liquide, que nous rend sensible la simple odeur de la boue : «l'odeur du silex mâché par l'eau», disait *Le Chant du monde* (II, 210); ou encore, dans *Batailles*, ceci : «La boue sentait l'argile crue et déchirée» (II, 822).

On dirait l'horreur qu'on ressent devant le viol d'un tabou, celle par exemple que provoque une scène d'anthropophagie. En tout cas, Marie, et c'est ma seconde remarque, regarde le malheureux Sauvat, recouvert de boue, comme l'auteur ou la victime d'un sacrilège, au sens proprement théologique du terme : il lui apparaît comme un Christ dérisoire qui aurait raté son coup en essayant de marcher sur les eaux, il la dégoûte comme s'il avait souillé l'œuvre de Dieu : «N'avez-vous pas honte d'être ainsi quand le Seigneur vous a créé lui-même?» (II, 811).

Autre état tristement mixte du monde sensible, la vapeur. C'est de l'eau et c'est de l'air. Le nuage omniprésent et l'eau terrifiante se transforment aisément l'un dans l'autre sous le regard de Giono. A propos du sujet essentiel de *Batailles dans la montagne*, parlant en 1970 d'un effet de brume à Tré-minis, il nous dit : «Là, un matin, j'ai vu presque l'inondation arriver. Ce n'était pas du tout de l'eau, mais c'était tout simplement un brouillard matinal et bas qui laissait émerger seulement le sommet des petites collines et du clocher, comme si tout le bas de la vallée était rempli d'une eau blanche. Alors, immédiatement, la chose s'est créée.» (II, 1403)

Le nuage au niveau du clocher, c'est une des composantes des hivers de *Un roi sans divertissement* : tout devient possible sous ce couvercle de nuées, y compris les crimes de M. V., et jusqu'à la disparition de ses traces dont Bergues nous dit qu'elles «se perdaient dans les nuages», et, ajoute le narrateur, «c'était à prendre à la lettre» (III, 464). Marie la bergère n'avait pas de peine à voir dans les rochers les os des bêtes de l'Éternel ; or voici qu'ils reviennent, ces troupeaux, mais dans les vapeurs du ciel :

> «Et chaque matin ce sont de nouvelles agnelades de brumes qui coulent le long des pentes de toutes les forêts [...]. Le Seigneur a ressuscité l'ombre de ses immenses troupeaux. Les grosses femelles d'avant le déluge se sont réveillées et le lait est débordé de leurs mamelles.» (II, 797)[10]

A revenir des rochers, qui étaient des bêtes, aux nuages, qui sont des rochers transformés en bêtes, les contours se perdent. Ces monstrueuses lactations d'imaginaires femelles en rut encombrent le ciel de présences informes. Or, dans ces états hybrides de la matière, leur caractère *informe* est — conformément au mot latin *informis* — ce qu'ils ont de proprement monstrueux.

La neige, cet autre passage adultère du fluide au solide, la neige est monstrueuse parce qu'elle est informe. On lit dans le scénario du *Roi* :

> «Les maisons sont enfoncées dans la neige et l'épaisse couche de neige qui les recouvre a fait perdre leur forme. Ce sont des tas de neige.» (III, 1347)

Une telle ruine de la structure n'affecte dans ce passage que le relief intérieur d'un village de montagne. Mais cette disparition des contours parle si fort à l'imagination de Giono qu'elle lui suggère, dans le texte même du roman, quelque catastrophe cosmique : «Dehors il n'y a que les amas croulants de cette épaisse poussière glacée d'un monde qui a dû éclater.» (III, 459)

La neige est blanche, et sa blancheur est tout aussi tragique que la perte des formes : elle est la perte même des formes ; un espace uniformément blanc est un espace informe. Peu importe que les hauts de la montagne de Lure se trouvent en Provence, le mot des paysans, lancés, dans *Deux Cavaliers*, sur la neige glacée à la poursuite de Marceau, n'en est pas moins de circonstance : «Nous avions besoin d'un coin près du feu. Non pas tant pour le feu que pour le coin dans ces espaces où il n'y a pas de coin [...].» (VI, 187)

L'espace nu et blanc de la neige, c'est un peu comme l'espace noir des sapins et des lichens de Verneresse, c'est quelque chose qui nous supprime parce que c'est de l'espace nul, d'où la nécessité du sang sur la neige pour que ce contraste nous rende l'étendue indispensable. Pour que cet attrait morbide et passionnant de la neige s'exerce à plein dans l'univers de Giono, il faut qu'elle recouvre uniformément la terre, et peut-être est-ce ainsi que s'explique chez lui la curieuse absence de l'avalanche : une avalanche, c'est du relief localisé qui se produit dans l'espace sans relief que doit créer la neige pour nous serrer le cœur.

Giono donc privilégie les états mêlés de la matière, la boue, la brume et la neige. Cette prédilection m'amène à un dernier ordre de remarques sur une autre forme de mélanges, qui sont des transformations à vue. Voici un de ces miracles qui a pour témoin une petite paysanne de Tréminis, Tècle, dans *Entrée du printemps*, une des nouvelles de *L'Eau vive* :

> « Un matin elle vit que la montagne s'enchapait de bleu, que le ciel était devenu trop épais et trop baveux, qu'il coulait sur le Ferrand [...]. Et puis, un beau matin, on vit que ce bleu qui avait coulé sur le Ferrand l'avait tout recouvert, et qu'on avait maintenant une montagne bleue [...]. C'était une troupe de petites fleurs qui avaient fait leur chemin petit à petit, du haut du ciel à la montagne, de la montagne jusqu'ici. » (III, 246)

Cette féerie ne va pas sans quelque mièvrerie. En revanche, nulle complaisante illusion d'optique dans ce qui se passe pour la sablière de Charles-Auguste, un des personnages de *Batailles*. Tout simplement, son champ se trouvait « sur un gouffre de sable, plus lentement sensible, mais aussi sensible que le ciel à tout ce qui pouvait le parcourir », et ce champ a disparu, un « gouffre d'eau » a remplacé le sable : « Il était l'esprit de la montagne et des forêts » ; car c'était, selon l'expression de Giono, « eau de grande fonte » en laquelle s'étaient transmuées les pierres écrasées, les cadavres et les plantes qu'elle avait absorbés :

> « Elle recomposait le corps huileux des forêts, des montagnes, des lourds mammifères, des insectes, des nuages, et parfois l'éclatement monstrueux d'un noir soleil. » (II, 862 sq.)

Page étonnante, qui débute par une équivalence purement métaphorique — le sable sensible comme le ciel — et qui s'achève sur la métamorphose la plus despotique que l'imagination puisse produire : avec le « soleil noir » de la fin, elle fait en effet revenir ce même ciel du début, mais cette fois présent *réellement* dans cette eau de l'Ebron qui a remplacé la sablière. Je dis « réellement », à peu près comme je pourrais parler de la « présence réelle » du Christ dans le pain de la messe en vertu du mystère de la Transsubstantiation.

Qu'on me permette de terminer sur un texte qui ne se rapporte point strictement aux Alpes, mais seulement aux roches, un passage, on l'aura deviné, de *La Pierre* :

> « Nous connaissons l'eau sous trois formes : solide, liquide et vapeur. Le granit, le porphyre, l'albâtre, le marbre ne sont peut-être qu'une des formes de cette matière ? Il y a peut-être ailleurs des fleuves de granit et des océans de marbre. En quoi peuvent être faites, alors, les îles de ces océans de marbre ? Car nous avons beau être bouleversés à l'idée d'être digérés par la pierre, nous nous noyons sans rémission si nous n'avons pas une île solide sur laquelle prendre pied. »[11]

Giono sait où il en est : « Toutes ces réflexions sur la pierre, ajoute-t-il, sont données par le rêve. » Mais n'est-ce pas ce que nous avons essayé d'atteindre, le rêve de Giono dont les Alpes ont été le lieu, l'objet ou le prétexte ? Or les glissements et les confusions qu'il y observe ou qu'il y imagine entre les divers éléments du paysage et, très précisément, entre les trois états de la matière, ne sont rendus possibles que par le besoin dont témoigne le dernier texte cité, le besoin d'inclure la mer dans la pierre et de retrouver à son tour, dans cette mer, l'appui de la pierre, bref par la puissance d'une imagination proprement *transformiste* à la Diderot, à la Hugo. Comment ne pas citer ce texte, justement, de Hugo, que Bachelard allègue, entre plusieurs autres, pour illustrer la parenté qui s'opère dans l'imagination des grands «voyants» de la littérature entre la montagne et la mer ? Ce texte se rapporte à «ces vagues de granit qu'on appelle les Alpes», selon l'expression même de Hugo, qui ajoute :

> «Un rêve épouvantable, c'est la pensée de ce que deviendraient l'horizon et l'esprit de l'homme si ces énormes ondes se remettaient tout à coup en mouvement.»[12]

Un tel transformisme, cependant, pour Giono comme pour Hugo, intéresse indiscernablement l'écriture et la vision. Voici au début du *Roi* le Diois vu du col de Menée :

> «Un chaos de vagues monstrueuses bleu baleine, de giclements noirs [...], enfin, en terre, l'entrechoquement de ces immenses trappes d'eau sombre qui s'ouvrent sur huit mille mètres de fond dans le barattement des cyclones.» (III, 456)

Nous sommes entrés au royaume de la métaphore ou, plus largement, de l'expression que Giono donne à ses rêves, mais on y retrouve la mutation, dont nous parlions, des données géologiques en images marines. De même, quand dans une gorge, il faut «laisser passer de grands blocs rapides d'eau bleue» (III, 420), est-ce le miracle du style qui solidifie en un minéral étincelant le mouvement déchaîné d'une cascade ? Oui, et c'est du même coup un effet de ces métamorphoses spontanées de substances qui s'opèrent dans l'imaginaire de l'écrivain.

On a envie de crier à la magie des formes ; mais s'agit-il de la forme des choses, des formes du relief ? Celles des Alpes de Giono, dès qu'il tente de les préciser, font l'objet de désignations stéréotypées : on aura le grand voilier des glaciers, la coupe bleue des montagnes boisées, les couteaux et les dents du Ferrand — images d'ailleurs peu pertinentes dans ce dernier cas : tout au plus, pour les deux contreforts de cet admirable massif, peut-on noter que Giono prétend les avoir transposés dans «les jambes de Dieu» que Bourrache attribue à l'à-pic de Verneresse[13].

Ce parti d'en rester aux équivalences les plus classiques du profil des montagnes expliquerait-il, parmi les descriptions gioniennes du Trièves, l'absence paradoxale du Mont Aiguille, cette pyramide tronquée dont tous les guides signalent la forme originale ? En tout cas, Giono sacrifie visiblement les particularités morphologiques à la simple situation dans l'espace et aux échelonnements de la perspective. Allons plus loin : s'il a peint magistralement les Alpes, c'est en s'attachant à ce qu'il y a de plus subtil et de plus muant dans leur aspect. Inutile d'insister sur ses qualités de coloriste, sur d'étonnants effets de lumière : ici touche de vive couleur, comme ce faucon d'or qu'il fait apparaître au dernier rayon de soleil sur la pointe d'un glacier, là jeux de reflets ou de clair-obscur, ou encore étude conduite *allegrissimo* des subtiles variations d'un ciel d'orage sur le Jocond, etc.[14].

Ce qui me frappe plus encore, quand il s'agit proprement de *raconter* la montagne, c'est-à-dire de nous informer de ce qui s'y produit d'étrange et de terrible, c'est une technique des annonces impalpables de l'événement : au début de *Batailles*, la grande coulée de boue ne se décèle pendant longtemps que par des odeurs ou encore par des bruits d'origine mystérieuse. Cette pratique du récit indiciel culmine à propos des phénomènes dont le glacier de la Treille est le siège. Tout se réduit à une série de signaux minuscules et dont le sens nous échappe : mousses dont l'éclat s'accroît, terre qui grésille, crevasses de glace qui chantent et où monte et descend un épi de lumière (II, 948, 949, 952, 955)... Au chapitre suivant, on percevra l'effet de ces infimes et délicieux changements des apparences lorsqu'une énorme crue ajoutera l'eau du glacier à celle qui couvre le pays.

La montagne, dans sa réalité, est changeante, selon la lumière et le temps qu'il y fait ; elle l'est davantage encore dans l'imagination de Giono : elle n'y change pas seulement d'aspect, mais de substance. Si je me demande en quoi le travail que cette imagination opère à partir des Alpes diffère tant soit peu de celui que suscite en lui sa Provence natale, je la vois, peut-être, cette différence, dans une attention plus passionnée encore aux métamorphoses de l'univers sensible, en particulier dans la possibilité merveilleuse que la montagne lui suggère de multiples et nouvelles combinaisons entre les états de la vie et de l'inerte, du solide et du fluide. Une telle mixité provoque son écriture et sa vision à la plus grande souplesse dont elles soient capables. Mais la mobilité d'un style, qui veut créer le plus transformable des mondes, trouve sa «répondance», comme dirait Giono, dans les étonnantes variations de sa sensibilité à l'égard de l'espace comme de la matière ; une sensibilité tourmentée ou enchantée tour à tour par chacune de formes antinomiques que revêtent la matière et l'espace. La montagne a beau être «sa mère», comme il le prétend, elle n'est qu'une mère adoptive ; il n'y est plus *chez lui*, mais, comme dit Tringlot, *ailleurs*, et c'est pourquoi il s'y sent et se plaît à s'y sentir la proie de provocations contraires. En face des Alpes, son imagination est prête à tous les revirements, d'où l'impression que nous ressentons si souvent, dans son œuvre alpestre, d'un récit plus que jamais en liberté.


NOTES

1. *Voyage en Italie (1954)*, Gallimard, «Folio», 1979, p. 12. Je réserve les notes aux références concernant les textes non parus dans les six volumes de la Pléiade ; je renvoie à celle-ci par de simples parenthèses comportant l'indication du tome en chiffres romains et celle de la page en chiffres arabes. Pour les voyages, les séjours et les lieux figurant dans le présent article, on consultera notre «Chronologie» du tome I et la «Cartographie» du tome VI.

2. Préface à *L'Opéra de Pics* de Samivel, 1944, reproduite dans le *Bulletin* des Amis de Giono, n° 11, p. 11, et *Voyage en Italie*, p. 12.

3. Dans *Le Poids du ciel*, Gallimard, 1938, p. 27, autre *panoramique* à demi-rêvé, et prêté par Giono à son paysan-montagnard.

4. *Voyage en Italie*, p. 12.

5. A ce texte de *Possession des richesses* (III, 188), on joindra l'hymne du *Poids du ciel* (p. 9) : «Me voilà revenu dans l'abri silencieux et pur des montagnes [...] : une vertigineuse barrière d'aiguilles froides déchire le ciel de ce côté. Ici je suis chez moi.»

6. «Être là», *dasein* en allemand : même si le substantif qui en est tiré désigne plus largement l'existence, je songe au texte significatif d'Heinrich Steffens qui cite Bachelard (*La Terre et les rêveries de la volonté*, Corti, 1948, p. 347). Dans son autobiographie (*Was ich erlebte*, Breslau, 1840, t. I, pp. 334 sq.), Steffens consacre de nombreuses pages, très pénétrantes, à l'influence du vertige sur les hommes qui comme lui y sont sujets et il écrit : «*Ein solcher Mensch wird in den dunklen Abgrund seines eigenen Daseins [...] hinweggezogen*». «Un homme ainsi fait se trouve emporté bien loin dans le sombre gouffre de sa propre existence». Ruine de leur présence, ruine de leur être, voilà le néfaste effet métaphysique du vertige chez ceux qui le ressentent et le craignent. Au contraire, Roger Caillois analyse le «mélange d'angoisse et de triomphe» qu'une expérience précoce du vertige lui a laissée : «Il s'agit ici d'une exigence fondamentale, métaphysique, au sens étroit du terme. Il manque quelque chose à l'homme qui ne s'est jamais senti éperdu» (*Le Fleuve Alphée*, Gallimard, 1978, pp. 43-45). J'ai déjà cité ce passage de Caillois (*Giono aujourd'hui*, Édisud, 1982, pp. 222 sq.) à propos d'un autre personnage de Giono, Noël Guinard qui, lui, plaqué sur l'abrupte paroi de Tristan da Cunha entre le roc et le ciel, «poussa», dit Giono, «un soupir de contentement et se mit à regarder avec une jouissance infinie le vide le plus absolu qui puisse être sur terre» (*Fragments d'un paradis*, III, 944). Ainsi, une fois de plus, Giono subit-il, successivement, les expériences les plus profondes et les plus contraires que le même aspect de l'espace montagnard puisse procurer à l'homme. Au reste, pour l'«attirance de l'abîme» chez Giono, je renvoie à l'excellent article ainsi intitulé d'Alan J. Clayton (*Revue des Lettres modernes*, série «Jean Giono», n° 2, 1976).

7. Voir *La Pierre* (1955), réédité à la suite de l'édition Gallimard du *Déserteur*, 1975, p. 139. On a également dans *Le Poids du ciel* (p. 111) un «vallon purement tellurique», où il n'y a rien que «la pierre dans toutes ses variétés», où se trouve Giono, près de Briançon et du massif des Écrins, et d'où il tâche de s'abstraire en contemplant un ciel vagabond.

8. *Faust au village* dans le recueil de ce titre, VI, 130-32 et *passim;* et *Batailles dans la montagne* : les «plaques de verdures trop vertes», pp. 844 sq. ; les forêts «extraordinairement vertes» (pp. 890 et 980), «le vert trouble et malsain des verdures couvertes de gel» (p. 1060).

9. *La Pierre*, p. 119.

10. Je renvoie aux analyses de Bachelard sur ce type de confusion du fluide et du solide : «Il semble que dans une sorte de dialogue des rochers et des nuages, le ciel vienne imiter la terre. La roche et le nuage s'achèvent l'un l'autre.» Voir notamment les textes de Hugo, de Frénaud, d'Eschmann, qu'il cite dans *La Terre et les rêveries de la volonté*, pp. 183-186.

11. *La Pierre*, p. 107.

12. Victor Hugo, *En Voyage. Alpes et Pyrénées, Œuvres complètes*, éd. Massin, t. VI, pp. 162 sq. ; cité par Gaston Bachelard, *loc. cit.*, p. 223.

13. Voir *Le Chant du monde*, II, 315 sq. ; *Noé*, III, 829 ; *L'Eau vive* : *Entrée du printemps*, III, 245 ; *Un roi sans divertissement*, III, 472 sq. ; *Batailles dans la montagne*, II, 841 et 1398, n. 1.

14. Voir la préface à *L'Opéra de Pics*, *loc. cit.*, p. 13 ; *Le Chant du monde*, II, 295 sq. ; *Batailles [...]*, II, 1077 ; *Faust au village* : *La chose naturelle*, V, 969-974.

# «UN CURIEUX VOLUME INFORME»

## par Alan J. Clayton

«Je chante le rythme mouvant et le désordre.»
(III, 204)

«Des miracles visqueux comme de l'huile feront
la roue de paon dans le tremblement du soleil.»
(III, 376)

Je parlerai d'abord d'un hêtre. On devine qu'il s'agit de celui de la route d'Avers dans *Un Roi sans divertissement*; de celui, beau comme un dieu, où M. V. placera le cadavre de ses victimes, opérant ainsi l'alliance incongrue de la perfection et de la monstruosité.

C'est au seuil du récit qu'il est évoqué pour la première fois, cet «Apollon-Citharède des hêtres» (III, 455), moins végétal ou arborescent que pétrifié, présentant plutôt l'aspect d'un dieu sculpté, serein dans son immobilité de pierre. A ce sémantisme de la pierre vient s'adjoindre une série de qualificatifs de nature abstraite : certes, le «lisse» de la peau relève toujours de la pierre polie, mais de la couleur on nous dit seulement qu'elle est incomparablement «belle» et il est question de carrure «exacte», de proportions «justes», de «noblesse», de «grâce», d'«éternelle jeunesse», à quoi s'ajoutent ces autres notions grecques que sont la simplicité et la «justice» (à prendre sans doute ici au sens de justesse), et enfin la conscience de soi : «Il est hors de doute qu'il se connaît et qu'il se juge.» Mesure parfaite, donc, perfection immobile que vient perturber pourtant la tonalité de la dernière phrase : s'y annonce un mouvement inopiné — «frisson de bise», «mauvaise utilisation de la lumière», «*porte-à-faux* dans l'inclinaison des feuilles» — qui viendrait «renverser» la beauté, la dégrader, si bien qu'elle ne serait «plus du tout étonnante».

Je suppose déjà lisible, dans ce portrait d'un dieu menacé dans ses attributs les plus profonds, le drame même de Langlois, celui de l'idéalisme moral subverti par le *naturel*, cette autre face de l'étonnant. Or mon propos, tout autre, sera d'y lire le portrait, non du héros, mais du peintre, c'est-à-dire, s'agissant de fiction romanesque, du *descripteur*, et cela en montrant, à partir de l'antithèse, ici posée, du fixe et du mouvant, que Giono

235

descripteur ne saurait imaginer l'un sans l'autre, que la description de toute fixité appelle chez lui un *démarrage*, bref, que la mise en mouvement des formes fixes est la tentation permanente de sa pratique descriptive.

C'est ce qui appert bien déjà de la seconde description du hêtre, laquelle en évoque la jeunesse. En son début, elle résume les données du portrait initial : on nous dit d'abord que, jeune, ce hêtre était doté «d'une carrure et d'une étoffe qui le mettaient à cent coudées au-dessus de tous les autres arbres, même de tous les autres arbres réunis» (III, 474) ; ensuite, que son feuillage était «d'un dru, d'une épaisseur, d'une densité de pierre» ; et enfin que sa charpente «devait être d'une force et d'une beauté rares pour porter avec tant d'élégance tant de poids accumulé». Et le narrateur de poursuivre :

> «Il était surtout (à cette époque) pétri d'oiseaux et de mouches ; il contenait autant d'oiseaux et de mouches que de feuilles. Il était constamment charrué et bouleversé de corneilles, de corbeaux et d'essaims ; il éclaboussait à chaque instant des vols de rossignols et de mésanges ; il fumait de bergeronnettes et d'abeilles ; il soufflait des faucons et des taons ; il jonglait avec des balles multicolores de pinsons, de roitelets, de rouge-gorges, de pluviers et de guêpes. C'était autour de lui une ronde sans fin d'oiseaux, de papillons et de mouches dans lesquels le soleil avait l'air de se décomposer en arcs-en-ciel comme à travers des jaillissements d'embruns. Et, à l'automne, avec ses longs poils cramoisis, ses mille bras entrelacés de serpents verts, ses cent mille mains de feuillages d'or jouant avec des pompons de plumes, des lanières d'oiseaux, des poussières de cristal, il n'était pas vraiment un arbre.»

A propos de ce passage, que je suspends en milieu de paragraphe, deux remarques :

1. Si, en son début, cette seconde description confère au feuillage de l'arbre une «densité de pierre», actualisant ainsi un sème immanent dans la première, l'image de la statue y est remplacée par celle de la «charpente». En même temps, et c'est capital, on assiste à l'*occultation* de cette charpente par des rameaux «plus opaques les uns que les autres», si bien que le descripteur est obligé d'en faire deviner la «force» et la «beauté» ;

2. en outre, l'occultation de la charpente et de ses sèmes associés (fixité, solidité, immobilité, etc.) prélude à son tour à une transformation radicale : brusquement, la forme ferme, fixe, immobile de l'arbre se voit «charrué[e] et bouleversé[e]» ; elle s'anime, se met à bouger, à grouiller de vie non pas végétale, mais animale, après quoi elle se métamorphose de nouveau en matière malléable, changeante, dansante. Giono pousse si loin cette transformation de la matière qu'à la fin le hêtre, naguère *parfait*, en vient à figurer le pétrin même de l'être, le lieu où se malaxe la pâte des choses, bref le contraire étymologique exact de la perfection.

Or la suite du passage accuse le caractère surnaturel de la chorégraphie amorcée autour du hêtre :

> «Les forêts, assises sur les gradins des montagnes, finissaient par le regarder en silence. Il crépitait comme un brasier ; il dansait comme seuls savent danser les êtres surnaturels, en multipliant son corps autour de son immobilité ; il ondulait autour de lui-même dans un entortillement d'écharpes, si frémissant, si mordoré, si inlassablement repétri par

l'ivresse de son corps qu'on ne pouvait plus savoir s'il était enraciné par l'encramponnement de prodigieuses racines ou par la vitesse miraculeuse de la pointe de toupie sur laquelle reposent les dieux.» (III, 474)

Multiplication inlassable d'un être autour d'un centre fixe, danse ontologique par laquelle l'être se réengendre lui-même en un mouvement continu de repétrissage de soi. Si le hêtre était d'abord un *Apollon* de pierre, son second avatar le fait apparaître sous les aspects d'un *Shiva*, roi de la danse cosmique, dieu de la destruction et de la régénération. Et cette conjonction des contraires de la fixité et de la mouvance est telle qu'on n'arrive plus à savoir si le hêtre est bien un arbre, «enraciné par l'encramponnement de prodigieuses racines», ou une «toupie» tournant sur elle-même comme un monde.

Or «le rythme mouvant et le désordre» (III, 204), autrement dit le *pandémonium*, était déjà un principe esthétique fondamental de la «première manière» de Giono, lors même qu'il prenait, pour s'exprimer, le prétexte d'une idéologie. Je cite d'abord l'ardent réquisitoire des *Vraies Richesses* contre l'homme *pétrifié*, «dur et compact», «enfermé dans [s]a peau», «imperméable», «[s]e flattant d'être d'une énorme densité», orgueilleux enfin de sa place au «moyeu» de la roue cosmique (*VR*, 76 et 77). Cet homme-là, il s'agissait de l'ouvrir au monde sensoriel, de l'expulser du moyeu immobile pour le faire participer au *mouvement* des choses, c'est-à-dire au *travail* d'un univers en régénérescence perpétuelle.

Voici en quels termes Giono, s'adressant au lecteur moderne, formulait ce programme :

> «Tu n'es plus au moyeu de la roue mais dans la roue, et tu tournes avec elle. A chaque moment, les horizons que tu avais l'habitude de voir immobiles chavirent autour de toi comme à la naissance de l'univers. C'est que maintenant l'univers est en train de naître autour de toi et qu'il t'emporte dans sa naissance.» (*VR*, 75-6)

Pour évoquer ces renaissances-là, ces retours aux origines perdues, Giono a normalement recours à trois grandes catégories d'images qui, toutes, impliquent mouvance et déformation matérielles :
— celle du limon ou de la pâte primitive, lisible, on l'a vu, jusque dans la description du hêtre d'*Un Roi* ;
— celle du tournoiement cosmique, dont la variante paradigmatique la plus usuelle, c'est la «ronde» des êtres ou la danse orgiastique ;
— celle enfin de l'univers en gésine.

De ces catégories d'imaginaire élémental, et notamment des deux premières, le texte de *Prélude de Pan* présente une série d'exemples particulièrement explicites. Et d'abord, la danse involontaire, violente, déclenchée par le regard farouche de l'étrange visiteur au *Café du Centre* : «Puis, à ce moment-là (dit le narrateur) il éclata un coup de tonnerre comme un écrasement, et le regard vint sur moi, je fus touché comme par une balle de fusil, et envoyé en pleine danse sans savoir. Et puis les autres, et les autres...» (I-2, 453) ; et d'ajouter : «Ça virait, ça tournait.» Suit la description d'une étonnante *danse de l'eau* qui se révèle être une véritable danse du *redevenir* : «Ça tournait, ça fluait, ça battait les murs comme une eau d'hommes, de femmes et d'enfants mélangés, et ça dansait jusqu'à la per-

dition des forces.» (454) Pandémonium s'il en fut! dans l'exacte mesure
où cette danse répond aux sollicitations diaboliques du dieu Pan, protecteur des bêtes et promoteur, non pas de la «ronde», mais de l'orgie des
êtres. En plus, dans une suite tout à fait propre à apporter de l'eau au
moulin bachelardien, on assiste à la transformation de cette danse liquide
en *danse de la pâte* :

> «Il vint comme ça la Thérèse et le fils Balarue, mariés de la veille au
> soir et qui ne s'étaient même pas levés depuis. Oui, ces deux-là arrivè-
> rent nus et déjà tout suants avec la chair mise à vif par leurs caresses.
> Et ça entrait dans la pâte que l'homme pétrissait par la seule puissance
> de ses yeux, et ça entrait dans la pâte du grand pain de malheur qu'il
> était en train de pétrir.» (I-2, 455)

Le lecteur des années 30 était sans doute loin d'imaginer que pareilles
descriptions, si lourdement chargées d'idéologie et de morale, même pacifiste ou écologiste, pussent figurer en même temps le regard de l'artiste,
pétrisseur de matières irréelles, de cette «substance non créée» (III, 665)
que lui propose sans cesse sa propre imagination. Or pour figurer *directement* cette activité créatrice du regard, et non plus à travers la description
d'autre chose, le Giono de *Noé* monte lui-même dans l'arbre de l'imaginaire, quitte bien sûr à abandonner le hêtre dauphinois pour l'olivier provençal. C'est là que, «[s]'appuyant tout de [s]on long contre la branche
pour ne pas tomber» (650), donc devenant un avec cet olivier qui, dès
lors, «n'est plus tout à fait un arbre» (653) — et c'est textuellement ce
qu'il avait affirmé à propos du hêtre livré à sa «ronde» —, Giono voit
«se rassembler les ombres, je ne peux pas dire des morts», écrit-il, «mais
des êtres qui veulent naître». Ontologiquement ambiguës déjà, ces ombres
sont perçues «dans les irisations des feuilles charruées» par le vent, «comme
à travers le halo visqueux des flammes ou la transparence huileuse des
eaux profondes». C'est donc dans une *ambiance déformante* que Giono fait
émerger ces formes, comparant d'abord les feuilles en mouvement à l'irisation d'un prisme qui les ferait *onduler*, et assimilant ensuite cette ondulation à celle que produirait le tremblement d'une flamme, d'une flamme
par ailleurs liquide, huileuse, visqueuse. Et ce qui est vu derrière toute
cette fluidité formelle, c'est la «substance non créée», à la fois matière
et ombre, «des êtres qui veulent naître».

Or c'est à un rite de retour à la «substance non créée», antérieure à
toute mise en ordre formel, à la semence primordiale qui gît au «fond
des choses» (III, 676), que nous font assister, dans *Fragments d'un paradis*,
telle une variante de la danse orgiastique de *Prélude de Pan*, les noces du
calmar géant et des oiseaux de mer :

> «[…] il s'était mis à pétrir lentement la mer avec ses bras monstrueux,
> faisant jaillir d'elle d'étranges éclaboussures de lumière dorée. Bientôt
> il finit par pétrir la mer et les grands paquets d'oiseaux morts englués
> dans cette semence à odeur de farine et peu à peu il fit bouillir autour
> de lui un extraordinaire lit de lumière et de feu dans lequel les bouillon-
> nements portaient, au milieu des embruns et des écumes radieuses, des
> corps écartelés de milliers d'oiseaux morts les ailes ouvertes.» (981)

Cette scène se déroule à la nuit tombée, ce qui ne l'empêche pas d'être parfaitement éclairée, car c'est du *fond* que jaillit ici la lumière, d'un «énorme globe noir» (987) qui est à la fois œil et soleil. Et quand on se rappelle que c'est en «colonnes» que les oiseaux viennent fondre sur le ventre du calmar, pendant que surgissent hors de la mer les «énormes lanières blanches» des tentacules, ce double dispositif de rayonnement en vient à figurer quelque noir soleil du fond, équivalent référentiel de l'œil qui le crée, comme je tâcherai de le montrer par la suite.

Aucune solution de continuité entre la naissance virtuelle des «ombres» de *Noé* et le martyre collectif de cette masse d'oiseaux : il s'agit des pôles complémentaires d'un mouvement alternatif d'émergence et d'engloutissement des formes dans le bourbier gluant de la matière indifférenciée. Et la marque intradiégétique de ce *redevenir* ontologique, c'est encore une fois le brusque épanouissement d'«une sorte de halo blême [qui] jailli[t] du monstre en ondes de lumière, avec des rondeurs d'arc-en-ciel», après quoi on nous dit que «toute l'étendue marine sur laquelle le calmar était étalé semblait se hérisser de cristaux irisés».

Je prends enfin un quatrième exemple, plus bref, dans le texte de *Que ma joie demeure*. Il s'agit du court passage descriptif par lequel s'ouvre le récit des expériences de Marthe et Jourdan partis à la rencontre de Bobi au lieu-dit «La Croix-Chauve» :

> «La nuit était veloutée et flottante. Elle claquait doucement contre les joues comme une étoffe, puis elle s'en allait avec son soupir et on l'entendait se balancer dans les arbres. Les étoiles remplissaient le ciel. Ce n'étaient plus les étoiles d'hiver, séparées, brillantes. C'était comme du frai de poisson. Il n'y avait plus rien de formé dans le monde, même pas de choses adolescentes. Rien que du lait, des bourgeons laiteux, des graines laiteuses dans la terre, des semences de bêtes et du lait d'étoiles dans le ciel. Les arbres avait l'odeur puissante de quand ils sont en amour.» (II, 483)

On constate au départ, et cela selon une *sémiotique du commencement* propre à la description gionienne, la rupture descriptive avec le principe d'individuation. Entre les étoiles, plus de séparation, de différence, de contours discrets : c'est le ciel entier qui est *lacté*, et cette lactescence présente en même temps l'aspect d'un immense «frai de poisson» paradoxalement aérien et flottant; on n'est plus dans le monde des formes mais à leur source même, dans le lait et le frai du préformel où les formes sont contenues en puissance, bref dans cette matière procréative, tout à la fois séminale et ovulaire, que Giono dénomme dans *Noé* la «substance non créée» et qu'il lui suffit de démesurer dans *Fragments d'un paradis* pour qu'elle jaillisse en flots abondants du ventre hermaphrodite du calmar géant.

Faute d'un terme plus convenable, je qualifierai de *génésiaque* le schéma descriptif dont *Un Roi, Noé, Fragments* et *Que ma joie demeure* viennent de nous fournir des exemples et qui comporte, grosso modo, sur le plan de la diégèse, les temps suivants :

1. mise en mouvement et déformation (ou décomposition) de l'objet ou du décor décrits;

2. retour de l'objet à l'état de «substance non créée», c'est-à-dire à la matière indifférenciée, ou si l'on préfère le langage du *Poids du ciel*, à «la mère des formes et des forces»[1];

3. enfin, le plus souvent, cernant l'objet ainsi métamorphosé, et en guise d'emblème ou de blason stylistique de ce travail de métamorphose, apparition d'un rond de lumière irisée, auréole, halo ou arc-en-ciel[2].

Avec ce «magma panique» (*VR*, 18), indifférencié, amorphe, monstrueux, nous sommes évidemment aux antipodes de la pierre. La pierre, c'est le discret, l'individué : elle implique, *a priori*, ligne, contour, forme ; elle est le *déjà formel*, avant même que le travail artistique ne se mette à l'affiner, à la limer, à la polir. Pas de pierres communicantes, en somme ! On sait pourtant l'intérêt de Giono pour la pierre. Comme tout artiste qui s'interroge ou qui rêve sur le statut de la conscience et de ses productions, Giono est sollicité simultanément par l'imagination de la pâte et celle de la pierre. De là chez lui, comme chez Sartre, cette dialectique du *dur* et du *mou* qui «commande», selon Bachelard, «toutes les images que nous nous faisons de la matière intime des choses»[3].

En fait, l'essai sur *La Pierre*, c'est tout à la fois une rêverie historico-bachelardienne sur le minéral et un plaidoyer pour l'animation de la pierre. Rejetant tous les lieux communs sur l'immobilité radicale de la pierre — «Matière inerte, sans volonté, sans mouvement. Qu'est-ce que nous en savons au juste ?» (*Dés.*, 104) —, allant jusqu'à lui conférer des facultés de préhension et même d'amour (115-6), affirmant qu'elle «cache bien son jeu», qui n'est autre que celui du mouvement imperceptible, Giono inscrit la pierre dans une dialectique du dehors et du dedans à partir de laquelle il pose deux catégories artistiques : d'une part, il s'agit des «arts de surface», c'est-à-dire la sculpture et l'architecture, et de l'autre des «arts de profondeur», autrement dit : l'alchimie et la physique nucléaire (139). Alchimiste parti à la recherche de la pierre philosophale ou physicien nucléaire, l'artiste de la profondeur, travaillant la pierre du dedans, vise à dégager l'énergie immense qu'elle contient. Par contre, l'artiste de la surface, abordant la pierre du dehors, lui confère une formidable puissance symbolique capable d'ébranler les sensibilités et de changer la marche de l'histoire. Ainsi le «petit Mongol» qui sculpta la femme au lion de tel temple hindou ou le sculpteur de tel chapiteau de l'église de Payerne, surent «donn[er] au monde de l'âme un branle qui ne s'est pas arrêté...» (125) Branle esthétique dont l'équivalent matériel, c'est l'explosion de l'atome. A l'inverse, l'explosion gigantesque que produisent les enfants de Djouan à la fin de la nouvelle curieusement intitulée, s'agissant d'une famille de dynamiteurs, *Le Poète de la famille*, la dernière phrase du narrateur l'assimile à une «leçon de poésie» (III, 452). Bref, l'imaginaire gionien, discréditant totalement le concept d'inertie, valorise dans la pierre tout ce qui en fait une matière mouvante, apte aux métamorphoses et au mélange panique. «Il y a une belle Chartreuse de Parme à écrire : celle où Clélia Conti est un bloc de granit.» (*Dés.*, 120).

On peut donc parler de récupération de la pierre par la pâte, du fixe par le mouvant. Par contre, ce que j'ai dénommé la description génésiaque répugne normalement à faire du mouvement un absolu : le plus souvent, elle laisse subsister un point fixe autour duquel se produit un mouvement tournoyant. Certes, le hêtre *danse*, mais c'est «en multipliant son corps autour de son immobilité» ; et s'il *ondule*, c'est «autour de lui-même dans un entortillement d'écharpes» (III, 474) qui sont sans doute à la fois des bras de Shiva et des écharpes d'Iris.

L'essai sur *Virgile* fournit un exemple assez développé de ce schème du mouvement rotatoire autour d'un point fixe. Il s'agit du passage où Giono décrit les routes et les chemins animés par les campagnards manosquins qui descendent faire des achats en ville la veille de Noël, et surtout les jeux de lumière que produit sur les êtres et le paysage la lumière de quatre heures de l'après-midi. «Le soleil déclinant avait réussi à traverser les franges des nuages; il en jaillissait des faisceaux de règles d'or qui irisaient tout ce qu'elles touchaient.» (III, 1051) Soulignons que l'irisation est un phénomène de décomposition de la lumière, ainsi que Giono le fait remarquer à propos du hêtre d'*Un Roi*, éclairé par un soleil qui «avait l'air de se décomposer en arcs-en-ciel comme à travers des jaillissements d'embruns» (474). Or voici que les objets, sitôt *irisés* par les règles d'or qui les frappent, linéairement d'abord, mais en «rouant» par la suite, voient se rétrécir leur forme à un point minuscule tandis que, autour d'eux, s'élargit un énorme rond de lumière dotée, elle, d'une matérialité «succulente» :

> «Tout ce qui avait forme se démesura, cerné d'iris, d'arcs de couleur, d'auréoles, de reflets, d'une succulente et énorme pulpe de lumière. La forme elle-même n'était plus qu'un petit noyau noir au milieu d'un élargissement de rayons qui semblaient sortir d'elle comme les palmes d'or du rond de l'ostensoir. Les hommes et les bêtes n'étaient plus séparés par les contours étroits de leur peau, mais, élargis comme au marteau de batteur, se fondaient ensemble dans une même plaque éblouissante.» (1052)

Partie d'une énumération assez précise de formes définissables et diversement colorées (allant du «brun chaud d'un velours» de paysan jusqu'au «vert acide des bottelées d'herbe et des melons de Noël»), la description finit par évoquer le vaste procédé de déformation et de désintégration par lequel le *nommable* se fait «pulpe» : chaque objet y perd ses contours et ses couleurs propres pour se fondre dans le *tout*, c'est-à-dire le *même*, comme si quelque batteur surnaturel avait aplati ce paysage d'or en une immense «plaque éblouissante» d'êtres mélangés.

Dans la mesure où toute description comporte une part de représentation, donc de réel, il est aisé de conclure que Giono reprend ici un de ses thèmes préférés, celui de la démesure solaire. C'est le thème majeur qui préside à la mise en scène des aventures d'Angelo au début de *Hussard*, et nous le verrons resurgir à props du Père Génin de *Promenade de la mort*. Une motivation référentielle de plus nous est fournie en l'occurrence par la situation temporelle de l'action décrite : celle-ci se déroule à quatre heures de l'après-midi, la veille de Noël, ce qui explique en partie la coïncidence des «palmes d'or du rond de l'ostensoir» et de la «plaque» solaire. Or une telle lecture aurait peut-être de quoi satisfaire si Giono était, comme il prétend abusivement l'être dans *Noé*, un «réaliste» (III, 705). Mais si Cézanne était une pomme de Cézanne, pourquoi cette «plaque éblouissante» ne serait-elle pas Giono ? L'emblème non seulement du soleil mais de l'œil même qui l'enregistre et de l'écriture qui le transcrit. Bref, le portrait d'un *voir* qui est alternativement abolition et genèse des formes. A l'appui de cette lecture, je citerais un passage de *Que ma joie demeure* où

Giono décompose le regard de Jourdan regardant, émerveillé, le verdier descendu sur le tas de blé qu'il avait réservé aux oiseaux :

> «Les yeux regardaient l'oiseau mais le regard est en forme de rayon et, au-dessus, il y a une zone où on voit les choses sans se les nommer parce que c'est le halo du rayon de l'œil. Ce qu'on voit dans ce halo c'est toujours déformé comme ce qu'on voit dans le brouillard.» (II, 463)

Le regard est «en forme de rayon», c'est-à-dire de trait lumineux issu d'un point qu'il prolonge ; et sa fonction, en principe, est de fixer dans ses contours formels l'objet qu'il vise. Or au-dessus du rayon, il y a cette autre zone où le regard «déforme» l'objet et en fait, sinon une «plaque éblouissante», du moins un «halo», et cette zone-là, émanation de l'œil même, est celle de l'amorphe, donc de l'*innommable*. Exactement parallèle, cette remarque de Jaume évoquant pour Gondran les prestiges du regard visionnaire du vieux Janet, par qui «tout a commencé» aux Bastides Blanches :

> «Un cheval, c'est plus un cheval, une herbe, c'est plus une herbe, tout ce que nous ne voyons pas, il le voit. Autour de la forme, des lignes dont nous avons l'habitude, flotte comme une fumée qui est le surplus.» (I, 152)

Or c'est justement de substance informe et innommable, c'est-à-dire antérieure à toute dénomination, qu'on a besoin quand son projet fondamental c'est de «refaire en [soi-]même la création du monde»[4]. Poussant encore plus loin ma conclusion, je dirais donc que le «point» et le «rayon» délimitent l'espace de la perception, de la *vue*, alors que le «halo» et ses divers avatars (auréoles, arcs-en-ciel, roues, rouements, enroulements, etc.) démarquent la zone de la *vision* et de la liberté. Je parle de la seule liberté qui importe à Giono, celle de créer ; de créer en *déformant* préalablement les données de la perception, les formes préexistantes, les «lignes dont nous avons l'habitude».

On aura reconnu, à travers les analyses précédentes, la structure essentielle de la «promenade» en charrette du Père Génin qui promène sur un paysage inondé de lumière le «point noir», autrement dit la «mouche», de son œil de mourant :

> «Donc, il n'y avait pas seulement ce point noir, cette mouche, puisque c'est plus facile de l'appeler mouche, mais encore toute cette partie de l'œil un peu visqueuse et chaque fois que la forme de quelque chose entrait dans cet endroit, quoi que ce soit, ça se mettait à trembler comme une flamme, puis la mouche arrivait et ça disparaissait alors en charbon. [...] Ça faisait penser Père à une faux qui aurait passé sur les choses [...][5]. [...] ça faisait disparaître, mais tout repoussait après que cette faux avait passé : le monde restait toujours aussi dru. Non, c'était seulement un moment de la chose ; un moment où les choses avaient l'air de se décomposer comme cet endroit très sucré de l'œil où elles arrivaient dans une sorte de sirop. Après, quand la mouche avait passé, elles se recomposaient [...]. Mais, au moment où son œil les regardait, elles se détruisaient ; dans un clin d'œil il les voyait se détruire. C'est à ce moment-là qu'il se frottait les yeux.» (III, 318-9)

Le point noir, «immobile et dur», et pourtant corrosif comme un acide, marque l'endroit où le réel s'efface, mais le plus important ici, c'est l'activité déformante qui se produit *tout autour*, dans cette zone nébuleuse, ou plutôt sirupeuse et visqueuse, où les objets perçus entrent et se décomposent avant de disparaître. Cet œil présente donc une sorte de contre-image de l'objectif photographique, corrodant et décomposant, au lieu de les centrer et de les capter, les formes qu'il vise. Après quoi, «tout repouss[e]», les objets «se recompos[ent]», et le monde resurgit tout «aussi dru» qu'avant. Car l'effacement des formes, c'est seulement «un moment de la chose», de cette chose qui n'est autre que le travail alternatif de destruction et de reconstruction du réel par le regard de l'artiste. Et le signe le plus sûr que l'écriture gionienne se livre à ce travail-là, c'est l'apparition de ces «enroulements d'arc-en-ciel» (320) par quoi elle affiche et célèbre sa propre vocation déformante.

Dans *Naissance de l'Odyssée*, c'est l'ivresse qui sert de prétexte réaliste à la mise en place du même schème : sous le regard d'un Ulysse aviné, revenu chez lui déguisé en mendiant (et Janet ne passe-t-il pas pour un alcoolique en proie au *delirium tremens*?), le «monde visible» (I, 84) se rétrécit, et les objets s'entourent d'un «halo trouble» (85) qui les fait fondre «dans une brume opaque et grise», pareille à celle où se perdent Adelina et Herman, et grâce à laquelle s'efface pour Ulysse «l'anguleux» (90), «le rocheux» (91) Antinoüs, agent massif du réel abhorré.

Or les temps orageux présentent, au même titre que les jeux solaires et oculaires, un terrain référentiel particulièrement favorable aux mouvements déconstructeurs que réclame la description génésiaque, et cela en raison du mélange élémental propre à l'orage et du brassage matériel qui en résulte. Je prends un premier exemple dans les paragraphes qui ouvrent le chapitre X de *Que ma joie demeure*. Évoquant d'abord l'orage sous ses aspects aériens, le descripteur parle de la montée sur le plateau Grémone d'un «vent bleu» (autrement dit : marin) chargé d'immenses nuages en pleine instabilité formelle, c'est-à-dire livrés à un mouvement alternatif de génération et de décomposition des formes successives qu'ils dessinent :

> «Le ciel est entièrement habité d'un bout à l'autre par d'immenses nuages à formes d'hommes monstrueux, ou de bêtes, ou de chevaux. Le vent les emporte, les traîne et les pousse et surtout il les anime d'une grande vie qui n'est pas enfermée dans chaque nuage, homme, bête ou cheval, mais qui passe de l'un à l'autre sans barrière; si bien qu'à tout moment, la forme de l'homme coule doucement en échine de bête, le cheval a fait un bond gigantesque, puis il a laissé couler ses jambes épaissies, ses cuisses, ses sabots se sont rejoints et il est devenu comme une montagne : sa crinière est une forêt d'arbres. Puis, tout de nouveau coule et glisse avec toutes les formes du monde. Le ciel est dans une grande passion.» (II, 569)

Il est question ensuite de «vagues» de pluie, de «lames d'eau» qui viennent frapper la terre et la font «coul[er] en épais ruisseaux de boue», de sorte que les graines récemment plantées sont emportées, «racines écartées comme de petites méduses», et que les champs de blé «s'enterr[ent] sous les limons des ruisseaux nouveaux». Paysage à la fois terrestre et marin, on le voit, où la boue et la méduse se combinent pour installer une double isotopie du mou et de l'amorphe. En même temps, le vent se joint à la pluie pour attaquer la charpente forestière : «[...] l'aisselle fatiguée des branches maîtresses se fendait presque sans bruit jusqu'à l'aubier et de grosses charges de feuillages tombaient en déchirant de longs lambeaux d'écorce».

A ce moment-là, «dans un écartement de nuages», reparaissent brusquement le calme et le soleil qui «tomb[ent] comme une gerbe de feu»; mais c'est pour éclairer un paysage étincelant de «reflets» et ondulant de formes fondantes «comme le mouvement éclatant des écailles d'un serpent qui marche». Après quoi ce paysage aux «mille reflets nouveaux» s'engloutit encore une fois «sous l'ondulation balancée d'une nouvelle pluie grise que le vent apport[e] de la mer».

Or je tiens que ces «mille reflets nouveaux» aussi bien que le brassage des formes qui en précède l'éclatement, signalent l'intrusion dans la diégèse d'une activité imaginante en plein «travail» et qui réclame pour se déployer un décor d'apocalypse ou de déluge. Ce décor, l'écriture gionienne l'installe surtout lorsqu'elle s'apprête à faire entrer la diégèse dans une phase nouvelle, «critique», de son parcours, opérant ainsi la fusion parfaite, en une même description, de l'événement fictif et de la conscience créatrice qui l'institue.

La description en question remplit une double fonction de rappel et d'annonce du parcours romanesque. Tournée vers le passé, elle marque la tension grandissante entre le collectivisme idéaliste suscité par l'arrivée de Bobi et le mouvement séparatiste du désir que viennent de consolider, à la fin du chapitre IX, les embrassades de Bobi et de Joséphine. En fait, l'orage emporte dans ses eaux et ses limons les graines symboliques semées par «l'espérance des hommes» (II, 568). C'est Jacquou qui le fait remarquer : «''Notre semence, dit-il, se promène dans l'Ouvèze.''» (571) Par contre, ce même orage annonce le nouveau départ, le regain d'espoir que viendront bientôt procurer aux hommes du plateau Grémone la recherche et la prise des biches, racontées justement dans la suite du chapitre X.

Un second exemple nous est fourni par le chapitre XXIV où Giono décrit la fuite de Bobi dans le plateau désert après le suicide de Mlle Aurore. Il s'agit donc d'un moment tout ce qu'il a de plus «critique» pour ce pauvre acrobate de foire dont les «lépreux» du plateau Grémone avaient fait une figure de sauveur et qui n'aspire plus qu'à disparaître. Le gros orage au devant duquel il marche alors, obstinément, c'est d'abord, au ciel, «une immense porte de nuages» ouvrant sur «une nuit compacte comme de la pierre» (II, 761), et ensuite «un énorme massif montagneux» :

> «Le pied de cette montagne de nuages s'élargissait en vallées qui paraissaient pleines d'arbres étranges pareils à des fantômes, avec des feuillages d'un côté clair comme de la neige. Tout ce monde était en travail. Les vallées se creusaient à vue d'œil si profondément que soudain les deux bords s'enroulaient comme de la toile de laine, se gonflaient en collines et montaient lentement vers les cimes de la montagne.» (771)

On assiste alors à l'occultation de ce que le texte nomme le «relief» et l'«architecture» de ce massif nuageux, ou pour inverser cette formule oxymorique, de ces «terres aériennes» qu'un «bouleversement incessant» déforme et reforme «à vue d'œil», pendant qu'en bas, dans la plaine de

Roume, la terre se met à «craquer» et à «chavirer comme des planchers de charrette». Mais c'est surtout la description de l'orage dans toute sa fureur qu'il convient de citer :

> «Il n'y avait plus de jour. La clarté venait de la pluie. Et des éclairs. Pour eux il n'y avait plus ni barrière ni rien. Ils sautaient d'un bord à l'autre. Tout le ciel était à eux. Et la terre. Il n'y avait plus de différence entre le ciel et la terre. Il n'y avait plus de ligne de séparation. Plus que des embruns d'eau, de la fumée, des forces huileuses qui traversaient la pluie en jetant de l'ombre comme le passage d'un oiseau ; la magie de la foudre même ne pouvait pas départager la terre de l'eau. Les cent formes de la foudre : la roue, le clou, l'arbre ! qui se plante dans la terre, lancé par le ciel, à qui rien ne résiste, qui fait tout trembler par ses feuillages et ses racines ; l'oiseau de feu, la pierre, la cloche, l'éclatement du monde ! Et tout se déchire, tout se voit d'un seul coup : le fond du ciel et le fond de la terre, millions de torrents, de fleuves, de rivières, de ruisseaux d'or ; millions de vallées, de gouffres, d'abîmes, de cavernes d'ombres — au clin de l'œil, puis tout s'éteint — le serpent, la flèche, la corde, le fouet, le rire, les dents, la morsure, la blessure, le ruissellement de sang, toutes les formes de la foudre !» (775)

On le voit : l'orage est liberté, anarchie, désordre, «cafouillade de fin du monde» (II, 773), destruction de la «ligne» séparatrice et donc de la «différence» ontologique, déchirement et éclatement du tissu même du monde, mais aussi mélange et production de formes multiples, qu'il s'agisse des «cent formes de la foudre» ou de celles, lentes et fluctuantes, qu'ébauchent les «forces huileuses» de la pluie. Effets de déformation qui accompagnent ici l'exit du héros mais que Giono reprendra, aux premiers chapitres du *Hussard*, pour décrire cet «air visqueux comme du sirop» (IV, 252), ce «lent remous de viscosités luisantes» (242) dont la chaleur du choléra recouvre le paysage et qui «noy[ent] les formes dans des toisons irisées de fils de la vierge» (345).

Nous voici donc renvoyés à ces distorsions de la lumière que l'on nomme *irisation*. Or ce phénomène si cher à Giono, on constate qu'il est remplacé dans la description génésiaque par celui de la *pulvérulence* dès lors que le référent évoqué se trouve être une matière sèche. Ainsi, le pays que traverse le Père Génin et que «l'enroulement des grandes roues blanches de la lumière» (III, 323) réduit en «aveuglante poussière» (324), «cendres miroitantes» (325), «blanc de craie écrasé partout», «embruns cristallins» (326), «pluie de farine et de poussière de fer», etc. Citons également un passage de *Virgile* où Giono parle de la façon dont un poète fait entrer dans ses vers son pays natal : «Il a mis toute sa terre, l'ayant au préalable broyée soigneusement sur son cœur et réduite en fine poudre d'or, en sève et en fumée de brume, pour qu'il puisse en composer en toute liberté une terre qui sera valable pour toute là terre» (1022). Aucune surprise donc si Giono fait naître le poète latin dans une Lombardie «irisée de brouillards à travers lesquels se disperse le soleil cassé» (1021).

Engloutissement, broyage, déchirure, ou irisation, la décomposition apparaît comme une phase essentielle de l'imagination matérielle chez Giono. Tout se passe comme s'il fallait, pour écrire, déréaliser préalablement le perceptible, subjectiver au possible l'appareil visuel, de sorte à

245

en faire le contraire d'un «objectif», découper dans le champ visuel une aire d'instabilité ou de vague où l'imagination puisse alors s'exercer sans contrainte. L'obstacle majeur, c'est par conséquent la ligne, le contour net, la charpente, bref le *figé*.

Que la décomposition apporte à la sensibilité gionienne la preuve exaltante d'une liberté créatrice, les textes le confirment effectivement par la constatation de l'inverse : la forme fixe, c'est le désespoir de la matière. La *Vie de Mlle Amandine* raconte l'histoire d'une double stérilité : celle de l'héroïne, surmontée par l'épanouissement inattendu de la maternité, celle du narrateur raccordé au monde par sa participation au dépeçage du chamois, c'est-à-dire du *Cadavre de Pan* selon le titre originel de cette troisième partie du récit[6]. Au premier paragraphe, le narrateur évoque une angoisse personelle que la notice de l'édition de la Pléiade rattache directement à une crise profonde de l'écrivain :

> «Il y a des moments où il faut se précipiter à la poursuite de l'espérance. L'air dans lequel on vivait, on le sent soudain qui se solidifie autour de vous comme du ciment. Ce qui vivait autour de vous n'est plus qu'une peinture sur la pierre qui vous emmaillote. [...] ce qui était là devant vous, dressé en profondeur avec ses volumes et toutes les délicieuses avenues qui y sont entrecroisées de tous les côtés, on se précipite, saisi d'angoisse et, en effet, on le touche, peint, plat, plâtreux, mort.» (III, 132)

L'angoisse de vivre et d'écrire s'associe à une matière figée, plate, dépourvue de volume et de profondeur : on est ostensiblement aux antipodes de la pâte primitive, du «fond des choses». Une variante de cette même introduction souligne la connexion entre l'appauvrissement de l'imaginaire et la ligne géométrique : des «fantômes» que produit alors sa vision, Giono écrit qu'ils «prenaient corps dans une matière à laquelle on pouvai[t] presque appliquer les principes de la géométrie euclidienne» (1200).

A la fin du récit, par contre, le dépeçage du chamois et la leçon «panique» de retour au monde charnel qu'il véhicule, s'annoncent par une description où l'on retrouve l'abolition des contours, la fonte subséquente du décor dans le monde, et le surgissement, autour du spectacle entier, d'une auréole irisée :

> «Même le bord des choses était un peu décomposé. Tout, l'herbe, la maison, l'homme qui fendait le bois était contourné tout autour par une auréole des sept couleurs. Ainsi, plus rien n'était arrêté par son contour vif, sa peau ou sa charpente, mais grâce à cette bordure se fondait dans le monde.» (III, 178)

Une confirmation de plus nous est apportée par la description, dans *L'Eau vive*, de l'argile qui «fuse entre les doigts» du potier : «Entre ces doigts, c'est soudain vivant, ça palpite, ça pousse comme un jeune enfant ou une herbe; ça jaillit comme de l'eau vivante.» (III, 89) Tant qu'elle reste souple, malléable, *en voie de formation* mais non pas formée, l'argile est une matière vivante, la plasticité s'avérant l'unique garant de la *vitalité* ; or sitôt séparée des gestes pétrisseurs et vivifiants du potier, sitôt *abandonnée à la forme*, la voilà qui retombe dans la classe des choses faites, c'est-à-dire mortes : «Dès que les doigts abandonnent la terre, elle a sa forme (dit le narrateur), elle est morte » ; et de conclure par cette formule étonnante : « C'est un jeu du monde. » Ainsi se réaffirme cet impérieux besoin de reformer constamment le déjà créé que Giono formule dans *Triomphe de la vie* (p. 42) à propos du poète-artisan :

> « Pour qu'il puisse supporter le fait que le monde a été créé, il est obligé chaque jour, parfois chaque heure, à tout moment, de refaire en lui-même la création du monde. A tout moment il pense, il transforme, il ajoute, il retranche, il bouleverse, il reconstruit, il crée. »

Dans la *Vie de Mlle Amandine*, les fantômes nés de l'imagination se figeaient sur-le-champ, par la contagion du désespoir. Dans *Noé*, à l'inverse, les photos de Crom qui fourniront le sujet des *Noces* et qui représentent en principe des gestes et des attitudes figés, voici que le regard du narrateur en pleine allégresse inventive les dote d'une immense souplesse formelle, qu'il traduit cette fois en langage musical :

> « Ces hommes et ces femmes qui vont se rencontrer dans ces *Noces* sont construits pour faire magnifiquement sonner les sons de toutes les passions. Avec eux on a les sons à l'état pur et toutes les possibilités de modulations à l'infini. Ils peuvent exprimer le mineur, le majeur, les dièses, les bécarres, les syncopes de la jalousie, fierté, orgueil, amour, haine. » (III, 857)

Dans ces photos d'êtres réels captés par un objectf, puis déréalisés, transformés par le « subjectif » de l'écrivain en personnages fictifs d'un drame imaginaire, le narrateur se réjouit de découvrir une structure plastique, malléable, donc reformable, qu'il exprime par une double métaphore musicale. Celle, d'abord, des « modulations à l'infini » qui permettent de franchir les limites d'une tonalité donnée et qui sont marquées ici par ces signes dit accidentels par quoi une gamme (analogue musical du spectre) se décompose ; et pourquoi la musique qui en résulte ne serait-elle pas l'équivalent auditif de cet « immense théâtre, fait de milliers de scènes alignées les unes à côté des autres et les uns sur les autres », bref de cet espace scénique, *allongeable à l'infini*, où « l'acteur ne salu[e] jamais » (635-6)? Il est question ensuite des « syncopes » par quoi un schème rythmique se brise. Or toutes ces modulations et rythmes nouveaux servent à faire sonner, non pas une ou plusieurs, mais « toutes » les passions, le *pandémonium* hors duquel les passions individuelles surgissent, autrement dit : le « fond des choses ». Car le Père de la mariée porte en lui une matière explosive qui remonte au *fond des âges* : « Il y a dans lui, au milieu de lui, pétris, mélangés à son sang [...] qui sait combien d'hommes des cavernes — ou même simplement du XVIIᵉ siècle, plus particulièrement italien ? » (846) Parallèlement, le narrateur s'apprête à situer ce drame explosif sur un plateau de crête qui lui suggère « la nuit des temps », c'est-à-dire la nuit où les temps se dissolvent dans l'intemporel et que l'on ne saurait donc désigner « par un chiffre déterminé depuis la mort de Jésus-Christ » (850) ; et sur ce fond (historique tout de même) s'expriment des « férocités » qui remontent encore plus loin, à « l'époque des cavernes » et jusqu'au *déluge* : « Tout ce qui est derrière les visages date du déluge. » (853)

Enfin, le descripteur lui-même, s'il est lancé, sûr de ses forces, en pleine conscience créatrice, est l'objet d'une brusque transformation chimique ; c'est dès lors un être flambant, en fermentation ou en ébullition, métamorphosé par sa propre vision des formes : «Je crépite, je fermente, je bous comme de la chaux vive qu'on baigne», s'écrie le narrateur de *Noé* qui vient de découvrir au *fond* de ces *Noces* (ou si l'on préfère, *sous* les «narcisses» et les «fleurs de mai» d'un événement en apparence joyeux) «un magnifique *Art de la guerre!*» (III, 854). C'est exactement ce que Giono affirmait dans *Virgile* : «La poésie c'est la grappe de bulles qui couvre la goutte d'acide sur la chaux : la réaction de la vie sur un homme.» (1029) Précisons : le bouillonnement intérieur est un scripto-signe qui marque le démarrage de l'imaginaire et l'exaltation qui l'accompagne ; et ce que j'ai dénommé description génésiaque n'est sans doute rien d'autre que la projection sur le réel de cette turbulence intérieure.

Dans *Virgile* encore, la digestion des coings volés est pour les collégiens une initiation à l'ivresse poétique, que Giono oppose de nouveau aux lois de la géométrie plane :

> «Le somptueux travail d'une digestion de géant commençait tout de suite à nous enivrer. Déjà, les théorèmes boursouflés accolaient follement leurs triangles, et, sur les pages des géométries, à l'interférence des cercles, tremblaient les irisations des coups de pierre sur l'eau.» (1029)

Déjà, dans l'Avertissement d'*Angélique*, Giono disait sa préférence pour les «lignes soubresautantes et capricieuses, brisées, contournées et lovées sans loi» (I-2, 1321). En effet, la description génésiaque, c'est tout le contraire d'une mise en relief, d'une mise en place, d'une géométrie. Aucun goût de l'angularité chez Giono : à la rigidité de la ligne droite et aux réalités planes, il préfère les courbes rondes et molles, les surfaces tremblantes, ondulantes, «houleuses», l'expansion, la boursouflure, l'élargissement à partir d'un centre. Voici par exemple un passage où Giono se livre à la recherche d'un comparant à la phrase melvillienne :

> «La phrase de Melville est à la fois un torrent, une montagne, une mer. J'aurais dit une baleine s'il n'avait péremptoirement démontré qu'on peut parfaitement connaître l'architectonie de la baleine. Mais comme la montagne, le torrent ou la mer, cette phrase roule, s'élève et retombe avec tout son mystère. Elle emporte ; elle noie. Elle ouvre le pays des images dans les profondeurs glauques où le lecteur n'a plus que des mouvements sirupeux, comme une algue ; ou bien elle l'entoure des mirages et des échos de cimes désertes où il n'y a plus d'air. Toujours elle propose une beauté qui échappe à l'analyse mais frappe avec violence.
>
> Nous nous sommes obstinés à essayer d'en reproduire les profondeurs, les gouffres, les abîmes et les sommets, les éboulis, les forêts, les vallons noirs, les précipices, et la lourde confection du mortier de tout.» (III, 5)

Encore une fois donc, nous assistons à l'engloutissement d'une charpente dans le «mortier de tout». Il s'agissait surtout d'amollir et d'arrondir la ligne phrastique en l'assimilant aux «mouvements sirupeux» d'une algue, de la dérober ainsi à l'analyse et d'en préserver le «mystère». Car une forme fluide, c'est une forme *imaginable* parce que toujours en puissance dans sa matière, alors que la ligne architectonique, par sa netteté et sa fixité mêmes, empêche de l'imaginer. Chez Giono, en bref, *la ligne appelle le déluge*, étant entendu que le déluge est la condition même d'une nouvelle genèse.

Je cite à ce propos la lettre récemment publiée où Giono répond au petit questionnaire d'un correspondant. Il y insiste sur la nécessaire brisure, préalable à l'écriture, de tout ce qui est ligne, solidité et fermeture, et cela sur le double plan du référent et de la langue : «Je suis obligé de briser la syntaxe (écrit-il) pour avoir en main, d'abord, une matière première extrêmement ductile. Ça, d'abord. Ensuite la construction.»[7] Et plus loin : «De là, vous voyez : obligation que rien ne soit mort, ni ferme, ni fermé dans la langue employée, mais nécessité d'avoir un véhicule de sons et d'odeurs.»[8] Enfin, cette esthétique antilinéaire, Giono la suggère dès le début de sa lettre à travers l'opposition du questionnaire et de la conversation, l'un suivant par définition une ligne, et l'autre se prêtant aux méandres, à l'expansion, à la boursouflure : «Une conversation aurait été plus vivante (écrit Giono) et j'aurais su probablement enlever à votre lettre tout ce qu'elle a de rectiligne et de définitif.»[9]

Enfin, il en est de même de ces charpentes que sont les plans et les canevas d'un écrivain. Rappelons le défi lancé à l'auteur de *Noé* par le surgissement inopiné de tels personnages qui semblent lui dire : «Vous avez un plan. Évidemment, je n'ai rien à y faire dans ce plan. Eh bien! tenez-vous-en à votre plan.» (III, 725), et telle affirmation que je relève dans *Virgile* : «Nous avons besoin des éléments d'une poétique de renaissance. Nous ne trouverons peu à peu ces éléments que si nous abandonnons les plans préconçus.» (1039)

A l'instar de Baudelaire, Giono affectionne donc «le mouvement qui déplace les lignes»[10] et qui défait les formes, surtout quand ce déplacement s'accomplit dans une matière apte à se reformer, à se reformaliser, eau profonde, boue, argile, pâte ou mortier. Que l'on rappelle telle remarque de Madame-la-Reine à Jean le Bleu effrayé par l'atmosphère de destruction que lui semblaient dégager les chansons mexicaines jouées lors du mariage de Gonzalès : «''Qu'est-ce que tu as vu dans tout ça? — Que tout était détruit, dis-je?''» A quoi le musicien répond : «''Tout [...], tout ce qui est là. Il ne reste plus que l'argile. Mais ça, alors, jusqu'à la fumée de l'horizon.''» (II, 152-3). Destruction des formes, certes, mais non pas de la glaise dont elles peuvent resurgir, transformées, et qui les contient déjà toutes.

A quelques trente ans d'intervalle, le delta de la Camargue inspire à Giono le même genre de réflexion. L'odeur de pourriture qui se dégage des marais n'est qu'un leurre : la mort qu'on y sent «a les couleurs du paon»; elle rayonne donc comme un soleil, elle tourne comme la roue du monde :

> «[...] ce qui éclate, ce qui s'étale au grand jour (écrit Giono), c'est l'immortalité de la chair, l'immortalité de la matière, la chaîne des transformations, la roue de la vie, l'infini des aventures et des avatars, le rayonnement des innombrables chemins de fuites et de gloire.» (VI, 327)

Cette odeur de pourriture est tout le contraire d'une odeur de mort, car des «avatars» infinis sont en puissance dans la vase féconde du delta, dont la «suave» odeur se révèle être «une formidable odeur de naissance avant la forme, à l'heure où la vie mêlée à la mort a encore le droit de choisir ce qu'elle va devenir» (329). Cette liberté de choisir avant de naître, ce loisir de patauger dans l'indécis, dans le «délicieux à-peu-près» (III, 207), dans la vapeur de l'informe qui est en même temps le préformel, c'est la liberté souveraine de l'imaginaire avant sa mise en forme par l'écriture.

Dans les «territoires indécis» (VI, 326) du delta de la Camargue règne donc cette «indécision de signes» que nous avons vue au cœur de certaine pratique descriptive. Aussi n'arrive-t-on pas à *nommer* l'animal invisible dont on entend pourtant «clapoter la marche» (328) dans les étendues de roseaux et dont la forme ne saurait être qualifiée que d'«antédiluvienne». De même, la ville de Marseille, vue par la portière de la «micheline», apparaît tout d'abord comme

> «une énorme masse amorphe et grisâtre couverte de pustules fumantes, de crêtes de coqs, de cicatrices ; dans laquelle on ne comprend pas qu'il puisse y avoir une sorte de vie quelconque, et cependant on la voit qui joue avec la mer, se servant de petites palpes autour desquelles l'eau bouillonne.» (III, 710)

Encore une fois la description part de l'amorphe et de l'innommable : les approches de la ville présentent au narrateur de *Noé* un tableau où dominent le terne, le fétide, l'*apparemment mort*. Elle «joue» pourtant avec la mer, cette ville, et puisqu'il faut quand même rendre compte, par une comparaison, de ces jeux, donc de cette animation, Giono choisit pour comparant la forme animale la plus changeante et par conséquent le plus apte à suggérer à la fois le mouvement vital et la monstruosité inhérente à tout ce qui manque de forme précise[11] : il s'agit, bien sûr, de la pieuvre, ainsi que le montre la suite du passage qui va se précisant à mesure que la description s'approche de la ville :

> «On dirait qu'au-delà il se met un peu d'ordre dans cette masse de chairs grises qui joue avec la mer. Non pas qu'elle prenne, comme on dit, *figure humaine*, mais on peut presque mettre un nom sur certaines choses qui sont comme des ventres, des cornemuses, des poches à sépia de calmar. Et l'on commence même à voir une chose qui a un nom connu, et qui s'appelle l'étendue des toits de Marseille, qu'on surplombe de cent mètres de haut et au-dessus de laquelle on tourne.»

Formes et désignations *émergent* lentement d'une masse charnelle perçue d'abord comme une immense approximation formelle. Au lieu de désigner de but en blanc Marseille, Giono l'anime progressivement, la faisant naître à partir de l'innommable même, préférant flotter un temps dans cette «indécision» sémiotique dont il parle dans *Ennemonde* et que je tiens pour un des principes essentiels de son esthétique descriptive et narrative. De même, dans un texte fort connu de *Noé*, l'odeur de mollusque est pour commencer un signe saisissant mais incertain, apte à recevoir tour à tour une série de désignations approximatives et provisoires avant de coïncider à la fin avec son référent, avec cette «passion» qui demeure après tout un référent convenablement vague, d'autant plus qu'elle évoque un vaste et indescriptible *«fond des choses»* (676).

Dans *Noé* encore, le personnage d'Adelina White émerge dans des conditions tout à fait analogues à celles qui président à la presque apparition du monstre de la Camargue et de celle de Marseille. Et puisque c'est sa pratique de romancier qu'il a choisi de représenter dans cette «chronique», Giono insiste sur les délices que lui avait procurées dans le fort Saint-Nicolas le «curieux volume informe de sentiments divers», le «pandémonium» intérieur qui précède et signale chez lui le passage de l'amorphe au formel :

> «Il en était né, non pas un personnage, mais un curieux volume informe de sentiments divers, quelque fois contradictoires, à quoi la contradiction même donnait l'unité et la vie. Si une ville est un personnage, ou la mer, ou un massif de montagnes, ou le brasier des passions, alors oui, ce volume de sentiments auquel je ne pouvais donner aucune forme en était un. Il m'accablait de mille jouissances très vives, mais je ne pouvais pas me le représenter. Si j'essayais de le faire et de lui donner forme d'homme, ou de femme, à peine avais-je tendu autour de lui une peau quelconque qu'elle se boursouflait comme le drap avec lequel on veut éteindre des flammes, puis elle craquait de partout, laissant jaillir (dans des formes dont je n'étais plus le maître) des romanesques, des passions, des sensualités, des amours, des générosités, des égoïsmes, des haines, tout un pandémonium. Ce qu'on pouvait simplement en dire [...] c'est que c'était bien un personnage à faire arriver en face d'un poète au détour d'un chemin.» (III, 733-4)

On le voit : ce «curieux volume informe», antérieur à toute dénomination, vit de sa propre existence autonome, ne se laissant ni contenir ni circonscrire : le narrateur voudrait-il l'entourer d'une «peau» qui lui conférerait une forme quelconque, et le voilà qui «se boursoufle» et craque, répandant au dehors son contenu anarchique [12]. Or ce débordement du non figurable figure quand même chez Giono les conditions mêmes de la vision poétique. Selon le *Virgile*, le poète est «tellement bourré de matériel divin que sa peau en éclate comme la peau des hydropiques» (1040), et cette boursouflure, Giono l'oppose à l'angularité stérile du «cristal de glace» que le microscope révèle «hérissé de triangles et de tétraèdres combinés». De même, dans *Naissance de l'Odyssée*, on lit à propos des aventures fabuleuses, c'est-à-dire mensongères, à lui attribuées par les aèdes, qu'Ulysse «les sentait toutes entrées en lui, entassées dans l'enclos de sa peau, la boursouflant de formes nouvelles» (I, 53). Enfin, dans *Colline*, le poétique sourd d'une tête «pleine» et qui «craque toute seule dans l'ombre» (162), si ce n'est d'une main «lente, lourde, gonflée d'une force épouvantable» (134) : il s'agit évidemment de la tête et de la main de Janet, première incarnation paysanne du poète habité par «un curieux volume informe de sentiments», boursouflé d'un *pandémonium* intérieur qui n'aura de cesse qu'il n'ait *débordé* sur les formes du réel.

De telles considérations me semblent propres à éclairer certaines pages curieuses de *Noé* (voir III, 636-41) où Giono fait état, sous forme de fragments romanesques sans queue ni tête inspirés par l'écoute d'une symphonie de Mozart, de telles virtualités non réalisées d'*Un Roi* dont il vient, en principe, de terminer la rédaction mais qui *déborde* justement dans *Noé*. Pièces détachées d'une écriture, surcroît d'une imagination en gestation permanente et dont l'autre nom c'est «la monstrueuse accumulation des vies entremêlées, parallèles, solitaires» (635). Il est significatif que ce soit une œuvre musicale qui préside à l'inscription de ces fragments dans le texte de *Noé*. Le compositeur «peut faire entendre simultanément un très grand nombre de timbres» (642), tandis que l'écrivain est obligé, lui, de suivre une ligne, de «raconter à la queue leu leu»; car les mots, il faut les écrire «les uns à la suite des autres, et les histoires, tout ce qu'on peut faire c'est de les enchaîner». L'imagination vient ainsi se heurter aux limites infranchissables de l'*instrument* scriptural lui-même, d'un instrument foncièrement inapte à «exprimer le total». Or la description génésiaque a précisément pour fonction de faire éclater la linéarité et la fermeture du déjà formé, de renvoyer les choses à leur état de «substance non créée», pour que le romancier, ce *«Singe de Dieu»* (913), puisse présider en lui-même à la re-création perpétuelle du monde[13].

NOTES

Les volumes de l'édition de la Pléiade des *Œuvres romanesques complètes* de Giono sont désignés par les sigles I, II, III, etc. Le tome I (1971) ayant été revu et augmenté en 1982, c'est à cette deuxième édition que nous renvoyons par le sigle I-2. Nous employons en outre les sigles et abréviations suivants : *Dés.* (*Le Déserteur et autres récits*, Gallimard, 1973), *VR* (*Les Vraies Richesses*, Grasset, 1937).

A l'intérieur d'un même paragraphe, les séries continues de références à un même texte sont allégées du sigle initial commun et réduites à la seule pagination; par ailleurs, les références consécutives à une même page ne sont pas répétées à l'intérieur de ce paragraphe.

1. *Le Poids du ciel*, édition originale, illustrée de 32 astrophotographies de M. de Kérolyr, Gallimard, 1938, p. 32.

2. A des «ronds de lumière» d'une autre sorte, Marcel Neveux à consacré des pages remarquables d'un manuscrit intitulé *L'Espace et le lieu chez Giono*. L'auteur étudie, dans toute une série de textes, les résurgences du «cercle de clarté» qu'une lampe «inscrit dans la pénombre» d'un bureau solitaire, lisant dans ces ronds de lumière la figure diégétique de la «conscience» du roman et du bonheur même d'écrire.

Bien qu'il soit encore inédit, je tenais à signaler cet ouvrage à l'attention du lecteur futur, car il est, d'un bout à l'autre, d'un intérêt prééminent. Inutile de souligner sur combien de points je rejoins ici les analyses de Marcel Neveux, que je cite avec son aimable permission.

3. *La Terre et les rêveries de la volonté*, Corti, 1948, p. 17.

4. *Triomphe de la vie*, Grasset, 1941, p. 42.

5. Cette métaphorisation de la «mouche noire» en «faux» ne concerne pas la présente analyse.

6. Telle qu'elle fut publiée dans le n° 1 de *Vendredi*, novembre 1935.

7. *Bulletin de l'Association des amis de Jean Giono*, n° 19, 1983, p. 18.

8. *Ibid.*, p. 21.

9. *Ibid.*, p. 18.

10. *Fleurs du mal*, n° XVIII, «La Beauté», v. 7.

11. Dans *Le Grand Théâtre*, le Père Jean dit à son fils que «l'absence de forme est la manifestation la plus horrible de la matière» (III, 1073).

12. Même propos et même langage lorsque Giono affirme, dans son entretien avec J. Chabot et A. Valente, que le personnage romanesque «ne saute pas comme ça tout créé» mais qu'il sort d'«un chaos d'appareils passionnels divers»; voir «Une interview», in *Bulletin de l'Association des amis de Jean Giono*, n° 9, 1977, p. 24. Plus loin dans l'interview on retrouve à trois reprises, à propos du personnage romanesque tel qu'il se crée chez Giono, le mot de «volume», que l'écrivain associe à l'absence de «structure», et qu'il oppose à tout ce qu'il y a de «plat» chez le personnage gidien, c'est-à-dire «d'une seule dimension, pas un volume, plat comme une photographie» (pp. 25 et 26).

13. En conclusion à cet exposé, je tiens à renvoyer à deux articles remarquables qui, chacun à sa manière, examine la question des formes chez Giono. D'abord, l'article de Jean Pierrot, «La Cruauté dans l'œuvre de Giono», in *Giono aujourd'hui*, Aix-en-Provence, Édisud, 1982, pp. 203-216 : un des nombreux mérites de cette étude est de rattacher le spectacle gionien du corps ouvert et du sang épanché à une esthétique anarchique et «baroque» qui «privilégie constamment l'informe par rapport à la forme figée, l'organisme en gestation ou en décomposition par rapport à l'organisme achevé, le mouvement par rapport à l'immobilité» (p. 215). A son tour, dans le cadre d'une réflexion pénétrante sur la dialectique de l'avarice et de la perte, Laurent Fourcaut étudie, à propos de *Noé*, les rapports que les formes imaginaires «entretiennent avec le fond, avec l'abîme» d'où elles surgissent et où, pour se régénérer, elles «se retrempent sans cesse»; voir «*Noé :* le fond et les formes», in *Études littéraires* (Université Laval, Québec), vol. 15, n° 3, décembre 1982, pp. 419-39. Se reporter également à l'article de Jean-Cléo Godin, «Entre la pierre et la boue : Jean Giono et les images de la vie», à paraître dans *Jean Giono 4*. L'auteur met en valeur la «rêverie de genèse» chez Giono, la vision cyclique du monde «où la mort est constamment proche de la vie, la fin du commencement».

# TABLE DES MATIÈRES

Chez le même éditeur :

**Giono aujourd'hui**
*Actes du premier colloque international Jean Giono, Aix-en-Provence, juin 1981.*

Jacques Chabot
**L'autre Moi : fantastique et fantasmes dans les Nouvelles de Mérimée**

Z.I. Siaflekis
**Le Glaive et la Pourpre : le tyrannicide dans le théâtre moderne**

Germaine Castel
**André Chamson et l'Histoire : une philosophie de la paix**

Bibliothèque universitaire de Nice
**Albert Camus 1919-1960**
*Catalogue de l'exposition Festival international du Livre de Nice 1980 — Centre national d'art et de culture Georges-Pompidou 1981.*

**D'une amitié : correspondance Jean Amrouche - Jules Roy 1937-1962.**


*Dans la collection « Les chemins de l'œuvre »* (extraits) :

Jacques Chabot
**La Provence de Giono**

Jean-Pierre Brésillon
**La Bourgogne de Colette**

Jean-Paul Clébert
**La Provence de Mistral**

Georges Raillard
**La Provence de Bosco**

Michel Suffran
**L'Aquitaine de Mauriac**

Michel Suffran
**Les Pyrénées de Francis Jammes**

IMPRIMERIE TARDY QUERCY — 46001 CAHORS — 5530